Coordenação Editorial
Ivana Moreira

PRIMEIRA INFÂNCIA Vol. 2

*O que os pais precisam saber sobre a fase que
é o alicerce da vida*

Literare Books
INTERNATIONAL
BRASIL · EUROPA · USA · JAPÃO

© LITERARE BOOKS INTERNATIONAL LTDA, 2021.
Todos os direitos desta edição são reservados à Literare Books International Ltda.

PRESIDENTE
Mauricio Sita

VICE-PRESIDENTE
Alessandra Ksenhuck

DIRETORA EXECUTIVA
Julyana Rosa

DIRETORA DE PROJETOS
Gleide Santos

RELACIONAMENTO COM O CLIENTE
Claudia Pires

EDITOR
Enrico Giglio de Oliveira

REVISÃO
Sergio Ricardo Nascimento e Ivani Rezende

CAPA
Victor Prado

DESIGNER EDITORIAL
Victor Prado

IMPRESSÃO
Gráfica Paym

Dados Internacionais de Catalogação na Publicação (CIP)
(eDOC BRASIL, Belo Horizonte/MG)

P953 Primeira infância vol. 2: dicas de especialistas para esta etapa que é a base de tudo / Coordenadora Ivana Moreira. – São Paulo, SP: Literare Books International, 2021.
16 x 23 cm – (Primeira Infância; v. 2)

Inclui bibliografia
ISBN 978-65-5922-180-6

1. Educação de crianças. 2. Primeira infância. 3. Prática de ensino. I. Moreira, Ivana.

CDD 372.21

Elaborado por Mauricio Amormino Júnior – CRB6/2422

LITERARE BOOKS INTERNATIONAL LTDA.
Rua Antônio Augusto Covello, 472
Vila Mariana — São Paulo, SP. CEP 01550-060
+55 11 2659-0968 | www.literarebooks.com.br
contato@literarebooks.com.br

SUMÁRIO

7   CRIAR FILHOS NÃO É INSTINTIVO: É PRECISO EDUCAR-SE PARA EDUCAR
Ivana Moreira

9   PREFÁCIO
Bete P. Rodrigues

11   O IMPACTO DE UMA "INFÂNCIA VERDE" – CRIANDO CIDADÃOS PARA UM FUTURO MELHOR
Adriana Tonelli

17   ENTRE AROMAS E ENERGIA
Aline Caldas Viterbo

25   OLHAR HUMANIZADO SOBRE A CRIANÇA
Ane Cardinalli

33   HÁ UMA CRIANÇA DIANTE DA LUZ AZUL
Bruna Biazoto

41   OS EFEITOS A LONGO PRAZO DO ALEITAMENTO MATERNO NO DESENVOLVIMENTO INFANTIL
Bruna Grazielle Martins Ferreira

47   LIDANDO COM AS BIRRAS E DESCARGAS EMOCIONAIS
Caroline Bruno

53   TRILHA MATERNA
Cláudia Resende

59   EDUCAÇÃO FINANCEIRA NA PRIMEIRA INFÂNCIA
PARTE II
Daniele Bicho do Nascimento

65   A IMPORTÂNCIA DA EDUCAÇÃO SOCIOEMOCIONAL DESDE A PRIMEIRA INFÂNCIA
Daniele Diniz

73	A FALA "TINTIM POR TINTIM" DOS 0 AOS 5 ANOS **Deborah Zarth Demenech**
79	DÁ AULA OU SÓ BRINCA? **Edilaine Geres**
85	O DESENVOLVIMENTO DAS HABILIDADES SOCIOEMOCIONAIS NAS CRIANÇAS: APLICANDO OS PRINCÍPIOS DA DISCIPLINA POSITIVA **Elaine Andrade**
93	ABUSO SEXUAL INFANTIL INCONSCIENTE: A INTIMIDADE VELADA NO AMBIENTE DOMÉSTICO **Elias Lopes Vieira**
101	O PAPEL DA ARTE NO DESENVOLVIMENTO DO PROCESSO PEDAGÓGICO NA PRIMEIRA INFÂNCIA **Elisabete Dias**
107	TELAS NA PRIMEIRA INFÂNCIA: IMPLICAÇÕES SOBRE O BRINCAR **Fernanda Meneghel Cadore**
115	POR QUE BRINCAR É TÃO IMPORTANTE? COMO AS BRINCADEIRAS PROMOVEM O DESENVOLVIMENTO E A CONSTRUÇÃO DE VÍNCULOS AFETIVOS NA PRIMEIRA INFÂNCIA? **Fernanda Prata Leite Damiani**
123	ODONTOLOGIA PRÉ-NATAL E NA PRIMEIRA INFÂNCIA **Gabriel Politano**
131	CRENÇAS E MEMÓRIAS DA INFÂNCIA **Gisara Mattos Leão**
139	COMO NOSSOS PAIS – A TRANSFORMAÇÃO PELO *COACHING* **Guilherme Prisco**
147	O EQUILÍBRIO PARA UMA EDUCAÇÃO MAIS CONSCIENTE **Janaina Potenza**
155	PARA ACOLHER UMA CRIANÇA **Juliana Rosada**
163	A VIVÊNCIA DA MATERNIDADE QUE SE INICIA ANTES DO PARTO **Keizi Márcia Odorizzi**
169	AUTISMO NA PRIMEIRA INFÂNCIA **Larissa Lemgruber**

177 NOVAS ABORDAGENS DA INTRODUÇÃO ALIMENTAR
Larissa Trentini

183 O SONO NA PRIMEIRA INFÂNCIA
Leila Batista Martins

191 A INFÂNCIA DOS PAIS COMO INSTRUMENTO NO PROCESSO DE EDUCAÇÃO DOS FILHOS
Luana Ferraz Zanatta

199 PUNIÇÃO X DISCIPLINA
Lucia Politi

207 A NECESSIDADE DA ROTINA NA INFÂNCIA
Mariana Bechara Ximenes

215 MANHAS, BIRRAS E ATAQUES DE NERVOSISMO: COMO LIDAR?
Mariana Lima

221 PORTAIS DA PRIMEIRA INFÂNCIA
Mariele Martini de Lima Boeira

229 A IMPORTÂNCIA DO ANIMAL DE ESTIMAÇÃO NA INFÂNCIA
Marilisa Viduedo Fraga

235 A CURA DA CRIANÇA INTERIOR PARA TER UMA MATERNIDADE SAUDÁVEL
Marina Rigobello

243 QUANDO DECIDI ESTUDAR PARA MATERNAR
Marisa Vilem

251 DORMIR NA CAMA DOS PAIS – UMA DENÚNCIA!
Monica Donetto Guedes

257 MUITO MAIS DO QUE BRINCAR
Nádia Luciani Moraes

265 A PANDEMIA COMO TRAVESSIA EDUCATIVA: ATRAVESSAR E ATREVER-SE!
Nilcileni Brambilla

273 DESENVOLVIMENTO NA PRIMEIRA INFÂNCIA
Nina Burgos

281 ELAS NÃO ME OUVEM!
Patricia Escanho

287   CAMINHOS DE CONEXÃO
          Patrícia Silva

295   MEU FILHO NÃO ME OBEDECE!
          Priscila Grivol e Regina Pocay

303   CRIANDO VÍNCULOS AFETIVOS COM SEUS FILHOS PARA A VIDA
          Priscilla Rodrigues Martins

309   A IMPORTÂNCIA DO BRINCAR EM FAMÍLIA PARA O AUTISTA: UM OLHAR DA TERAPIA OCUPACIONAL NO CAPSI DE MOSSORÓ/RN
          Rafaella Pereira Rebouças

315   O OLHAR DA GESTÃO EDUCACIONAL, A CONCEPÇÃO E AS PRÁTICAS NA FORMAÇÃO DA PRIMEIRA INFÂNCIA
          Rita de Cássia Santos Ferreira

325   PRIMEIRA INFÂNCIA: TEMPO DE BRINCAR, APRENDER E CRIAR VÍNCULOS
          Roberta Barros Elmôr

331   MARCOS DO DESENVOLVIMENTO DA CRIANÇA – A CONCEPÇÃO SOBRE O DESENVOLVIMENTO INFANTIL E SUAS FASES
          Sarah Donato Frota

339   DESENVOLVIMENTO HUMANO
          Suzanne Bunn

345   A CRIANÇA QUE FOMOS FRENTE À CRIANÇA QUE TEMOS: COMO A HISTÓRIA DOS PAIS IMPACTA A VIDA DE SEUS FILHOS
          Vania Souza

353   PRIMEIRA INFÂNCIA NO SÉCULO XXI: COMO VOCÊ ESTÁ EDUCANDO SEU FILHO?
          Vilma Xavier Alves

361   A IMPORTÂNCIA DA COMUNICAÇÃO ASSERTIVA NAS RELAÇÕES PARENTAIS
          Zenir Pelizzaro

CRIAR FILHOS NÃO É INSTINTIVO: É PRECISO EDUCAR-SE PARA EDUCAR

Ivana Moreira

Quem nasceu nos anos 1970, como eu, certamente ficou de castigo, apanhou e foi impelido a ter uma obediência quase cega aos pais. Tudo isso era rotina para a maior parte das crianças num passado bem recente. Mas por que os pais de antigamente educavam as crianças assim? Será que eles não amavam seus filhos? Será que eles eram más pessoas? Claro que não. Eles só não tinham conhecimento sobre como (e por que) fazer de outro modo. Principalmente: eles não sabiam nada sobre as consequências de suas atitudes.

Educar filhos não é um ato instintivo como muitos pais ainda acreditam. É preciso educar-se para educar. É preciso entender que o que acontece durante a infância dos filhos influencia na construção da personalidade de cada criança. Hoje, não faltam estudos da psicologia e da neurociência para comprovar que as vivências dessa fase definem as características que os pequenos vão levar para a vida adulta. São nos primeiros seis anos de vida, por exemplo, que 90% das conexões cerebrais são formadas. O ritmo é frenético, de 1 milhão de conexões por segundo: é um momento único.

Não foi por acaso que a chamada educação parental - a preparação de pais e mães para lidar com as diferentes etapas de desenvolvimento dos filhos - ganhou tanta relevância nas últimas décadas. Os estudos pioneiros sobre parentalidade começaram há quase um século, com os austríacos Alfred Adler (psicólogo) e Rudolf Dreikurs (psiquiatra), e ganharam repercussão nos Estados Unidos a partir dos anos 1930. No Brasil, porém, essa discussão só ganhou força bem recentemente, na última década.

Foi por volta de 2010 que começamos a encontrar a figura do "educador parental" por aqui. E o que faz um educador parental? Ele é o profissional especializado em preparar pais e mães para o exercício da chamada "parentalidade positiva", que é esse novo olhar para a infância, para relação entre pais e filhos na infância.

O ofício surgiu espontaneamente, a partir do momento que profissionais brasileiros – a maior parte com formação nas áreas da saúde e da educação, como psicólogos, médicos e professores - foram descobrindo os estudos já tão difundidos nos Estados Unidos e na Europa. Coautores do "Primeira Infância – Volume 2", os especialistas que assinam artigos nesta coletânea fazem parte deste movimento. São profissionais experientes que querem abrir os olhos dos pais para uma nova abordagem na educação das crianças.

Em comum, todos eles têm a crença de que, para fortalecer os filhos, é preciso, antes de qualquer coisa, desenvolver os pais. Para formar adultos bem resolvidos emocionalmente, capazes de contribuir para o bem coletivo, é preciso voltar o olhar para as relações familiares na infância. Se mudarmos o início da história, mudamos a história toda. É fato.

Educar filhos é exercício de dedicação diária, como o de trabalhar os músculos numa academia. Mas é mais fácil se esforçar para educar crianças fortes e felizes do que consertar adultos devastados pelas experiências da infância. Nas páginas a seguir, você vai encontrar dicas preciosas de como contribuir positivamente para o desenvolvimento dos seus filhos – ou de crianças que estejam sob a sua responsabilidade. Leia capítulo por capítulo ou dê uma folheada e pare nos temas mais desafiadores para você. De qualquer forma, não tenho dúvida de que encontrará nesta obra recursos para fazer a diferença na infância de alguém.

Ivana Moreira é jornalista, fundadora da www.cangurunews.com.br (plataforma de conteúdo sobre infância para pais, educadores e cuidadores), colunista de educação do jornal Metro. É coordenadora editorial da coleção Primeira Infância, da Literare Books, e mãe de dois meninos: Pedro, de 17 anos, e Gabriel, de 13.

PREFÁCIO

Uau! Primeira Infância Volume 2. (E que honra ser convidada novamente para escrever o prefácio desse novo volume.) Isso significa que, a cada ano, mais mães, pais, educadores e profissionais estão voltados e interessados nessa faixa etária tão encantadora, desafiadora e indiscutivelmente importante. Os autores desta edição compartilham suas experiências, reflexões, estudos e pesquisas sobre crianças entre 0 e 6 anos.

Os capítulos deste livro, escritos por especialistas de diversas áreas de atuação, são um presente não apenas para mães e pais, mas também para outros profissionais que trabalham na área da Educação Parental.

Educação Parental ou Estudos sobre criação dos filhos, apesar de ser uma área de interesse geral e estudos há séculos, ainda não é objeto de estudo de todos pais e mães no mundo. No Brasil, nas últimas décadas, tivemos o crescimento (e declínio) de revistas impressas especializadas na Parentalidade, surgiram muitos especialistas com posts, podcasts, vídeos no Youtube, Facebook e Instagram, além de pesquisas acadêmicas e literatura muito variada. É muita informação e são profissionais como as autoras deste livro que têm dedicado boa parte do seu trabalho compartilhando saberes e experiências pessoais e profissionais com pais, mães e interessados.

E, como um "bônus", a variedade de temas nesta edição contribuirá para que você, leitor, desenvolva:

Segurança - quanto mais você conhecer sobre criação de filhos, reconhecer-se em histórias e desafios semelhantes aos seus e aprender sobre estratégias para lidar com essas dificuldades, mais se sentirá seguro e demonstrará essa segurança para seus filhos e outras pessoas.

Empatia e autorreflexão - histórias nos conectam e se forem sobre situações familiares, maior a chance de aprendermos sobre como lidar com os fatos da vida. Neste livro há uma grande variedade de relatos de experiências pessoais e essas narrativas podem facilitar a criação de vínculos com seus filhos e outros pais e mães. Ao nos identificarmos com algum dos personagens nas narrativas, podemos verdadeiramente, por meio da autorreflexão, desenvolver verdadeira empatia. Sem ela, costumamos julgar, criticar e reclamar dos comportamentos desafiadores dos filhos. Essa postura de julgamento só nos distancia dos nossos filhos. Só a verdadeira compreensão do ponto de vista do outro cria conexão.

Conhecimento sobre conteúdos e estratégias significativas - não é necessário "reinventar a roda" quando falamos de criação de filhos e podemos sim aprender com a experiência de outros pais e mães. Neste livro, temos inúmeros exemplos de situações típicas com os filhos e ferramentas respeitosas, empáticas e que funcionam em longo prazo. É comum apelar para métodos que funcionam na hora, como por exemplo, punir, ameaçar e oferecer prêmios e recompensas em troca de um melhor comportamento. O que não percebemos na hora que apelamos para esses recursos de controle externo é o quanto estamos ensinando nossos filhos *o que* pensar em vez de ensiná-los *como* pensar. Existem alternativas para essas estratégias que, em longo prazo, podem gerar rebeldia, baixa autoestima, dependência dos outros, vergonha, humilhação, culpa e muitos outros traumas. Adotar uma postura não-punitiva e não-permissiva dá mais trabalho e requer paciência, dedicação e compreensão do porquê as crianças fazem o que fazem. É isso que vocês aprenderão com os relatos e exemplos reais presentes neste livro: como sermos pais e mães ainda melhores e termos um relacionamento familiar mais harmonioso e saudável.

Diversos capítulos abordam alguns dos inúmeros comportamentos desafiadores de crianças na primeira infância (birras, manhas, desobediência, indiferença, uso de telas, dificuldades com sono, alimentação, fala entre outros) e apresentam estratégias eficazes, capazes de garantir o desenvolvimento de habilidades socioemocionais.

Várias autoras ressaltam a importância do brincar para o desenvolvimento infantil e também encontramos conteúdos relacionados à importância da conexão, comunicação assertiva e rotina – questões fundamentais quando o tema é criação dos filhos.

Temos a oportunidade de refletir sobre nossa própria história nos capítulos que discutem memórias de infância. Refletir sobre nossa criança interior é uma excelente chance de rever nossa própria história e ressignificar traumas e feridas do passado, agora no papel de mãe ou pai.

Agradeço a cada um dos autores, em nome dos pais e mães, e também em nome dos profissionais da Educação Parental, pela publicação desta obra tão relevante para quem busca conceitos sólidos e estratégias eficazes para lidar com os inúmeros desafios da parentalidade.

Bete P. Rodrigues é mãe desde 1997, madrasta experiente e atualmente "vódrasta" de um lindo garotinho. Atua na área da Educação há mais de 35 anos, tem mestrado em Linguística Aplicada (LAEL – PUC-SP) e, atualmente, é palestrante, *coach* para pais, consultora em educação e professora da COGEAE – PUC-SP desde 2006. Tem larga experiência como professora, coordenadora e diretora pedagógica em diferentes contextos (escolas de línguas, escolas particulares e públicas, ONGs). É *trainer* em Disciplina Positiva para profissionais da Educação e da Saúde, certificada pela *Positive Discipline Association* e tradutora de sete livros da série *Disciplina Positiva* entre outros materiais. Criadora do curso de *Formação Integral de Educação Parental*.

Contatos
www.beteprodrigues.com.br
contato@beteprodrigues.com.br
@disciplinapositivabrasil
11 97541 3385

1

O IMPACTO DE UMA "INFÂNCIA VERDE" – CRIANDO CIDADÃOS PARA UM FUTURO MELHOR

Neste capítulo versaremos sobre o impacto da Natureza no desenvolvimento das crianças e os problemas físicos e psicológicos causados pela pandemia do novo coronavírus, que obrigou o fechamento das escolas, faculdades e parques. O assunto nos faz refletir SOBRE a fundamental importância da socialização das crianças e adolescentes e a interação desses com o meio ambiente, que se refletem nas atitudes e no comportamento dos adultos que essas crianças se tornarão.

ADRIANA TONELLI

Adriana Tonelli

Médica graduada pela Faculdade Evangélica do Paraná (2001). Pós-graduada em Genética Humana pela Pontifícia Universidade Católica do Paraná (2002). Especializada em Pediatria pelo Hospital Infantil Darcy Vargas (2006) e subespecializada em Pneumologia Pediátrica pelo Instituto da Criança da Faculdade de Medicina da Universidade de São Paulo (2010). Membro da Sociedade Brasileira de Pediatria. Atuante em consultório particular e no SUS. Mãe da Rafaella, uma criança apaixonada por Jesus, pela Natureza e pelos animais.

Contatos
draadrianatonelli.com.br
contato@draadrianatonelli.com.br
linkedin.com/in/dra-adriana-t-6b87b48a/
11 3230 4560

A falta que a natureza fez...

A infância é o período de maior aprendizado da criança. É o momento em que se aprende um maior número de palavras, constroem-se memórias e reconhece-se o valor do ser social. Por isso a importância do brincar, de socializar, de conversar e de interagir.

A maioria das mães e pais já ouviu falar na importância dos "1.000 dias" no desenvolvimento infantil, que se inicia na gestação e finda-se aos dois anos de idade. Esse é o momento de conversar, de oferecer a melhor alimentação possível, de deixar a criança experimentar texturas, gostos e sons diferentes, de criar uma infinidade de sinapses, de criar *conexão*.

Mas o que fazer, como pais, após os dois anos de idade? Como devemos mantê-la conectada com o mundo da maneira mais simples possível?

Volto ao meu capítulo anterior, quando citei o momento em que vivíamos: era o início da pandemia da COVID-19, a qual acreditávamos que duraria apenas 2 ou 3 meses e que, depois disso, ficaria tudo bem. Citei o sedentarismo infantil, a influência excessiva do mundo digital e das redes sociais em nossas vidas e os incêndios alastrando nossa fauna e flora, prejudicando ainda mais o restrito contato das crianças com a Natureza.

Após 7 meses, voltamos ao mesmo ponto. O isolamento social seria a melhor maneira de contermos a pandemia. Pessoas ficaram em casa em *home office* e os serviços essenciais mantiveram suas atividades econômicas – com as pessoas que trabalham nesses setores sofrendo com pânico de contrair a doença ou trazer para suas casas (coronafobia). Por outro lado, crianças e adolescentes sofreram o maior baque de suas vidas: escolas fechadas, parques fechados, atividades físicas interrompidas, proibição de visita aos avós etc. Infelizmente, enquanto isso, os incêndios continuam e o meio ambiente está ameaçado.

Palavras da minha filha, agora com 7 anos, sobre a situação atual: "Mamãe, as pessoas não sabem que o meio ambiente nos mantêm vivos?"; "Quando acabar o coronavírus, eu vou voltar para a missa aos domingos"; "Quando acabar o coronavírus, eu vou para a escola e ver meus amigos!"

O impacto da pandemia sobre as crianças é imensurável. O aumento da exposição às telas (além do período das aulas on-line, as crianças e adolescentes permanecem conectados em redes sociais ou jogos), a baixa exposição solar, a diminuição da atividade física e o aumento do consumo alimentar causaram transtornos diversos, tanto físicos como psíquicos, como perda ou ganho excessivo de peso, depressão, ansiedade, desencadeamento de processos alérgicos inexplicáveis, pesadelos, mudança no padrão de sono, pânico, momentos de choro e gritos, andar em círculos em casa, automutilação, pensamentos suicidas nos predispostos, aumento de casos de violência doméstica, queda dos níveis de vitamina D e problemas oftalmológicos.

Tendo isso em vista, chegamos à conclusão da importância da escola e das áreas verdes na vida e na saúde das crianças. E que diferença se a escola tiver uma grande área verde.

Reconexão socioambiental

Aos poucos, parques e academias iniciaram suas reaberturas, e as escolas também. Essa "nova-vida-nova" começou no final de um inverno ensolarado e início de uma primavera quente. Com todos os cuidados previstos, nossas crianças voltaram a ver a luz do sol, a colher flores, a ver os pássaros, a andar de bicicleta e a encontrar alguns colegas e professores.

Com tantas restrições sociais e geográficas, poderíamos nos reinventar ainda mais um pouco... Sabendo que espaços abertos são ideais para diminuirmos o risco da contaminação viral atual, que tal se as aulas das crianças fossem transferidas para o exterior das salas?

Historicamente, no final do século XIX, a humanidade sofreu com a tuberculose. A doença matou 1 entre 7 pessoas na Europa e nos Estados Unidos. A vacina chegou em 1921, sendo que no Brasil apenas em 1927, mas foi disponibilizada em massa muitos anos depois. Para proteger as crianças na escola, que era vista como opção segura (já que muitas pessoas viviam em aglomerados, assim como ainda há nos dias atuais), foi criada a "escola ao ar livre", em que professores e alunos deslocavam cadeiras e lousas para o espaço externo e, em contato com a Natureza, aprendiam ciências, geografia, artes, entre outras disciplinas. A escola ao ar livre foi um sucesso, e não foram relatados casos de crianças que se infectaram nas escolas com a bactéria que causa tuberculose. Entretanto, as escolas ao ar livre desapareceram nas décadas de 1950-60.

A proposta da "Educação pela Natureza" permanece e é aplicada nas chamadas *Forest School* (Escola da Floresta). Vários estudos já comprovaram que o contato direto com a natureza na infância tende a surtir efeitos positivos e duradouros, que se refletem nas atitudes ou no comportamento dos adultos que essas crianças se tornarão. Nesse tipo de metodologia, rompem-se as barreiras físicas e hierárquicas da educação tradicional, crianças mais novas interagem com crianças mais velhas, experienciam com o ambiente e com os animais ali existentes. Essas ações, além de melhorarem a saúde física e psicológica, tornam-se prazerosas, aumentando a capacidade de aprender.

As primeiras Escolas da Floresta surgiram na Dinamarca, país que já tem como tradição o estar ao ar livre. Mesmo com o frio intenso, as pessoas desfrutam do clima de cada estação do ano. Esse dado é importante, pois as atividades não devem ser suspensas em dias frios ou chuvosos – salvo exceções –, mas adaptadas com o uso de galochas, capas de chuva, roupas térmicas, toucas etc. Essa experiência é uma oportunidade de descobrir maneiras de se adaptar às intempéries (que tal tentar fazer uma fogueira com o auxílio de um adulto?), aprender sobre os fenômenos da Natureza e as consequências ao nosso planeta causadas por falta ou excesso de chuvas, incêndios nas florestas, desmatamento impensado, mostrando o impacto que isso tem nas nossas vidas. Além disso, as crianças aprendem sobre o processo evolutivo, adaptativo e a fragilidade das espécies. Aprendem a superar os próprios limites. Desenvolvem a criatividade e elaboram hipóteses.

Os países escandinavos ressignificaram o ensino com essa prática. O sentimento de conexão espiritual com a Natureza faz parte da vida cotidiana desses países. Outros países, como Estados Unidos, Reino Unido e Canadá, também são influenciados por filósofos que pregam a importância da contemplação pelo mundo natural para constituir uma sociedade ética e equilibrada.

O mundo tem voltado os olhos para esse tipo de aprendizagem, reconhecendo os benefícios incalculáveis que essa filosofia de vida pode trazer para a formação do indivíduo. Dessa forma, as Escolas da Floresta vêm sendo disseminadas em vários países, propondo um ensino de apoio paralelo às escolas tradicionais.

Um ganho na inteligência

Estudos realizados a partir da década de 1980, por pesquisadores de diversas áreas, têm posto em evidência a importância de brincar fora de casa, participar de programas de educação ambiental e ter contato direto com a natureza para o estabelecimento de bons hábitos de saúde e sociabilidade, além da consciência ambiental.

Mais recentemente, em 24 agosto de 2020, um estudo belga foi publicado no *site* britânico *The Guardian* e demonstrou que crianças e adolescentes que crescem em áreas urbanas mais verdes têm maior inteligência e menores níveis de comportamentos difíceis, como agressividade e falta de atenção. O estudo analisou mais de 600 crianças e adolescentes, com idade variando entre 10 a 15 anos, e mostrou que um aumento de 3% na área verde do bairro elevou a pontuação de QI dos avaliados em uma média de 2,6 pontos. O efeito não foi diferente em níveis econômicos distintos. Variáveis foram levadas em consideração (riqueza, educação dos pais, poluição), no entanto os cientistas sugeriram que níveis mais baixos de ruído, menor estresse e maiores oportunidades para atividades físicas e sociais podem explicar as pontuações de QI mais altas. Um fato interessante relatado foi que o aumento do QI foi maior em crianças de um espectro inferior, para os quais pequenos ganhos fazem grande diferença.

Analisando todos esses fatos, devemos pensar na pedagogia da infância, na pedagogia da Natureza, na delicadeza do aprendizado e na solidez de caráter que essa experiência traz ao indivíduo.

Deveríamos quebrar os paradigmas do modelo fabril de aprendizado e abrir as oportunidades de aprendizagem baseadas nos interesses dos alunos, mantendo contato contínuo e cuidado com plantas e animais, além de uma estrutura favorável à formação, apostando no potencial do aprendizado ligado com a Natureza. Desse modo, elas teriam a chance de experimentar todo o conhecimento já aprendido, consolidando suas memórias e vivendo realmente a Natureza como escola.

Esse modo de aprender com a Natureza desenvolve, nas crianças, a criatividade, a resiliência e a inovação, qualidades que são importantes para os futuros adultos. A Natureza abre caminhos e amplia o mundo pela maneira mais simples: o contato direto com seus elementos e experiências, vividas e consolidadas na memória por toda a vida.

Referências

ARRINGTON, Damian. Children raised in greener areas have higher IQ, study finds. *The Guardian*, 2020. Disponível em: <http://www.theguardian.com/environment/2020/aug/24/children-raised-greener-areas-higher-iq-study>. Acesso em: 28 mar. de 2021.

AS ESCOLAS ao ar livre de 100 anos atrás que podem inspirar volta às aulas na pandemia. *G1*, 2020. Disponível em: <http://www.g1.globo.com/educacao/noticia/2020/09/07/as-escolas-ao-ar-livre-de-100-anos-atras-que-podem-inspirar-volta-as-aulas-na-pandemia.ghtml>. Acesso em: 28 mar. de 2021.

EFOC – Escola da Floresta Olho de Coruja. Disponível em: <https://escoladaflorestaefoc.com/>. Acesso em: 28 mar. de 2021.

NATERCIA, F. Infância próxima à natureza estimula preocupação ambiental na vida adulta. *Cienc. Cult.*, São Paulo, v. 59, n. 1, p. 22, mar. 2007. Disponível em: <http://www.cienciaecultura.bvs.br/scielo.php?script=sci_arttext&pid=S0009-67252007000100012&lng=en&nrm=is>. Acesso em: 28 mar. de 2021.

O'KEFFE, A. Wild Child by Patrick Barkham review – why children need nature. *The Guardian*, 2020. Disponível em: <http://www.theguardian.com/books/2020/may/20/wild-child-by-patrick-barkham-review-why-children-need-nature>. Acesso em: 28 mar. de 2021.

TOMÉ, A. C.; MENDONÇA, R. Um pouco da história das escolas da floresta. *Conexão planeta*, 2016. Disponível em: <http://www.conexaoplaneta.com.br/blog/um-pouco-da-historia-das-escolas-da-floresta/>. Acesso em: 28 mar. de 2021.

2

ENTRE AROMAS
E ENERGIA

Tudo vibra, tudo tem uma frequência, e a nossa existência em si é proveniente de uma energia maior. A cada nova descoberta da ciência o que fica claro é que o vazio não existe, e que tudo é preenchido por uma força invisível que não detectamos a olho nu. Atraímos o que vibramos. Uma das ferramentas de apoio para que o estado negativo passe mais rápido é, sem dúvida, a aromaterapia.

ALINE CALDAS VITERBO

Aline Caldas Viterbo

Pedagoga, UFMG. Pós-graduada em Neuropsicopedagogia, Unileya. Reikiana. Terapeuta Holística em Formação, Instituto Saber Consciente. Eterna estudante de Aromaterapia, tendo realizado o curso de Aromaterapia Healing, Curso Completo de Aromaterapia por Mariellen Araldi. Empreendedora na empresa Calima Sou Essencial. Realizou o curso de formação em Educação Consciência na Escola Inkiri. Como mãe de duas meninas na primeira infância, cursou o Criando Crianças Criativas ministrado por Murilo Gun. Mineira, atualmente mora em Marabá, no Pará, mas vive de mudança pelo Brasil guiada pela profissão do marido, sem saber o próximo destino. Eterna aprendiz de sabores, culturas e energias.

Contatos
affcaldas@gmail.com
Instagram: @aline.viterbo / @calima.souessencial
31 99709 2602

A emoção e o físico

À medida que a Neurociência avança, alcançamos o privilégio de termos novas tecnologias que captam o imperceptível a olhos nus, ou aquilo que a dissecação de cérebro não nos permitiu em outros tempos em que a pesquisa do corpo humano era direcionada a cadáveres e não tínhamos a oportunidade de desbravar com aparelhos as funções humanas ativas.

Há cerca de três décadas, esse campo de estudo vem crescendo, com aparelhos que captam ondas e frequências de atividades cerebrais. Assim, nos é permitido entender como determinada emoção age em nosso corpo, por exemplo. E não é só isso, ainda podemos observar como cada ambiente e sentido humano têm uma relação direta com as nossas reações físicas, químicas e emocionais.

A partir desse avanço, nos deparamos com mitos criados por aqueles que desejam respostas precoces a estudos mais apurados, por exemplo, aquele que nos diz que utilizamos apenas 10% de nosso cérebro, enquanto no atual momento ainda não conseguimos quantificar o que seria o todo, ou seja, os 100% da capacidade cerebral de um ser humano, com uma grande variável tratando-se de indivíduos.

O caminho da neurociência leva à descoberta de frequências, ondas e energias invisíveis que alteram e participam da nossa saúde, vida, corpo, emoções e vitalidade.

Uma das terapias integrativas que vêm sendo estudadas por pesquisadores é o Reiki, que há muito já demonstra, de maneira científica, que o método de imposição das mãos traz melhora e auxílio significativos para o corpo humano em geral após sua aplicação.

Com a aromaterapia, trazemos a química dos óleos essenciais como suporte para a saúde integral, diretamente ligada ao olfato e, consequentemente, ao sistema límbico, que é responsável pela parte emocional do nosso cérebro com efeitos diretos na imunidade, na produção dos hormônios e no sistema nervoso central.

Tudo está interligado em nosso cérebro. Isso explica como cheiros provocam reações diversas direcionando-as ao que consideramos agradável ou desagradável. E não é só isso, existem também memórias que temos de situações, pessoas e peculiaridades vividas que ficam registradas em nosso cérebro pelo poder do olfato sobre ele.

Criar uma geração imersa nessas novas possibilidades de auxílio ao ser humano integral é uma oportunidade crescente nos dias atuais, junto aos estudos e curiosidades na área das terapias integrativas, já que seus efeitos estão cada vez mais comprovados cientificamente.

Aqui trarei para vocês a aplicação da aromaterapia no dia a dia, e como podemos dar suporte emocional para nossos filhos por meio dessa simples ferramenta que nos possibilita mais harmonia, paz, comunicação não verbal e construção de memórias afetivas que ficarão para sempre em nossos corações.

> *Como podemos com nossas mentes adultas saber o que será interessante? Se você seguir uma criança, pode descobrir algo novo.*
> JEAN PIAGET

Tudo é energia

Tudo vibra, tudo tem uma frequência e a nossa existência em si é proveniente de uma energia maior. A cada nova tecnologia, o que fica claro é que o vazio não existe, e que tudo é preenchido por uma força invisível quando não detectamos nada a olho nu.

Energias negativas podem ser provocadas e atraídas por nós mesmos com a nossa irritação, mau humor, reclamação, medo e descontentamento. Atraímos aquilo que vibramos. Assim, a criança estará imersa na energia que o adulto vibrar, respondendo a ela muitas vezes de uma forma perceptível ao adulto, principalmente à mãe, que verifica na primeira infância vários episódios que mostram a criança envolvida em sua ansiedade, tristeza e em sentimentos elevados também, por que não?

Estamos sempre bem? Não. Mas o autoconhecimento é uma defesa energética importante para a nossa saúde física, emocional, mental e espiritual. Precisamos entender que nossas sombras existirão para serem iluminadas e trabalhadas por nós. Os estados prolongados de energias negativas é que são nocivos para nossa saúde.

Quando eu tenho consciência de que hoje não estou bem, preciso ter cautela ao me relacionar, ao tomar decisões, ao limpar a casa, nas trocas de energia em geral com outros, no lidar com as crianças e suas questões de dependência e com aquilo que venho nutrindo em mim. É importante buscar ferramentas que dão suporte para que a sensação negativa passe o mais rápido possível.

Fazer coisas de que gostamos e nos dão prazer é a melhor forma de nos conectarmos de novo com a energia positiva que está sempre em nós. Além de desligar a televisão, podemos cuidar dos nossos pensamentos silenciando a mente com técnicas de meditação, aromaterapia, exercício físico, oração e conexão com nosso "eu superior". Elevamos, assim, a nossa frequência energética.

Quando falamos em frequência, entendemos como medida da energia invisível. Assim, podemos dizer que a frequência das plantas pelos óleos essenciais chega a nossos corpos e ambientes para elevar a energia, mudar a frequência, transmutar, engrandecer e nos fornecer aquilo que de mais puro há na criação de Deus para nos auxiliar quando estamos com uma energia negativa, para manutenção diária de nossa energia e para prevenirmos uma queda brusca em nossa frequência.

O amor é a força sutil mais poderosa e a positividade o seu escudo. Na primeira infância, ele se apresenta muito forte para a criança na forma de seus pais e cuidadores, na maneira como a criança é tratada e acolhida ao se voltar para nós requerendo nossa atenção e tempo. Dedicação de tempo é amor.

> *A alma da criança é pura, ingênua e delicada tanto ou quanto o melhor cristal que existe; portanto, todo o cuidado é pouco para despertá-la para olhar de perto as janelas da vida!*
> REGINA CURY

Cheirinho no ar

A partir do dualismo platônico, o campo da emoção vinha sendo menosprezado para os saberes da humanidade. Enfrentamos milênios em que o certo era racionalizar e deixar as emoções de lado. Com o estudo da mente humana, observamos como os dois campos não se separam e que precisamos, sim, de um espaço para falar o que sentimos e validar nossas emoções humanas corriqueiras e importantes para o funcionamento de todo o corpo de forma fisiológica, emocional e energética.

Não é fácil lidar com emoções negativas, e não podemos romantizar o processo do autoconhecimento. Para tanto, nos dias atuais, encontramos ferramentas capazes de nos auxiliar no processo de encontro com nosso interior. A aromaterapia é uma das ferramentas em que nosso corpo consegue ter apoio para encontrar o equilíbrio de todas as alterações que determinada emoção acarreta e ainda dá o suporte para ressignificá-la.

O uso dos óleos essenciais vem sendo estudado e observado para equilibrar as emoções pelo olfato que está diretamente ligado ao sistema límbico. Ao inalar o aroma, os constituintes químicos presentes no óleo essencial são capazes de promover relaxamento, acalmar tensão e nervos, aumentar os sentimentos positivos e ajudar a diminuir o estresse. Além de atuar diretamente na memória, hormônios, emoção e sistema respiratório.

Os óleos essenciais são substâncias naturais existentes em plantas com uma vastidão de ações possíveis para a saúde do nosso corpo de forma integral. Suas moléculas aromáticas são utilizadas há séculos para a saúde do homem. Com o avanço dos estudos na área, a aromaterapia tendo sido cada vez mais aplicada para dar suporte às doenças emocionais, psíquicas e fisiológicas psicossomáticas com grande potencial de se tornarem crônicas.

Incluir a aromaterapia como forma de tratamento e ferramenta cotidiana para as famílias é uma maneira sábia e respeitosa de trazermos as emoções à tona, dando suporte aos encontros negativos que a busca pelo autoconhecimento nos traz. Além da lavanda – conhecida mundialmente por todos os seus benefícios para auxílio e melhora considerável da ansiedade, estresse e insônia, comprovados cientificamente –, temos uma gama de óleos essenciais com diferentes potenciais para auxiliar diferentes emoções.

Os óleos cítricos vêm sendo estudados para nos dar otimismo, segurança, coragem, foco e estabilizar emoções como a irritação. Óleos de resina e raízes possuem constituintes químicos que centralizam, acalmam e desaceleram a nossa mente. Alguns provindos de ervas nos trazem ação para o movimento, iniciativa, motivação e ajudam a superar o luto.

Conhecer os outros é inteligência, conhecer-se a si próprio é verdadeira sabedoria. Controlar os outros é força, controlar-se a si próprio é o verdadeiro poder.
LAO-TSÉ

Para o dia a dia

O teste de contato

Podemos descobrir alergias a cada novo cosmético ou produto que passamos na pele. Para evitar qualquer tipo de reação alérgica, é recomendado o teste de contato: passe o óleo nos punhos e aguarde algumas horas. Observe durante o dia e veja se tem alguma alergia do óleo que escolheu. A canela, por exemplo, é uma especiaria comum ao falarmos de alergênicos, e o óleo em si é a planta em sua potência essencial.

Tabela para uso tópico
Quantidade de gotas de óleo essencial para 10 mL de óleo vegetal

Porcentagem	Tabela de Diluição
0,5% (1 gota p/ 10mL)	Auxílio para recém-nascido
1% (2 gotas p/ 10mL)	Auxílio para bebês e gestantes
2% (4 gotas p/ 10mL)	Auxílio para alérgicos e peles sensíveis
3% (6 gotas p/ 10 mL)	Usados em massagens e cosméticos
5% (10 gotas p/ 10 mL)	Auxílio para acne severa, dores e inflamações
10% (20 gotas p/ 10 mL)	Auxílio para doenças degenerativas, infecções e inflamações graves

A diluição deve ser feita em óleos vegetais fracionados, chamados na aromaterapia de óleos carreadores, podendo ser óleo se semente de uva, coco, gergelim, jojoba, amêndoas doces e outros.

Bebês e crianças

Até 3 meses: usar lavanda e camomila, diluídas em 0,5%. Recomenda-se também usar óleos cítricos de forma aromática em difusor de ambiente. Cautela com difusor ligado em locais pequenos e fechados.

Até os 6 meses: evitar uso tópico de óleos cítricos e todo tipo de óleo de canela. Massagens são bem-vindas respeitando a diluição de 1%.

Até os 2 anos: evitar o uso de canela, mirra, cravo, pimenta-preta, orégano, tomilho, manjericão, melissa, capim-limão, *patchouli*, *ylang ylang*, sálvia, junípero, gengibre, vetiver, verbena e hissopo.

Até os 6 anos: evitar o uso de manjerona, anis, funcho doce e noz-moscada.

Até os 10 anos: evitar o uso de eucalipto glóbulos, alecrim e cardamomo.

Os cinco melhores óleos para bebês e crianças:

Camomila romana é o óleo essencial das crianças. Recomendado para falta de sono, irritabilidade, dores na barriga e erupção dos dentes. Uso tópico diluído sempre em óleo vegetal fracionado. Uso aromático em difusores de ambiente e pessoal, pingando num tecido ou travesseiro.

Lavanda, usada em massagem, com óleo vegetal em diluição segundo a tabela e, no banho, puro com duas gotinhas, melhora o sono e acalma as crianças. Pingue no cantinho do box ou na banheira. Pode ser usado de forma aromática.

Laranja-lima é atualmente estudada para a ansiedade infantil, podendo ser utilizada em difusor pessoal, inalação e difusor de ambiente. Excelente para usar de forma aromática trazendo alegria e otimismo.

Melaleuca é muito utilizada em problemas de pele, por exemplo, associada à lavanda em casos de dermatite atópica como suporte natural. Sua ação na pele acontece por meio do uso tópico respeitando a tabela de diluição.

Copaíba é um óleo tradicional no Brasil, sem qualquer contraindicação, é um excelente suporte para a imunidade. Uso tópico segundo a tabela de diluição passando na coluna, umbigo e plantas dos pés. Pode ser associado a outros óleos com ações diferentes, como a lavanda para o relaxamento.

Use com responsabilidade e amor!

3

OLHAR HUMANIZADO SOBRE A CRIANÇA

Trago aqui uma reflexão e construção da percepção da criança sob um olhar humanizado pela compreensão, aceitação e empatia, entendendo que cada criança é única e singular.

ANE CARDINALLI

Ane Cardinalli

Psicoterapeuta Clínica graduada em Psicologia e pós-graduada em Psicologia Humanista, estudando e atuando há mais de 20 anos na Abordagem Humanista Centrada na Pessoa, com foco em psicoterapia infantil e familiar, atendendo também adolescentes e adultos. Dentre as principais atividades, atua como psicoterapeuta no consultório, facilitadora em rodas de conversas sobre temas e públicos diversos. Ministra aulas especiais em Curso de Psicologia em diversas faculdades e universidades, facilitadora de grupos de estudos para profissionais e estudantes, palestrante em escolas e empresas, facilitadora de relações humanizadas em organizações.

Contatos
anecardinalli@me.com
Facebook: www.facebook.com/psicologia.infantil.familiar
Instagram: @ane.cardinalli_psico_infantil
19 99606-6006

> *Cada pessoa é única e precisa ser*
> *compreendida em sua singularidade.*
> ANE CARDINALLI

Toda pessoa possui uma história, uma trajetória construída baseada em suas vivências, influências sociais, emocionais e psicológicas, além da sua herança genética, crescimento orgânico e maturação neurofisiológica, caracterizando como essa pessoa sente, pensa e age, definindo, assim, o comportamento humano individual.

Cada indivíduo que nasce é o resultado de uma mistura única dos genes do pai e da mãe. Ninguém é igual a ninguém. Já nascemos únicos. Mesmo quando temos gêmeos univitelinos, por exemplo, que podem ser idênticos em sua aparência, mas diferentes em suas características de personalidade. Construímos nossa história única baseada nas vivências individuais, somando ainda a trajetória social e emocional, fazendo com que cada pessoa seja singular.

Ao buscarmos sinônimos para a palavra "singular", encontramos: único em seu gênero, diferente, distinto, especial, extraordinário, ímpar, incomparável, individual, inigualável, original, particular, raro. Observando essas definições, faz sentido entender o que significa dizer que cada pessoa é única e precisa ser compreendida em sua singularidade.

Não há duas impressões digitais iguais, não há duas pessoas absolutamente iguais, a estatística e a biologia nos garantem isso. Nessa linha de pensamento, não faz sentido olhar a criança baseando-se em uma referência externa. Se é única, precisamos considerar sua singularidade e permear o entendimento sobre quem é ela a partir dela mesma. Dessa forma, nenhum referencial externo pode dar significado a uma criança, a qual conseguimos compreender a partir de um olhar centrado nela mesma.

Na prática da psicoterapia clínica sob um olhar humanista centrado na pessoa, faz sentido o movimento de olhar quem é a pessoa e todo o seu contexto, para que seja possível compreender como ela pensa, sente e age, entendendo, assim, o seu comportamento.

Rosenberg (1987, p. 87) afirma que "ser empática com a outra pessoa é conseguir se aproximar tanto dela de modo que eu consiga observar a vida pelo seu olhar, e a meu ver quanto mais empática eu for, menos direcionamentos, julgamentos, interpretações e manipulações eu terei para a vida dela".

Por meio da compreensão empática, fazemos o movimento de entender a criança a partir dela mesma, tendo a oportunidade de um olhar humanizado e individualizado, evidenciando a sua singularidade.

Imagine se existisse um livro com milhares de páginas nas quais pudéssemos encontrar, em páginas específicas, a solução para tal dificuldade com relação a uma criança. Imagine, por exemplo, se os pais afirmam que a criança não divide seus brinquedos. Seria fácil abrir em determinada página e encontrar uma solução para isso, mas na realidade não é assim. Usando esse mesmo exemplo do "dividir" o brinquedo, para uma criança isso pode representar algo diferente do que para outras, ou seja, diferentes significados dentro da mesma situação. Não há única resposta para o mesmo tema, mas sim o que faz sentido para cada criança, considerando quem ela é e o que isso significa para ela.

Embora ouvimos muito falar em relações humanizadas, pouco vemos a empatia na prática. Muitas vezes, as pessoas consideram que ser empático é fazer para o outro o que gostaria que fizesse para si mesma, mas não é assim, exatamente porque o outro é diferente. Quanto mais nos afastamos do nosso conceito, mais nos aproximamos do outro. Quanto mais neutralizamos o nosso referencial, mais entendemos o outro a partir dele mesmo. Assim, podemos aceitar o outro empaticamente, mas não necessariamente concordar com ele, simplesmente porque temos outro referencial.

Fazendo uma analogia com o mundo do futebol: posso torcer para um time que, para mim, é o melhor time dentro dos meus conceitos, mas meu colega torce para o outro time que, para ele, é melhor do que o meu. Sendo empática e entendendo a escolha a partir da pessoa, eu consigo aceitar que meu colega tenha outra preferência, não que necessariamente tenho que concordar com ele, pois ainda assim, para mim, dentro dos meus conceitos, o meu time é o melhor.

Quanto mais desenvolvemos a compreensão empática, mais caminhamos para a construção de uma cultura de paz, respeito e aceitação de cada indivíduo em sua singularidade.

A empatia é a capacidade de perceber o mundo do outro a partir dele mesmo. Se tentarmos compreender o outro pelo nosso olhar, podemos ser injustos e usar de nossas referências, recursos, percepções e sentimentos, mas se tentarmos compreender o outro a partir dele mesmo, percebemos e compreendemos o que representa para ele próprio, sendo assim nos aproximamos mais dele, então, ele se sentirá mais compreendido e respeitado por ser quem ele realmente é, na sua essência.

Imagine duas crianças brincando e correndo. Em determinado momento, ambas caem, mas nada de grave acontece. Uma delas se levanta e continua brincando, enquanto a outra chora e chama por sua mãe. Por que será que ambas tiveram o mesmo acontecimento, mas com reações diferentes? Por que uma levanta e continua brincando, enquanto a outra chora mesmo não tendo se machucado? O que representa para cada uma o "cair"? Qual é o sentimento que cada uma pode ter com relação ao mesmo fato? Por que cada uma percebe e sente de forma diferente? Como cada uma sente e elabora o mesmo acontecimento? São reflexões que nos ajudam a entender a singularidade e a compreender empaticamente o significado e os sentimentos para cada criança.

Agora, imagine na mesma situação, um adulto que fala para a segunda criança: "Não foi nada, levante e continue!". Como será que ela se sentirá por não ser compreendida em seu sentimento? Ou, pior ainda, sendo comparada com a outra criança que levantou e continuou brincando?

Quando nos aproximamos da compreensão de que a criança é única, entendemos que cada uma possui a sua singularidade e, a partir daí, faz-se importante entendê-la a partir dela mesma, por meio da compreensão, aceitação e empatia.

Nesse mesmo movimento de individualizar a criança, não faz sentido tentar padronizá-la ou colocá-la em uma caixa já definida, como fazemos muitas vezes ao comparar o seu desenvolvimento com o desenvolvimento de outras crianças quando começam a andar ou falar, aprendem a comer sozinha ou a escrever. Ao comparar uma criança, estamos igualando-a em um nível já padronizado, esquecendo a sua trajetória individual.

O processo de desenvolvimento da criança envolve as áreas afetivas, cognitivas, sociais e biológicas, além da interação contínua dela com o ambiente físico e social que constrói seu desenvolvimento durante toda sua vida, ou seja, seu desenvolvimento acontece dia após dia, desde sua concepção. Desse modo, podemos entender que ninguém realmente é igual a ninguém.

Um olhar humanizado na prática clínica

Quando eu recebo uma ligação de pais me perguntando: "Você atende criança com TDAH (Transtorno de Déficit de Atenção com Hiperatividade)?" ou "Você trabalha com crianças que não aceitam regras?" ou "Você tem especialidade com crianças agressivas?", ou qualquer outra queixa inicial, eu imediatamente respondo: "Eu atendo crianças!".

Na minha prática clínica, estudo e atuo sob a perspectiva da Abordagem Humanista Centrada na Pessoa, em que procuro compreender quem é essa criança por trás do diagnóstico, pois sei que existe uma pessoa antes desse rótulo ou dessa característica predefinida. Não faz sentido algum olhar para o tema trazido, mas sim considerar quem é essa criança em sua singularidade.

Ao considerar a queixa trazida na percepção de outra pessoa, nos distanciamos da criança e da sua singularidade, evidenciando o que a criança tem e não quem ela é.

Certa vez, os pais de uma criança em processo terapêutico comigo estavam investigando "o que ela tinha" com um especialista em psiquiatria infantil, um tempo depois, eles me trouxeram um parecer médico com diagnóstico de TOC (Transtorno Obsessivo Compulsivo). Certo dia, durante uma sessão, levando em consideração a minha abordagem sempre dando ênfase em quem ela é, e não no que ela tem, a criança quis saber o que aquele diagnóstico significava. Após alguns minutos de reflexões e construções, ela pegou uma folha em branco e escreveu as iniciais T.O.C. e, na frente de cada letra, escreveu as palavras: Talentosa, Organizada e Criativa. "Essa sou eu!", disse ela, demonstrando ênfase e felicidade. E foi assim que ela construiu o próprio significado referente àquela sigla, se sentido bem com o diagnóstico recebido, pois era esse o significado que fez sentido para ela. Trago esse exemplo para compreender que, se considerarmos o olhar pelo significado médico, ou pelo conceito já formado no diagnóstico, podemos ser injustos com essa criança, pois somente ela mesma pode dar significado para esse rótulo que deram a ela. Enfatizo aqui que essa compreensão empática não descaracteriza nem desmerece um diagnóstico médico e tratamento necessário, mas ajudará a criança a lidar da melhor forma com isso, a partir do significado construído por ela mesma.

Evidencio aqui o pensamento de Rogers (1983): "Quando o objetivo é mais modesto e a finalidade é ajudar o indivíduo a ser livre para poder decidir os seus problemas à sua maneira, então as qualidades necessárias do psicólogo reduzem-se a uma dimensão humana."

Conhecendo a criança na essência

O primeiro contato com os pais ou responsáveis é extremamente importante, pois é nesse momento que entendemos o contexto da criança na percepção dos seus envolvidos. As informações nos ajudam a observar e a entender os fatores hereditários, fisiológicos, sociais e emocionais, os quais contribuíram para a formação da criança. Em seguida, devemos conhecer quem essa criança é efetivamente e, a partir dela mesma, como se sente e se percebe no meio em que vive.

Muitas vezes, uma dificuldade, que se torna a queixa que os pais trazem para psicoterapia, não é a forma como a própria criança se percebe ou se sente, ela pode apresentar dificuldades emocionais e por esse motivo precisamos compreender isso a partir da própria criança, por meio da sua autopercepção, e não somente a partir da queixa trazida por seus pais.

Na abordagem psicoterapêutica centrada na pessoa, o maior desafio referente ao atendimento infantil está no contexto em que ela se encontra inserida e nos envolvidos que a cercam, sendo assim, devemos focar em trazer esses envolvidos para um olhar individualizado e humanizado, fazendo-os compreender quem é essa criança, respeitando sempre a sua singularidade, construindo um olhar a partir dela mesma e desconstruindo naturalmente a percepção por um referencial externo, rotulado ou estigmatizado alguns comportamentos ou desenvolvimento a partir de um olhar social e predefinido.

Partimos do princípio que não existe uma caixa pronta para encaixar cada criança, nem mesmo uma regra básica que iguala essas às outras.

Segundo Rogers (1983), toda pessoa possui uma capacidade natural de se autodirigir de forma construtiva, no sentido de suprir as suas necessidades e buscar a autorrealização.

Falando sobre o processo de autodireção emocional, existem importantes atitudes facilitadoras que auxiliam na reflexão e construção da percepção da criança sob um olhar humanizado por meio da compreensão, aceitação e empatia, reforçando assim a teoria de que cada criança é única e singular.

Todo ser vivo tem a capacidade para se desenvolver dentro de suas condições existentes com os recursos disponíveis para isso. Uma planta, por exemplo, basicamente precisa de água e luz para se desenvolver. Se não for dada essa condição, buscará na própria natureza e, se não encontrar o suficiente, se desenvolverá de uma forma limitada, podendo até mesmo perecer. O mesmo acontece com todo ser vivo. No caso da criança, ela se desenvolve dentro dos recursos e condições existentes limitando-se aos recursos de seu contexto.

Quando a criança se sente verdadeiramente aceita e acolhida, ela tende a ser ela mesma entrando em contato consigo para buscar em sua essência o que é mais importante para o seu desenvolvimento pessoal.

A importância do brincar

Brincar serve como uma linguagem que transmite informações sem, necessariamente, utilizar palavras.
AXLINE, 1947

Os adultos se comunicam basicamente pela fala e pela escrita, utilizando de recursos mais elaborados e construindo um pensamento pautado no racional. Já a criança se expressa de uma forma mais autêntica e espontânea, sendo apenas ela mesma, e seu mundo é brincar se expressando o tempo todo sem necessariamente usar as palavras para isso. Para a criança, o brincar é tão importante quanto a fala, pois a cada criação durante as brincadeiras há significados importantes para ela. Cada desenho ou rabisco representa algo muito além de um papel riscado que, por muitas vezes, é considerado apenas como lixo depois da brincadeira. Mesmo aquelas brincadeiras que não vão além de apenas brinquedos espalhados fazendo uma grande bagunça no meio da sala, possuem significados fundamentais para o seu desenvolvimento.

É comum ouvir pais se queixando de seus filhos por não relatarem os acontecimentos do dia a dia. Quando perguntam "como foi seu dia" ou "o que fizeram na escola", muitas vezes, esperam receber respostas tão racionais e objetivas quanto suas perguntas.

Quando levamos a criança à vivência ou experiência que ela teve, fica mais natural e simples dela se expressar. Podemos fazer por meio de perguntas mais participativas e sentimentais como: "Como você se sentiu hoje?" ou "Qual foi a parte mais legal do seu dia?", ou ainda "Que atividade mais te interessou?". Assim remetemos a criança a uma vivência de percepção e sentimentos, fazendo mais sentido para ela se expressar.

Os adultos precisam perceber se estão se comunicando com as crianças a partir da percepção, linguagem e entendimento dela própria ou a partir do seu entendimento racional, pois muitas vezes os adultos tendem a se conectar com as crianças usando da sua maturidade, linguagem e compreensão, desconsiderando, assim, a forma que ela entende e se expressa, ou seja, o que realmente faz sentido a ela.

Se uma criança não pode aprender da maneira que é ensinada, é melhor ensiná-la da maneira que ela pode aprender.
MARION WELCHMANN

Devemos considerar uma criança a partir de seu próprio olhar, sentimento, percepção do mundo, dentro de suas referências e contexto individual, sempre respeitando a sua singularidade e fazendo-a se sentir mais compreendida e aceita, vivendo de uma forma mais emocionalmente saudável.

Eu entendo com a cabeça e compreendo com o coração. Respeito com a cabeça, mas aceito com o coração. Pois com a cabeça a gente pensa e com o coração a gente sente.
AUTOR DESCONHECIDO

Referências

AXLINE, V. *DIBS: em busca de si mesmo*. Rio de Janeiro: Agir, 1947.

PINTO, M. A. S. *Praticando a abordagem centrada na pessoa: dúvidas e perguntas frequentes*. São Paulo: Carrenho Editorial, 2010.

ROGERS, C. R. *Tornar-se pessoa*. São Paulo: Martins Fontes, 1985.

ROGERS, C. R. *Um jeito de ser*. São Paulo: EPU, 1983.

ROGERS, C. R.; SANTOS, A. M.; BOWEN, M. C. V. B. *Quando fala o coração: a essência da psicoterapia centrada na pessoa*. Porto Alegre: Artes Médicas, 1987.

ROSENBERG, R. L. *Aconselhamento psicológico centrado na pessoa*. São Paulo: EPU, 1987.

4

HÁ UMA CRIANÇA DIANTE DA LUZ AZUL

Não é de hoje que muitas de nossas crianças trocam experiências de descobertas na rua, no quintal ou nas varandas *gourmet* por telas, sejam elas celulares, *smartphones*, *tablets*, computadores ou televisão. Passando horas sem interagir com outras crianças ou consigo mesmas. Era esse o plano que tínhamos para elas?

BRUNA BIAZOTO

Bruna Biazoto

Pedagoga há mais de 20 anos, é professora da rede privada na cidade de São Paulo. Psicopedagoga clínica e especialista em Inclusão, trabalha com a estimulação precoce em crianças com autismo, estimulação cognitiva de crianças e jovens com Dificuldades de Aprendizagem, TDAH, Síndrome de Down, Deficiência Intelectual e Altas Habilidades. Graduanda em Psicologia e fundadora do Instituto Saber Mais, realiza palestras e cursos sobre o desenvolvimento infantil.

Contatos
www.brunabiazoto.com
contato@brunabiazoto.com
Instagram: @sabermaisoficial
Facebook: psicopedagogabrunabiazoto

Mesmo antes do nascimento, quando um filho é gerado, nossas expectativas em torno dele estão ligadas a momentos de carinho, cuidado e interação.

Sonhamos com aquele bebê protegido em nosso colo, com os primeiros passinhos terminando em um abraço, a alegria das primeiras palavras, os cafés da manhã reunidos à mesa, as tardes no parque, as noites de leitura à beira da cama que terminam com um olhar afetuoso sobre aquele ser, que dorme feliz por ter vivido momentos com quem ama e que se transformarão em lembranças valiosas para os próximos anos de sua vida.

Porém, a realidade das crianças do século XXI é um pouco diferente: em nossas mesas de café da manhã, temos novos acompanhantes, trazido por nós mesmos, as telas. Como diz Carr (2011): "é difícil resistir às seduções da tecnologia, e na nossa era de informação instantânea, os benefícios da velocidade e da eficiência parecem ser genuínos, e seu desejo, indiscutível".

Com acompanhantes tão encantadores, é difícil que nossa atenção não seja direcionada a eles. Assim, nossas tardes deixam de ser no parque, nossas noites já não são regadas por livros ou histórias da família; aos poucos, os momentos com quem amamos e as lembranças vão deixando de existir.

Diante de algo tão incrivelmente irresistível e associado a um cenário de isolamento social, em que a visita aos avós, a conversa com os amigos e, até mesmo a escola, reduziram-se à forma on-line, a pergunta da vez é: por quanto tempo conseguimos deixar nossas crianças desconectadas?

Com mais horas em frente às telas e menos horas interagindo com os amigos e familiares, nossas crianças estão perdendo a capacidade de brincar, criar, conversar e se acalmar, já que nas telas temos um mundo imediato.

O que me assombra são crianças cada vez mais novas encantadas com as telas dos *smartphones* enquanto passeiam pelo *shopping* e sequer percebem o que está à sua volta. Outras que comem sem nem olhar ou tocar o alimento. Enquanto os olhinhos brilham na luz azul, uma criança deixa temporariamente de viver em seu mundo real.

Antes da pandemia, época em que considerávamos nossas vidas normais, já era tema de discussão o excesso de telas ao qual nossas crianças são expostas diariamente e o tempo aceitável e saudável permitido para cada idade.

Segundo recomendação da SBP, crianças menores de 2 anos não devem ser expostas às telas; crianças entre 2 a 5 anos podem ter exposição máxima de 1 hora por dia; e, acima de 5 anos, o tempo máximo é de duas horas por dia, sempre com supervisão. Essa recomendação permanece efetiva, porém com tal cenário é importante pensar também: qual finalidade nossas crianças estão dando a essas telas?

Muitos pais tentam justificar o uso do tempo de tela dos filhos dizendo que usam o aparelho apenas para acessar aplicativos e jogos educacionais, sendo assim não deve haver problemas. No entanto, Kilbey (2018) diz que, em sua experiência, as crianças geralmente acessam muitos aplicativos e jogos, dentre os quais o tipo educacional é apenas uma pequena parte.

A desvantagem dos jogos educacionais são que as crianças recebem conhecimento de forma passiva, não precisam experimentar, errar, buscar soluções ou ao menos esperar para descobrir a resposta. O feijão que, antes era plantado no algodão e que se fosse regado corretamente e tomasse sol o suficiente, levaria alguns dias para brotar, hoje leva apenas alguns minutos ou segundos para completar todo o seu ciclo dentro de um aplicativo. Não há sujeira nem experiências, muito menos frustrações no caso de algo dar errado no meio do processo.

A frustração é necessária na infância, entender que nem tudo sai conforme planejávamos e que obstáculos surgirão em nosso percurso. Ter sabedoria para reconhecer que algo deu errado, resiliência para recomeçar, paciência para esperar algo novo acontecer e perseverança para não desistir são aprendizados que levamos para toda a vida.

Todos já vivemos nossas pequenas frustrações, por exemplo, quando a chuva começava e a luz acabava. No primeiro momento, o medo do escuro, logo depois, o tédio. E agora, o que fazer? Em nossas mentes ativas de crianças não tecnológicas a solução vinha rapidamente, e logo estávamos brincando com a sombra da luz da vela, ou os mais corajosos, brincando com a cera, fazendo a vela "chorar".

Já para nossas crianças da era digital, não é difícil que a bateria do celular dure até a energia voltar. Mas se a bateria acabar antes, acredite, depois do tédio ou até mesmo de momentos de choro e irritação, a criatividade aparecerá como uma luz no fim do túnel, e essa luz não será azul.

Telas em números

Segundo a pesquisa Panorama (2019), produzida por uma parceria entre o *site* de notícias Mobile Time e a empresa de soluções de pesquisas Opinion Box, com 1.580 brasileiros que acessam a internet, possuem *smartphone* e são pais de crianças de 0 a 12 anos, descobriu-se com relação à primeira infância que:

Quanto ao acesso:

- 0 a 3 anos - 12% possuem o próprio *smartphone*;
- 4 a 6 anos - 40% possuem o próprio *smartphone*.

Quanto ao tempo em frente à tela do *smartphone*:

- 0 a 3 anos - 38% utilizam por mais de 1 hora por dia;
- 4 a 6 anos - 58% utilizam por mais de 1 hora por dia.

Comparando com a pesquisa de 2018:

- Em um ano, cresceu de 23% para 30% a proporção de crianças entre 4 a 6 anos com *smartphone* próprio;
- Em uma análise de acordo com o gênero da criança, nota-se que ter um *smartphone* próprio é mais comum entre os meninos (44%) do que entre as meninas (39%).

Após essa análise, não é difícil prever que os números aumentarão consideravelmente nos próximos anos, principalmente pela necessidade de as crianças conectarem-se às aulas on-line ou ao ensino híbrido em meio a um mundo pandêmico ou até mesmo depois dele, em que alguns hábitos já estarão totalmente estabelecidos.

"Não só as telas dos celulares, *smartphones*, *tablets* ou computadores devem nos chamar atenção, apesar da diversidade de telas em nossas vidas, a televisão continua sendo a mídia usada por mais tempo", afirmam Rich *et al.* (2019).

Embora a AAP tenha desestimulado que crianças com menos de 2 anos assistissem à televisão, 75% dos bebês com menos de 1 ano assistem à televisão por mais de 1 hora por dia (COUNCIL, 2011).

"Os primeiros 3 anos de vida de uma criança são de intenso desenvolvimento cerebral, [...] diferentes áreas cerebrais amadurecem (...), modelam a arquitetura e a função dos ciclos neurobiológicos para produção dos neurotransmissores e conexões sinápticas. Da mesma forma, o olhar e a presença da mãe/pai/família é vital e instintivo como fonte natural dos estímulos e cuidados do apego e que não podem ser substituídos por telas e tecnologias", diz Buchweitz (2016).

O melhor estímulo ao desenvolvimento das crianças é a presença. Esteja presente, por inteiro, solte o celular, afaste-se do computador e brinque, converse, troque experiências, escute as alegrias e angústias que internalizam essa criança. Conte a ela sobre as aventuras e as derrotas que você viveu. Uma criança que conhece a história de seus pais se sente pertencente a um grupo, e isso a tornará forte emocionalmente para enfrentar os desafios da vida, desde as desavenças com o baldinho de areia ao aprendizado da leitura e escrita, por exemplo.

Risco das telas

Entende-se como risco os efeitos negativos para a saúde nas áreas do sono, da atenção, do aprendizado, do sistema hormonal, da regulação do humor, do sistema osteoarticular, da audição, da visão, além da possibilidade de acesso a conteúdos relacionados a comportamentos de autoagressão, tentativas de suicídio, crimes de pedofilia e pornografia, segundo a SBP (2019).

A exposição excessiva às telas pode causar:

- Dificuldade para dormir;
- Perda de apetite ou obesidade;
- Problemas de visão;
- Problemas de audição (pelo uso de fones de ouvido);
- Problemas de memória e concentração;
- Baixo rendimento escolar;
- Associação com sintomas de transtorno de *déficit* de atenção e hiperatividade (TDAH);
- Problemas posturais;
- Dificuldade em relacionar-se;
- Agressividade e impaciência;
- Variação de humor (depressão e ansiedade).

Dependendo do tempo de exposição, os fatores citados podem ser mais ou menos perceptíveis, podendo causar danos irreversíveis em alguns casos.

Uma vez ouvi o relato de um pai dizendo que o filho João[1], de 5 anos, se recusava a ir viajar com a família, pois não teria acesso ao seu jogo de videogame favorito. Mesmo depois de muita conversa e com a exploração de todos os recursos que ele teria na viagem, João não se convenceu e seguiu alternando momentos de autoagressão e choro durante o caminho. Esse comportamento persistiu durante os primeiros dias da viagem, até que ele se tranquilizou e aproveitou as experiências que estavam à sua volta.

Isso só foi possível porque, diante de uma situação grave de desequilíbrio, os pais entenderam que suas atitudes também deveriam mudar. Eles guardaram por completo seus *smartphones*, desligaram *notebooks* e aproveitaram ao máximo as áreas de lazer e passeios que o hotel oferecia.

Com essa atitude, eles puderam conversar durante as refeições, brincar juntos na piscina, acompanhar o filho no parquinho, explorar juntos novas paisagens e ensinar tudo aquilo que João não podia aprender enquanto jogava videogame.

É claro que as atitudes ao chegar em casa também deveriam mudar, e o desafio era ainda maior, já que o celular e o computador eram o instrumento de trabalho dos pais. João voltou a jogar videogame, mas agora era diferente, ele tem seu pai como adversário na pista de corrida.

"Eu gosto de jogar com o papai, mas é que ele cansa muito rápido e quer ir fazer outra coisa (...) ele quer jogar bola, lavar a louça (...), mas agora eu ajudo ele, o que eu mais gosto é quando a gente dá susto na mamãe". (João, 5 anos).

Mudando hábitos para uma vida familiar mais saudável

O uso das telas deve ser consciente e monitorado. Cabe aos pais e cuidadores observar as crianças, identificar suas emoções, reações, dificuldades e habilidades, impor limites. O excesso não é saudável em nenhum dos setores de nossas vidas, seja alimentar, físico, psicológico ou profissional. Então por que as telas seriam?

"Nada substitui o contato, o apego e o afeto humano, o olhar, o sorriso, a expressão facial e a voz dos pais ou cuidadores" (ANDERSON; SUBRAHMANYAN, 2017).

Sendo assim, a mudança de hábito dos adultos é o que trará a mudança na vida da criança. Rich *et al.* (2019) afirmam: "Lembre-se: as crianças 'ouvem' mais o que fazemos do que o que dizemos, portanto, aproveite as suas mídias e use-as com sabedoria".

Para estimular bons hábitos:

- Durante as refeições, exclua todos os aparelhos eletrônicos e conte como foi o seu dia, ou simplesmente aprecie o silêncio;
- Prefira um livro ou brinquedo (não eletrônico) a um aparelho digital;
- Pelo menos duas horas antes de dormir, nada de telas;
- Negue o acesso a qualquer tipo de tela dentro do quarto;
- Prefira computadores de mesa a *notebooks*, eles não podem acompanhar você a outros lugares da casa;
- Quando for passear em família ou visitar amigos, inclua as crianças nas conversas;

---

[1] O relato presente neste capítulo é baseado em uma família real que trabalhei em meu consultório. No entanto, os nomes foram alterados para garantir a confidencialidade do paciente.

- Prefira músicas no carro, em vez de vídeos nos *tablets* ou derivados;
- Crie *hobbies*, como plantar, andar de bicicleta, cozinhar, e inclua a criança;
- No caso das aulas on-line, estimule as crianças a interagir com os professores e os colegas, ligando câmera e áudio;
- Mostre interesse sobre o que a criança assiste ou joga em períodos on-line, peça que ela comente sobre e jogue com ela;
- Transponha para o mundo real o que a criança vê ou faz no mundo virtual; se ela joga *Minecraft*, por exemplo, façam juntos uma maquete ou um desenho do que foi construído virtualmente;
- Ao conversar com a criança, desligue o celular e deixe-o longe de vocês;
- Deixe a criança se entediar, assim ela terá a oportunidade de ser criativa e pensar sobre o que fazer;
- Estimule em si mesmo a capacidade de observar e perceber o que não é dito. Observe sua criança!

Quando o mundo real parecer estranho, quando a casa estiver muito silenciosa, quando os brinquedos já não estiverem espalhados, quando a mesa já não for um ponto de encontro, é o momento de rever suas prioridades e voltar o pensamento para onde tudo começou, naquele ser que estava sendo gerado e que tinha um mundo para descobrir, não por meio de telas, mas por companhias reais, companhias afetivas que deixarão marcas, sorrisos e lembranças valiosas para o resto de suas vidas.

Referências

ANDERSON, D.R., SUBRAHMANYAN, K. Digital screen media and cognitive development. *Pediatrics* [Internet], 2017; 140. Disponível em: <http://www.doi.org/10.1542/peds.2016-1758C>. Acesso em: 03 abr. de 2021.

BUCHWEITZ, A. Desenvolvimento da linguagem e da leitura no cérebro atualmente: neuromarcadores e o caso da predição. *J Ped* [Internet], 2016. Disponível em: <http://www.doi.org/10.1016/j.jped.2016.01.005>. Acesso em: 26 set. de 2019.

CARR, N. *A geração superficial: o que a internet está fazendo com os nossos cérebros*. Tradução de Mônica Gagliotti Fortunato Friaça. Rio de Janeiro: Agir, 2011, 304 p.

COUNCIL on Communications and Media. Media use by children younger than 2 years. *Pediatrics*, 2011. Disponível em: <http://www.pediatrics.aappublications.org/content/128/5/1040>. Acesso em: 03 abr. de 2021.

KILBEY, E. *Como criar filhos na era digital*. Tradução Guilherme Miranda. São Paulo: Fontanar, 2018, pp. 37-136.

PANORAMA Mobile Time/Opinion Box. *Crianças e smartphones no Brasil* [Internet]. São Paulo: Panorama Mobile Time/Opinion Box, 2019. Disponível em: <http://www.criancaeconsumo.org.br/wp-content/uploads/2019/10/panorama-criancas-celulares--out19.pdf>. Acesso em: 03 abr. de 2021.

RICH, M.; TSAPPIS, M., KAVANAUGH, J. R. Uso problemático de mídias interativas entre crianças e adolescentes: dependência, compulsão ou síndrome? In: YOUNG,

K., ABREU, C. N. (orgs.) *Dependência de internet em crianças e adolescentes*. Porto Alegre: Artmed, 2019, pp. 7-31.

SOCIEDADE Brasileira de Pediatria [Internet]. Rio de Janeiro: SBP, 2016. *Manual de orientação: saúde de crianças e adolescentes na era digital.* Disponível em: <http://www.sbp.com.br/fileadmin/user_upload/2016/11/19166d-MOrient-Saude-Crian-e-Adolesc.pdf>. Acesso em: 03 abr. de 2021.

SOCIEDADE Brasileira de Pediatria [Internet]. Rio de Janeiro: SBP, 2020. *Manual de orientação: # menos telas # mais saúde.* Disponível em <https://www.sbp.com.br/fileadmin/user_upload/_22246c-ManOrient_-MenosTelas__MaisSaude.pdf>. Acesso em: 18 nov. de 2020.

SOCIEDADE Brasileira de Pediatria [Internet]. Rio de Janeiro: SBP; 2019. *Manual de orientação: uso saudável de telas, tecnologias e mídias nas creches, berçários e escolas.* Disponível em: <https://www.sbp.com.br/fileadmin/user_upload/21511d-MO_-_Uso-Saudavel_TelasTecnolMidias_na_SaudeEscolar.pdf>. Acesso em: 03 abr. de 2021.

5

OS EFEITOS A LONGO PRAZO DO ALEITAMENTO MATERNO NO DESENVOLVIMENTO INFANTIL

Neste capítulo, vamos falar sobre como a amamentação é mais do que nutrir a criança. É um processo que envolve interação profunda entre mãe e filho, com repercussões no estado nutricional da criança, em sua habilidade de se defender de infecções, em sua fisiologia e em seu desenvolvimento cognitivo e emocional.

BRUNA GRAZIELLE MARTINS FERREIRA

**Bruna Grazielle
Martins Ferreira**

Enfermeira, consultora em Aleitamento Materno e Laserterapeuta. Empreendedora e mamãe do bebê genial, Miguel. Nasceu em Minas Gerais, formou-se em Belo Horizonte, mas foi em São Paulo, capital, que começou a trilhar sua história e decidiu aprofundar seus conhecimentos sobre Aleitamento Materno. Logo após a gestação do seu bebê, começou sua trajetória de trabalho empreendedor, o que lhe possibilitou evoluir seus conhecimentos. Seu trabalho é reconhecido a cada dia pelo atendimento dedicado, próximo e humano que oferece.

Contatos
www.brunagrazi.com
contato@brunagrazi.com
Instagram: @bruna.grazif

O verdadeiro amor nunca se desgasta. Quanto mais se dá, mais se tem.
ANTOINE DE SAINT-EXUPÉRY

Amamentação e vínculo entre mãe e filho: saiba como o aleitamento fortalece o apego

Que amamentar é essencial para o perfeito desenvolvimento do bebê, todo mundo já sabe. Mas sabia que as vantagens incluem, ainda, a formação do apego entre a mãe e o bebê?

O vínculo entre eles se fortalece no contato pele a pele e no olhar. Um dos motivos pelo qual o aleitamento favorece o vínculo entre mãe e filho seria porque o toque e a sucção liberam a ocitocina, o chamado hormônio do amor, no organismo. A ocitocina também libera o leite materno e faz o seu coração se derreter por aquele ser pequenino que você nunca viu antes.

E a função dessa substância, produzida naturalmente pelo corpo humano, vai além: ela é também um neurotransmissor, ou seja, age como mensageira, levando informações para diversas áreas do organismo.

A ocitocina influencia comportamentos, é capaz de reduzir o estresse, a ansiedade, tem o poder de fortalecer vínculos, é um ato prazeroso e que aumenta a autoestima.

O leite materno é o alimento ideal para o crescimento e o desenvolvimento saudável dos bebês

A Organização Mundial da Saúde (OMS) e o Fundo das Nações Unidas para a Infância (UNICEF) recomendam que as crianças sejam amamentadas exclusivamente nos primeiros seis meses de vida. Após esse período, para cobrir as necessidades nutricionais, as crianças devem receber alimentação complementar adequada e continuar sendo amamentadas até os dois anos ou mais.

O leite materno é um alimento completo. Isso significa que, até os 6 meses, o bebê não precisa de nenhum outro alimento (chá, suco, água ou outro leite).

O leite materno protege contra diarreias, infecções respiratórias e alergias. Diminui o risco de hipertensão, colesterol alto e diabetes, além de reduzir a chance de desenvolver obesidade. Crianças amamentadas no peito são mais inteligentes, e há evidências de que o aleitamento materno contribui para o desenvolvimento cognitivo.

Como primeiro alimento do bebê, podemos esperar que os componentes do leite materno incluam nutrientes essenciais básicos, como carboidratos, proteínas e gorduras, além de água para mantê-lo hidratado. Mas o leite materno não é um alimento comum, ele tem mais valor do que apenas a nutrição. Contém fatores bioativos que incluem células, agentes anti-infecciosos e anti-inflamatórios, fatores de crescimento e prebióticos.

A composição do leite materno varia com o tempo e se adapta para atender as necessidades do bebê. Alguns elementos do leite materno maduro não podem ser replicados porque são exclusivos do próprio corpo.

Além dos benefícios para o seu bebê, também existem muitos benefícios para a mamãe. Cada vez que a mãe amamenta, o corpo libera o hormônio ocitocina. Esse hormônio faz com que o útero se contraia, o que ajuda o útero a voltar ao tamanho normal, prevenindo hemorragia pós-parto. E as chances de a mulher desenvolver câncer de mama, de ovário e osteoporose reduzem significativamente a cada ano que ela amamenta.

Durante a lactação, a mãe perde grandes quantidades de gordura corporal armazenadas durante o período gestacional.

A amamentação é sustentável, faz bem para o planeta e para a sociedade

Amamentar é a forma de proteção e a alimentação mais econômica do mundo. Os pais não gastam dinheiro com fórmula, o leite materno está sempre limpo e na temperatura certa. Amamentar preserva o meio ambiente, evita que toneladas de plásticos sejam produzidos, não utiliza energias e combustíveis, não descarta materiais e não desperdiça insumos e água. Não há necessidade de aquecimento, esterilização de mamadeiras e bicos.

A interrupção da amamentação sobrecarrega e onera os sistemas de saúde, devido aos altos custos de tratamento e ocupação de leitos, além da diminuição da produtividade dos pais e ausência ao trabalho.

Hora de ouro

Uma das orientações do Ministério da Saúde (2016) é iniciar a amamentação imediatamente após o parto, pois é o momento em que o recém-nascido está mais alerta. Além disso, o contato precoce da mãe com o recém-nascido aumenta a duração e a probabilidade de sucesso do aleitamento materno (BOCCOLINI *et al.*, 2008).

Coisas incríveis acontecem no corpo da mulher quando ela dá à luz – incluindo a liberação de ocitocina. Essa onda de hormônios ajuda a mãe a desenvolver um forte vínculo com seu bebê desde o início.

A primeira hora após o nascimento é um momento crítico para maximizar a experiência de união entre mãe-bebê. Há uma liberação crescente de ocitocina após o nascimento que faz com que os sentidos sejam intensificados, permitindo que a mãe se conecte com o cheiro e a sensação do bebê. Da mesma forma, o bebê se sente atraído pelo cheiro da mãe.

A hora após o nascimento é o momento perfeito para iniciar o contato pele a pele colocando o bebê no peito. Isso sinaliza que ambos os corpos liberam mais do hormônio do amor, o que ajuda na liberação do leite. Durante o contato pele a pele, o bebê também tem sua primeira chance para começar a mamar. Permitir essa experiência de aprendizagem nas primeiras horas após o nascimento melhora os resultados do aleitamento materno. Colocar o bebê para mamar muitas horas após o parto, retarda a estimulação do seio materno para a produção de leite. Outro papel importante da ocitocina é a ejeção do leite.

Aspectos emocionais importantes estão envolvidos na realização da amamentação exclusiva. Esse mecanismo de ejeção de leite pode ser afetado de forma adversa e muito intensa por fatores psíquicos. Por exemplo, o medo por parte da mãe de que não será capaz de amamentar seu filho pode, em verdade, impedi-la de fazê-lo.

Mas não há limite de tempo para a união. Se a mãe não pode estar com seu recém-nascido imediatamente após o nascimento por qualquer motivo, não se preocupe.

Fatores que influenciam a ocorrência do aleitamento materno exclusivo

Muitos fatores influenciam a ocorrência do aleitamento materno exclusivo, a duração da amamentação, a sua interrupção precoce e os aspectos emocionais envolvidos nesses processos. Alguns fatores, como maternidade precoce, baixo nível educacional e socioeconômico materno, paridade, atenção do profissional de saúde nas consultas de pré-natal, necessidade de trabalhar fora do lar, dor e feridas, são frequentemente considerados como determinantes do desmame precoce. Contudo, outros, como o apoio familiar, condições adequadas no local de trabalho e uma experiência prévia positiva, parecem ser parâmetros favoráveis à decisão materna pela amamentação. Apesar da relevância dos fatores mencionados, os aspectos culturais e a história de vida da mãe são os elementos mais importantes na decisão acerca do aleitamento e o momento apropriado do desmame (FALEIROS; TREZZA; CARANDINA, 2006).

Amamentação e as contribuições para o desenvolvimento emocional infantil

Bebês amamentados desenvolvem cérebros e sistemas nervosos melhores e têm QIs mais elevados. Os efeitos benéficos da amamentação, como o impacto direto na inteligência, são explicados pela presença de ácidos-graxos saturados de cadeia longa no leite materno, essenciais para o desenvolvimento do cérebro.

Esses mecanismos promovem a formação das células cerebrais e favorecem o bom desenvolvimento neurológico (neuroproteção e neurotransmissão).

A amamentação é um acontecimento crucial na vida de todos os envolvidos, e sua importância transcende o caráter meramente biológico do ato. As experiências atreladas a ela encontram-se nas origens do desenvolvimento da personalidade de todos; por isso, a importância que se dá ao contexto relacional e à interação mãe-bebê, palco em que essas vivências são encenadas.

Bebês e crianças se beneficiam de muitas maneiras quando suas mães são capazes de amamentar de forma ideal. A sociedade deve encontrar formas de apoiar as mães para que essa prática se torne universal.

É durante a infância que se desenvolve grande parte das potencialidades humanas. O período que engloba o nascimento e vai, em média, até os 3 anos de idade é considerado fundamental para as novas aquisições da criança e para sua constituição como sujeito, pois tanto o psiquismo quanto as funções mentais passam a se estruturar. O vínculo do bebê com sua mãe nos primeiros anos de vida é considerado a relação fundamental para o desenvolvimento e a construção das estruturas afetivas da criança.

Para o bebê, a ocasião do nascimento e a fragilidade da vida extrauterina são amenizadas com a presença da mãe, seu amor e seu leite. A percepção do mundo exterior se inicia nos primeiros contatos que o bebê estabelece com o outro a partir da sua experiência com o seio materno. Essa será a mais importante fonte externa de satisfação e insatisfação, de prazer e dor.

O bebê acaba de conhecer o mundo exterior introduzindo tudo pela boca. O seio da mãe, seja ele bom ou mau, fundir-se-á com a presença física dela. As experiências de felicidade, ódio, amor e frustração estão intimamente ligadas ao seio da mãe.

Portanto, a alimentação de uma criança é uma questão de relação da mãe com o filho, em que se põe em prática o amor entre dois seres humanos. Assim, o ato de amamentar não se baseia somente na oferta de nutrientes ao recém-nascido, mas é também um gesto de amor que, ao satisfazer as necessidades nutricionais do bebê, proporciona o contato íntimo pele a pele, promovendo o vínculo precoce e os laços afetivos entre mãe e filho.

Para o bebê, o momento da alimentação está envolto por contato físico e vínculo com sua mãe, o que servirá de modelo para as relações que estabelecerá ao longo da vida, servindo também de fonte de experiências psíquicas e condicionamentos socioculturais.

Muito se tem aprendido sobre a amamentação ao longo dos tempos. Entretanto, apesar dos avanços científicos, especialmente acumulados ao longo do século XX, o que se viu nesse período foi a persistência do desmame precoce, talvez pela carência de estudos que se proponham a ouvir as mulheres e tentar entender seus reais desejos e suas condições físicas e emocionais para desenvolver a função nutriz. Portanto, amamentar se torna muito mais do que apenas nutrir.

Referências

AINSWORTH, M. D. S. Patterns of infant-mother attachment: Antecedents and effects on development. *Bulletin of The New York Academy of Medicine*, v. 61, p. 771-791, 1985.

BOCCOLINI, C. S., et al. Fatores que interferem no tempo entre o nascimento e a primeira mamada. *Caderno de Saúde Pública*, v. 24, p. 2681-2694, 2008.

FALEIROS, F. T. V.; TREZZA, E. M.; CARANDINA, L. Aleitamento materno: fatores de influência na sua decisão e duração. *Revista de Nutrição*, v. 19, p. 623-630, 2006.

MINISTÉRIO da Saúde. Secretaria de Atenção à Saúde. Departamento de Atenção Básica. *Saúde da Criança. Aleitamento Materno e Alimentação Complementar.* 2ª ed. Cadernos de Atenção Básica, Brasília – DF, 2016.

6

LIDANDO COM AS BIRRAS E DESCARGAS EMOCIONAIS

O desafio da educação e criação de filhos pode se tornar desgastante ao longo do tempo, podendo gerar muitas feridas emocionais, ou ser muito tranquilo e gerar ensinamentos incríveis, dependendo de como pais, educadores ou cuidadores reagem às birras e às descargas emocionais. Explicarei como lidar com conflitos e como transformar uma crise de birra em uma oportunidade de crescimento e desenvolvimento da criança.

CAROLINE BRUNO

Caroline Bruno

Educadora parental. Mãe do Júnior e com imenso desejo de deixar um legado positivo para o mundo por meio das futuras gerações. Neuropsicóloga, educadora parental *Discipline Positive Association* (PDA) – EUA, *presence coaching*, terapeuta integrativa, criadora do perfil @mentalidadedemae nas redes sociais e do curso on-line Maternidade Leve.

Contatos
mentalidadedemae@gmail.com
Instagram: @mentalidadedemae
Facebook: mentalidadedemae
51 98201 2305

Antes de começar propriamente este capítulo, gostaria de propor que faça uma viagem no tempo e lembre-se de sua infância, como era sua percepção do tempo, quais as suas memórias mais felizes e qual era seu maior sonho de criança. Relembrando essas condições, você conseguirá lembrar como é ser criança e o que necessita fazer e viver com seu filho no presente. A vida com uma criança pequena pode ser bem intensa. Se você está sentindo exaustão e esgotamento, mas, ao mesmo tempo, com a sensação de estar no melhor momento de sua vida, não está só. Você não é diferente, agora é mãe ou pai. Essa é uma tarefa difícil, educar filhos.

Antes de nos tornarmos pais, temos pouquíssimo conhecimento sobre quanto significativa e desafiadora é a primeira infância.

Por vezes, fomos nós que julgamos um momento de birra de uma criança.

Na verdade, todas as crianças em algum momento terão um momento de birra.

Compreender por que as birras acontecem – e como lidar com elas – pode ajudar a manter uma atitude positiva e a tranquilidade no momento em que ocorrem.

Certa vez estava no mercado com meu filho, após buscá-lo na escola, ele tinha por volta de 4 anos e já era fim de tarde. Resolvi passar no supermercado para comprar algumas coisas para o jantar. Tudo parecia muito tranquilo até chegarmos à fila do caixa. Nesse momento, ele viu um pacote de balas coloridas. Como não era uma opção ofertar aquele tipo de doce para ele, relembrei outro alimento que estávamos levando, e que talvez, em outro momento, poderia pensar em comprar as balas. Ele não ficou nem um pouco satisfeito com a resposta. Se jogou no chão, chorando muito alto. A cada tentativa de ajudá-lo, mais intenso ficava o choro dele.

Já imaginava um dia viver esse momento, que até então nunca tinha ocorrido, porém nesse dia pude experimentar a total sensação de desconforto que é ter todos os olhares de julgamento direcionados para a birra da criança e viver aqueles minutos que pareciam passar lentamente. A sensação de que, certamente, todos estavam olhando e pensando "que criança mimada e sem limites."

Na verdade, talvez nenhuma pessoa estivesse pensando isso – tampouco preocupada com a criança que chorava. Mas meu desejo era apenas acalmá-lo e sair dali o mais rápido possível, ir para onde ele já não pudesse ver doces ou qualquer outra coisa atraente para os olhos de uma criança. Já tínhamos escolhido algo especial para ele, sempre fazíamos esse acordo antes de ir ao mercado. Você pode estar se perguntando: então por que ele fez a birra? Ele é um menino mimado? Será que ele precisava era de uma "boa palmada" ou quem sabe "um castigo quando chegasse em casa" resolveria?

Não. A resposta para esse questionamento é: ele fez birra "porque sim"– ele queria o que queria, queria naquele momento. Com a oposição, ele não conseguiu lidar com seus sentimentos.

As crianças fazem birras, que costumam ser muito barulhentas, por sua incapacidade de lidar com seus sentimentos e frustrações, por sua imaturidade cerebral (o córtex pré-frontal, parte do cérebro responsável pela regulação emocional que ajuda a se acalmar, não estar completamente desenvolvido – a neurociência afirma que isso pode ocorrer por volta dos 20 a 25 anos de idade).

Naquele momento da birra do meu filho no supermercado, ele estava com uma necessidade fisiológica, o sono.

A frustração do *não* foi o gatilho para ele fazer a birra. Tinha vivido um dia intenso na escola, cheio de descobertas e estímulos. Já estava com sono e, provavelmente, com uma carga emocional.

Quando começamos a compreender os motivos de uma descarga emocional como a birra, fica mais fácil de lidar sem entrar em uma disputa com a criança. Por vezes, não importará o que você diga ou faça, seu filho vai fazer birra. Ela faz parte do desenvolvimento e significa que as birras do seu filho não têm nada a ver com o quão "bom" você é como mãe/pai. Suspeitamos que você tenha se perguntado sobre isso (sentir culpa é comum para os pais).

Agora, uma má notícia: não podemos fazer com que os colapsos desapareçam totalmente. Mas, felizmente, como o que você está prestes a aprender, é possível evitar muitos deles. O suficiente para manter a sua saúde emocional e paz interior, para que você não sinta medo de ir ao *shopping* ou supermercado com seu filho, de ir embora do parquinho ou de qualquer outro momento. O suficiente para que aproveite essa fase cheia de descobertas e oportunidades de ensinar.

Consegue imaginar? Mais conexão e calmaria. Sem caos... Falando em caos, você também pode aprender a não o aumentar. Como você poderia aumentar as birras? Reagindo com neurônios-espelhos. Já é comprovado pela neurociência que reproduzimos o comportamento de outro humano pela conexão e observação.

O fato é que podemos adotar uma postura de fazer perguntas para nós mesmos antes de reagir: por que meu filho está reagindo dessa maneira? Se tiver um olhar curioso e uma postura de desejo de entender o que há por trás do comportamento, compreenderá que seu filho está tentando expressar ou fazer alguma coisa e não aprendeu ainda como comunicar isso. Dessa forma, teremos mais assertividade.

Você pode pensar no que pode ensinar nesse momento da birra. Será essa a grande oportunidade para ensinar sobre autorregulação ou resiliência; enfim, há muitas oportunidades nesses momentos.

Reflita então sobre como será a melhor forma de aproveitar esses momentos para ensinar. Como podemos desejar que uma criança se acalme, se mesmo os adultos não o fazem? Se você perde o controle de si e reage com seu cérebro primitivo, pode não reagir de maneira consciente. Então é preciso que fique atento ao que está fazendo para comunicar que alguns comportamentos não são adequados.

Se uma criança não consegue gerir suas emoções e ter um melhor comportamento, é a sua oportunidade de ofertar ajuda, ser empático com a situação e buscar uma solução.

A solução pode estar em redirecionar para outra situação, em simplesmente oferecer consolo ou quem sabe um abraço.

Nosso principal foco precisa estar em ajudar a retomar o controle de si, das suas emoções. Não se deve encarar como uma experiência desagradável, apesar de, às vezes, acontecer em lugares que nos causam desconforto.

A birra pode ser usada como uma oportunidade para fazer a criança se sentir segura e amada. Com o seu apoio emocional e conexão.

Você pode agora estar se perguntando como resolvi a birra do mercado ou, até mesmo, pensando se não era mais fácil dar o que meu filho desejava para resolver e sairmos daquela situação em público. Ceder pode até fazer a criança parar uma birra, mas não é a melhor decisão, pois isso certamente geraria efeitos no longo prazo. Poderia criar uma habilidade equivocada, em que ele compreende que precisa fazer o que for necessário, seja bom ou ruim, para conseguir o que deseja. Adotaria a birra como um comportamento e usaria isso quando acreditasse que era preciso.

Como solucionei a situação: usando a empatia, validando a sua frustração, ajudando a se acalmar e nomeando aquilo que ele estava sentindo. "Você está muito chateado porque não compramos a bala" e "vamos respirar fundo para se acalmar" – fazendo várias respirações fundas, o que me ajudava também a manter a calma.

O momento de birra não é o melhor momento de explicações nem de sermões. Quando a criança está assim, ela não consegue pensar e, muitas vezes, quanto mais se fala, mais sobrecarregará a criança. A importância de se acalmar. Claro que, quando estamos vivendo esse momento da birra, queremos que tudo se resolva o mais rápido possível. Se tiver consciente que esse momento é uma oportunidade, se beneficiará de ensinar para a sua criança como se acalmar e lidar com situações desafiadoras e aprender a difícil habilidade que é a regulação emocional. Um benefício de longo prazo, pois tornará as coisas mais fáceis para ela, já que essa habilidade leva anos para ser dominada.

Como afastar o medo do julgamento

Alguns pais carregam o medo de serem julgados por outras pessoas e confundem dar amor e se conectar com ser algo que deixará a criança mimada, manhosa e cheia de vontades. O que acontece não é isso, atender e tranquilizar uma criança não vai deixá-la mimada. Mas não atender ou não dar atenção devida para esses momentos do qual ela mais necessita de ajuda e apoio emocional poderá torná-la insegura e ansiosa.

A criança tem necessidade de se sentir aceita e amada e, quando os pais criam a criança com a sensação de que só será aceita e amada quando se comportar bem, ou que não é benquista quando não age como o esperado, ela acaba desenvolvendo comportamentos equivocados para se sentir aceita. Compreenda que atender as necessidades da criança é diferente de ceder ao que ela deseja.

Para sobreviver a um ataque de birra, é essencial que tenha total consciência de que você, nesse momento, é o grande mestre. Então prepare-se para responder às descargas emocionais com todo amor e afetividade. Para isso acontecer, é necessário que esteja calmo.

Assegure-se de que estão em segurança e, caso estiverem em um local público e se sinta desconfortável, busque um local mais reservado.

Mantenha o acompanhamento necessário para dar suporte emocional e físico, afastando qualquer objeto que possa piorar a situação.

Se achar necessário, também poderá apenas agir, sem falar ou ficar lamentando a situação. Delicadamente, pegue seu filho e se direcione para o local que esteja mais apropriado para dar o suporte necessário. Não leve a birra para o lado pessoal, elas ocorrem por uma falta de maturidade e habilidade da criança em lidar com a situação e emoções. Então não fique com a necessidade de consertar a situação dando uma recompensa ou realizando qualquer outro tipo de comportamento para suprir seu filho que não seja dar acolhimento e manter a calma.

Crianças são ótimos aprendizes, por vezes precisamos apenas identificar o que ela está sentindo e ajudar a lidar com aqueles sentimentos. Elas necessitam sentir que nós nos importamos com o que elas estão sentindo e vivenciando. Isso se faz pela conexão, validação e redirecionamento para que aprendam a fazer boas escolhas. Lembre-se de que, quando seu filho está se comportando muito mal, é quando mais precisa de ajuda.

Conectar-se é a capacidade de sentir a necessidade do seu filho, aproveitando esses momentos para ensinar habilidades valiosas para a vida. Muitas birras também podem ser evitadas quando passamos a lidar melhor com os sinais não verbais da criança.

Quando você começar a perceber que aquela frustração é por uma necessidade fisiológica, nesse momento, a necessidade maior é de acolhimento e direcionamento para uma solução possível. Assim, ficará mais fácil quando você adotar essa postura curiosa para entender qual a necessidade por trás do comportamento.

A forma mais eficaz de prevenir ataques de raiva é estabelecer limites e mantê-los. Quando seu filho pedir um doce na fila do caixa e você disser "não", continue dizendo não, independentemente do choro e dos olhares.

Quando você disser ao seu filho que o tempo de tela acabou no final do programa, espere ele desligar ou desligue o aparelho. Por quê? Porque se você abrir exceções por causa do choro e disser "OK, só dessa vez" por causa da birra, a criança não compreenderá os limites.

Acolher e dizer "eu sei que você ficou triste por não poder continuar assistindo ao seu programa. Tudo bem se sentir triste. Lembra o nosso combinado? Você desliga ou eu desligo?" Isso o ajudará a lidar melhor com a situação. Quando eles compreendem que precisam respeitar os limites e combinados, terão menos acessos de raiva – caso tenham, serão mais curtos e menos intensos ao longo do tempo. Então você perceberá que o aprendizado é tanto para as crianças, quanto para os pais.

Desejo que você possa aplicar uma disciplina encorajadora que cria vínculo de amor e conexão. Que você possa sentir a leveza nessa tarefa difícil que é ensinar filhos sobre limites e lidar com emoções. Que vivam momentos incríveis e prosperem juntos, aproveitando cada fase da vida!

7

TRILHA MATERNA

Vamos fazer um passeio pela minha trilha e das mães que atendo há mais de 30 anos. Este é um convite para olhar sua trilha materna e perceber como isso está reverberando em seus filhos. É um momento para refletir sobre qual é a sua disponibilidade interna para construção de um vínculo saudável com seus filhos e decidir o que deseja que eles se lembrem do período da infância.

CLÁUDIA RESENDE

Cláudia Resende

Mãe da Marina (27 anos) e da Giulia (19 anos), suas grandes inspirações. Psicóloga graduada pela UNISA (1989). Pós-graduada em Psicopedagogia. *Coach* Parental, certificada pela *Parent Coaching* Brasil, com curso em Comunicação Não Violenta. Especialista em Educação Infantil com atuação há mais de 35 anos na área da educação, como Coordenadora Pedagógica e Psicóloga Escolar (escolas particulares). Parecerista de material pedagógico para a Educação Infantil. Psicóloga clínica na cidade de Bauru/SP. Realiza acompanhamento e orientação familiar, psicoterapia infantil e *coaching* parental. Coautora do livro *Tornando-se Pai e Mãe*, com o capítulo "Conexão Parental".

Contatos
claumresende@hotmail.com
Facebook: www.facebook.com/claudiaresende – Psicologia e Educação
Instagram: @claudiaresende.psico
14 99792-4511

Quando recebi o convite para participar deste livro, fiz uma longa análise sobre o meu caminhar na maternidade, sobre a minha trilha materna.

Compreendi que houve muitas falhas pelo caminho, que inúmeras vezes não sabia qual atalho pegar, mas tinha como meta fazer dar certo. Muitas coisas eu teria feito diferente se soubesse o que sei hoje, mas também entendi que fiz o meu melhor.

Atualmente, já tenho meu ninho de mãe parcialmente vazio, com minha filha mais velha morando e trabalhando em outra cidade. Por isso, escrever sobre a Primeira Infância tem um sabor genuíno, pois é onde nasce o vínculo. A base está nesse período da vida.

Neste capítulo, como diz o título, falo sobre uma trilha de mães, entretanto ela também será seguida por pais, talvez de formas diferentes, com uma caminhada própria, mas com um papel fundamental para a vida em família.

Esse processo de escrita me permitiu trazer à tona lembranças de como foi estabelecida a conexão com cada uma das minhas filhas. Conexão essa que deve ser cuidada até a idade adulta, com muito amor, dedicação, respeito, cooperação, diálogo, empatia e equilíbrio.

Olhar para minha trilha materna e unir isso aos meus anos de experiência como psicóloga, professora e coordenadora de educação infantil, além dos incontáveis atendimentos a pais que fiz, me remete à metáfora que, com certeza, é a que faz mais sentido nesse universo mágico da maternidade: "A decisão de ter um filho é muito séria. É decidir ter, para sempre, o coração fora do peito." (E. Stone).

Sim, essa frase é a tradução exata do que é ser mãe, do que é esse amor incondicional que temos pelos filhos, desse desejo que temos de estar sempre juntos, protegendo e aplaudindo a cada conquista.

Quando um filho nasce, entramos numa trilha sem bússola, cheia de expectativas, cobranças, julgamentos, inseguranças, crenças, angústias, dúvidas e um desejo enorme de que eles sejam felizes sempre.

Para caminhar nessa trilha, é necessário muito além do amor. É preciso estreitar e afinar o vínculo com aquela pessoa que já é tão importante em sua vida.

Hoje compreendo que, sem dúvida nenhuma, os momentos mais difíceis nesse caminhar foram (e ainda são) entender e lidar com os meus sentimentos perante cada situação.

Busque a autoconexão

Descubra qual é a autoimagem que você construiu. Olhe para suas necessidades não atendidas na infância, perceba o quanto isso está interferindo negativamente na relação com seu filho. Observe também quantas coisas boas traz na sua bagagem e utilize-as de forma positiva. Não se pode mudar o que aconteceu na sua infância, mas na idade adulta você pode decidir o que quer fazer com essas vivências do passado. É preciso educar-se, para educar outra pessoa.

Naturalmente o ser humano reproduz padrões conhecidos, por isso age com os filhos repetindo o que aprendeu. Olhe para suas ações e sentimentos e responda:

"O que não quero reproduzir na relação com meu filho?"

"Se não consigo me respeitar, como respeitarei os sentimentos do meu filho?"

"Como posso ser gentil se, em determinado momento, estou com raiva do que meu filho fez e não sei como agir?"

"Como pensar em estruturar uma rotina para meu filho se não consigo me organizar com todos os meus afazeres?"

Estabelecer uma relação saudável é proporcionar o senso de aceitação e importância, mas como fazer esse caminhar sem considerar o seu sentimento como mãe, sem cuidar da "criança ferida" que habita em você?

Treine sua auto-observação, analise seus pensamentos, perceba o que está sentindo e qual é a sua necessidade. É necessário se conhecer melhor para identificar o que te desestabiliza. Isso é essencial para se conectar a você mesma.

Pratique o autocontrole, reconheça seus sentimentos, nomeando, acolhendo e validando o que você sente.

Erros e acertos fazem parte dessa trilha, e é importante lembrar que os erros são grandes oportunidades para aprender e crescer como mãe e como pessoa, mas mantenha seu foco na resolução e superação dos desafios, não fique centrada no problema.

É necessário olhar para as faltas, mas sem deixar de valorizar e sentir tudo que teve de bom. Busque suas memórias da infância e, então, aproveite e veja como pode transformar sua autoimagem.

Questione-se: que pessoa você deseja que seu filho se torne? Que tipo de mãe está sendo?

Ao questionar-se, pense sobre a importância de ser referência e modelo positivo para seu filho, como uma pessoa capaz de conduzir a própria vida com cuidados.

A autoconexão lhe dará mais tranquilidade e maior disponibilidade emocional para amar e se conectar com seu filho.

Conecte-se com seu filho

Antes de prosseguir a leitura, quero propor a você, leitor(a), uma reflexão sobre a sua trilha materna: "Você está disposta a repensar sua prática e olhar para os seus sentimentos em prol de uma relação mais saudável e amorosa com seu filho?"

Caso sua resposta seja "sim", com certeza você é uma mãe que está no caminho de uma vivência harmoniosa e legítima, sem imaginar o quão benéfico será para a sua relação com seu filho. Estabelecer essa conexão com esse ser, pelo qual tem um amor infinito, é fundamental para ele e essencial para você.

Depois de se autoconectar, invista em atitudes que contribuirão para uma vida mais feliz.

A conexão saudável é construída todos os dias, em todos os momentos, com ações que contribuem para aumento do senso de pertencimento e aceitação.

Atitudes que conectam pais e filhos:

- Respeito mútuo – demonstrar respeito por seu filho e ter empatia nos momentos difíceis dele. Manter uma comunicação saudável e respeitosa;
- Ação com firmeza e gentileza – a criança precisa ter seus limites claros, sim, porém com amorosidade;
- Manter a rotina – estabeleça uma rotina, planeje sua semana, seus dias, isso é essencial para que seja segura e confiante. A criança deve participar da organização do dia, isso dará a ela estabilidade emocional. Inclua no dia a dia momentos para estarem efetivamente juntos;
- Dar e ser o exemplo – os pais são o maior exemplo para os filhos, então preste atenção nas suas ações;
- Cooperação – inclua seu filho nas tarefas da casa e combine com ele como pode colaborar, as crianças gostam de ajudar e gostam de sentirem-se úteis, além de desenvolver nelas hábitos positivos, autonomia e responsabilidade.

Em determinados momentos pode acontecer de se perderem, de caírem na desconexão, mas lembre-se de que sempre é possível retomar, buscar o autocontrole, se equilibrar e se reconectar.

Por exemplo: quando seu filho te desafia. Ele não faz para te desestabilizar, mas como um pedido de ajuda. Porém, se seu vínculo com ele não for saudável, você entenderá como falta de amor e respeito, o que te levará a ter atitudes não desejadas, com reações ásperas e impensadas. Formando, assim, um ciclo de insatisfação e inadequação de ambas as partes. Quando sair do seu equilíbrio, facilmente punirá o seu filho e a você mesma.

Quando essas situações de estresse entre vocês acontecerem, saiba se desculpar, isso fará se sentir melhor e, consequentemente, ele também. Não fique com receio de se mostrar frágil, mãe pode ser frágil também.

Cuide dessa relação com muito carinho, invista em criar memórias de uma infância feliz para seu filho. Futuramente, quando ele for adulto, terá muitos momentos para recordar, além de ajudar a enfrentar e superar os desafios da vida.

Com a ajuda do quadro a seguir, convido você para realizar atividades que ajudarão na relação com seu filho, criando uma memória de infância feliz.

Atividades	Possibilidades
Usar música	Cantar, batucar, gravar, inventar músicas, dançar.
Cozinhar	Semanalmente, preparar uma receita que a criança possa ajudar no preparo e na limpeza.
Brincar	Brincar com brinquedos estruturados. Construa brinquedos de sucata e utilize jogos.
Caçadas	Esconder um objeto, fazer pistas e dar dicas. Depois, pedir para a criança esconder e você achar.
Escola	Acompanhar e apoiar a tarefa sem fazê-la pela criança. Participar das reuniões, festas e eventos da escola. Demonstrar interesse pelo seu cotidiano na escola.
Natureza	Observar os passarinhos, as árvores, as flores.
Fotos	Ver fotos antigas da família, tirar fotos engraçadas.
Bicicleta	Andar de bicicleta juntos: cada um na sua ou levar seu filho na cadeirinha.
Histórias	Ler livros, contar histórias, conversar sobre os personagens, brincar com fantoches.
Abraçar	Beijar e dar muitas risadas juntos.

Brinque, sim, brinque com seus filhos. Aproveite esse tempo com eles sem culpa.

Que seu filho seja a motivação para sua mudança interna, para que assim consiga estabelecer uma relação saudável e amorosa na sua trilha materna.

Imagine-se daqui 10 anos, você olhando para sua trilha materna, ficará satisfeita com o que verá?

Referências

LIMA, L. de O. *Piaget para principiantes*. São Paulo: Summus,1980.

MASTINE, I.; THOMAS, L.; SITA, M. (coordenação editorial). *Coaching para pais*. vol. 2. São Paulo: Literare Books International, 2018.

NELSEN, J. *Disciplina positiva*. Barueri: Manole, 2015.

ROSENBERG, M. B. *Comunicação não violenta: técnicas para aprimorar relacionamentos pessoais e profissionais*. São Paulo: Ágora, 2003.

SHINYASHIKI, R. *A carícia essencial*. São Paulo: Gente, 2005.

8

EDUCAÇÃO FINANCEIRA NA PRIMEIRA INFÂNCIA

PARTE II

Educação Financeira traz um despertar da consciência, pois o "x" da questão não é o quanto você ganha, mas o que faz com o que ganha.

DANIELE BICHO DO NASCIMENTO

Daniele Bicho do Nascimento

Matemática graduada pelo Centro Universitário Fundação Santo André e Pedagoga graduada pela Universidade Bandeirantes de São Paulo. Professora desde 2002. Empreendedora no ramo de moda infantojuvenil masculina. Mãe de dois meninos. Palestrante espírita. Pós-graduada em Educação Financeira com Neurociência pela UNOESTE em parceria com a DSOP.

Contatos
danielebicho@gmail.com
Instagram: @danielebicho
11 98736 3399

A maior herança que podemos deixar aos nossos filhos é o exemplo. O que você está gerando de valor para deixar a eles?
DANIELE BICHO

Recordando

No volume I, falamos sobre como deverá se apresentar a Educação Financeira nas escolas e um pouquinho da vivência familiar em torno desse tema. A ideia principal é que sejamos honestos com nossa família e que comecemos a estudar o assunto juntos, principalmente se estivermos com "problemas financeiros".

Nosso foco agora é, acreditando que as famílias já conseguiram dar o primeiro passo, encaminhar pontos essenciais para as vivências familiares.

Equilibrar é preciso

Acredito que os problemas financeiros são mais emocionais do que realmente a falta de dinheiro.

Um indivíduo equilibrado emocionalmente, que consegue administrar suas emoções e as dificuldades do dia a dia com tranquilidade, conseguirá facilmente ter uma vida financeira também equilibrada e saberá gerir seus pontos altos e baixos em torno do seu dinheiro.

Uma falha que a maioria das pessoas possui é não saber gerenciar suas emoções e sua conta bancária. Parece piada, mas as duas coisas caminham na mesma frequência, ou seja, se o seu emocional não está equilibrado há grande chance de que suas condições financeiras também não estejam e vice-versa.

Já parou para pensar o quanto seus relacionamentos podem estar sendo afetados por causa de problemas financeiros?

Mas a questão não é sobre o dinheiro, e sim sobre seu bem-estar e sua qualidade de vida. É sobre sua saúde. Uma pessoa com sérios problemas financeiros não dorme direito, não descansa a mente nem o corpo, fica mais irritadiça, participa pouco das atividades em família. Em pouco tempo, estará desenvolvendo problemas de saúde como consequência.

Assim como também diminuirá sua capacidade produtiva no trabalho, sua criatividade, sua atenção, o que poderá acarretar erros recorrentes.

Antes que você chegue a esse ponto, quero dizer de todo meu coração: se você está com sérios problemas financeiros, **precisa** da ajuda de um profissional.

Sim, é isso mesmo! Primeiramente, precisa buscar equilíbrio emocional para conseguir identificar qual é a raiz do seu problema financeiro.

Conscientização

Na minha visão, bem como na visão de muitos especialistas, a educação financeira é muito mais da área de humanas do que de exatas, pois deve tratar de conscientização e humanização.

Mas e a matemática nisso tudo?

A matemática é extremamente importante, mas ela é apenas uma ferramenta para se trabalhar com a educação financeira, e não o ponto de partida.

Como disse, é necessário haver equilíbrio emocional para conseguir harmonizar sua vida financeira. Assumir as rédeas da situação e mostrar quem é que manda. Mas para que isso funcione, primeiro precisa ter bem definido seus objetivos de vida.

Se seu objetivo é apenas curtir a vida, *carpe diem*, ok! Seja feliz e passe para o próximo capítulo! Viva intensamente sem pensar no amanhã e nas consequências. Boa sorte!

Se seus objetivos vão além, é necessário fazer um plano de ação.

Em primeiro lugar, faça durante um período, não muito longo – uma semana, dez dias, ou até um mês –, uma análise de seus gastos diários, mas anote tudo, tudo mesmo, desde as compras no mercado até o cafezinho no meio do dia ou um picolé em uma tarde ensolarada. Junte essas anotações com suas despesas fixas: moradia, água, luz, telefone, estudos, carro etc. Depois de tudo feito, compare o valor que você recebe mensalmente com o valor que tem gastado. E aí, qual o resultado? Se seu custo de vida está maior do que o que gera de renda, então tem algo muito errado. É hora de reunir a família e expor a real situação.

Pontos importantes

Se você e sua família querem continuar no mesmo "padrão" de vida, então alguém terá que fazer algo para aumentar a renda mensal. Você ou algum familiar está disposto a isso? É necessário colocar na balança emocional todos os prós e os contra antes de tomar uma decisão.

Meu conselho é que não se sacrifique demais para proporcionar bens materiais e custos elevados de vida para seus filhos. Em família, boas horas de convivências felizes terão um valor maior do que o preço de um brinquedo novo ou de um tênis de marca.

Repare que estamos falando em VALOR. O que você quer deixar de valor para seus filhos, para sua família, para as pessoas que convivem com você? Responda honestamente a essa pergunta para você mesmo.

Na primeira infância, a criança forma seu caráter e sua personalidade. Então é de extrema importância que o responsável por ela esteja presente, seja participativo, interaja e faça mais do que apenas falar o que os pequenos devem fazer, mostrando com seus exemplos diários qual é o caminho que acredita ser o melhor para eles enquanto forem dependentes desse adulto. Essa relação emocional, esse vínculo afetivo com os filhos, deve ser desenvolvido na primeira infância e fortalecido diariamente durante a vida toda.

Por que trazemos esse assunto para a primeira infância?

Na primeira infância, a criança está mais aberta a novos conceitos e aprendizados. Então, o quanto antes ela aprender a gerenciar suas emoções, suas vontades, seus desejos e suas possibilidades, mais equilíbrio ela terá para lidar com as questões financeiras.

Agora é obrigatório terem nas escolas aulas que desenvolvam a inteligência emocional; acredito que foi a melhor coisa que poderia existir. Afinal, como já disse, uma pessoa que gerencia bem suas emoções terá menos dificuldades em outras áreas de sua vida profissional e pessoal.

Se deseja isso para seus filhos, então comece a desenvolver em você o autoconhecimento. Busque ajuda de um profissional, se estiver com dificuldades de realizar isso sozinho, para aprender a gerenciar suas emoções.

Outra coisa: gerar mais renda não significa que conseguirá sair das dívidas. Não enriquece quem ganha muito dinheiro, mas quem gerencia melhor seus ganhos e gastos.

Vamos a alguns exemplos: artistas famosos que faturaram muito dinheiro e, depois de um tempo, não tinham mais nada; ou ganhadores de prêmios de loterias que receberam milhões e, em pouco tempo, já estavam falidos.

A sacada não é o quanto você ganha, mas o que faz com o que ganha!

Desenvolvendo a consciência familiar

A criança é totalmente emocional. Veja como são as propagandas de brinquedos: crianças felizes, dias ensolarados, pais presentes, família reunida, muitas crianças juntas; enfim, tudo que aciona o desejo por aquele brinquedo. Meu filho, por exemplo, vira para mim e diz: "Mãe, eu preciso daquele brinquedo!" Eu, que já sou meio realista, digo: "Precisa? Por quê?". Então desenrolamos uma conversa sobre o que é realmente necessário e o que é apenas um desejo de consumo naquele momento. A partir daí, os pedidos já mudam, em vez do "eu preciso" vem um "eu gostaria, será que é o momento?" ou "Mãe, no meu aniversário, eu gostaria de ganhar...".

Existem alguns joguinhos que foram criados especificamente para trabalhar com a educação financeira, mas também existem outros jogos, atualmente em alta, que trabalham essa relação com o dinheiro e ensinam a lidar com outras questões diárias, como cuidar dos *pets*, por exemplo.

Você, que está tentando dar o "melhor" para seu filho, sabe quais jogos ele está jogando? Sabe se ele fica on-line com outras pessoas? Sabe quais *sites* ele está acessando para obter informações sobre curiosidades que tem, mas não quer perguntar?

Se sua resposta foi "não" para essas perguntas, é sinal que está na hora de se conectar novamente com ele, pois se não tiver tempo para orientá-lo, para dar atenção, outra pessoa fará e talvez não seja isso que você deseja. Depois, no futuro, pensará: "onde foi que eu errei?". Eu já estou adiantando isso para você. Sabe aqueles filhos que não amadurecem, que passam a vida toda esperando que os pais cubram suas dívidas ou encubram seus erros? Bom, eu não quero esse tipo de vivência para mim nem para meus filhos, então a hora é agora!

Se seus filhos já passaram da primeira infância, acalme-se. Nem tudo está perdido!

É hora de ter uma conversa séria, de igual para igual, mostrando a realidade das coisas.

Um projeto muito legal que desenvolvi na escola que trabalhava, com o 3º ano do Ensino Médio, foi o "Projeto de vida".

No projeto, tínhamos alguns passos:

- 1º – Refletir sobre quem somos;
- 2º – Onde queremos estar daqui a 1 ano, 2 anos, 5 anos, 10 anos;
- 3º – Planejar algumas ações para realizar esses objetivos ou pelos menos parte deles.

Pasmem, muitos alunos não têm perspectiva de futuro, não se preocupam com isso, nunca pensaram nisso, porque sempre têm alguém resolvendo essas questões para eles. Outros ficam desesperados porque ao acabar o ensino médio não serão mais estudantes, serão desempregados.

Voltando ao projeto, um aluno disse: "Professora, não vou fazer seu projeto. Eu estou produzindo músicas e não tem nada a ver com o que você está falando relacionado à matemática." Por ser professora de Matemática, eles tinham de apresentar algum conceito matemático aplicado à vida real.

Aquilo realmente me incomodou. Fui para casa pensando em como convencer esse aluno a participar do projeto. Chamei-o de canto no dia seguinte e começamos a conversar sobre a vida, despretensiosamente. Ele então me contou que, para produzir o primeiro clipe, que estava ainda em andamento, ele havia comprado algumas coisas com um dinheiro que ele tinha guardado das mesadas e estava revendendo-as aos amigos e conhecidos, pois o pai disse que não o bancaria. Foi a minha deixa para mostrar que ele já estava aplicando a matemática como uma poderosa ferramenta para gerenciar suas questões financeiras na busca da realização de seus sonhos. Que emoção!

Veja que a matemática entra como uma ferramenta na hora de gerenciar as finanças, mas o ponto principal são as relações socioemocionais que fazemos com ela.

Ou seja, você não precisa ser um matemático ou um economista para aprender a lidar com as questões financeiras e passar isso aos seus filhos, mas precisa, provavelmente, melhorar suas relações familiares. Ensinar os filhos a pensar no amanhã, incentivá-los a ter sonhos e a buscar meios de realizá-los.

O que devemos ter em mente é que precisamos ser porto para os nossos filhos, e não âncoras. Quando resolvemos tudo por eles, fingimos que o mundo não tem dificuldades de nenhuma espécie, é como se estivéssemos aleijando nossos filhos emocionalmente, impedindo que desenvolvam a sua capacidade de lidar com frustrações, com fracassos, com rejeições, estamos assim sendo âncoras, que os deixam estagnados num único ponto sem vivências reais e sem a possibilidade de evoluir. Mas quando deixamos que eles participem das decisões familiares, que assumam as consequências de seus atos, quando dizemos "não", estamos sendo porto, eles podem navegar mundo afora, mas terão a segurança de que, se precisarem retornar, nós estaremos lá para confortá-los.

> Eu não posso impedir que meus filhos sofram as consequências de seus atos, mas posso e devo estar ao lado deles para confortá-los quando necessário. Eu não posso sofrer no lugar dos meus filhos, mas posso segurar as mãos deles nos momentos difíceis. Aprendamos a nos fazer desnecessários a eles e assim teremos tranquilidade quando chegar a hora de partir.
> DANIELE BICHO

9

A IMPORTÂNCIA DA EDUCAÇÃO SOCIOEMOCIONAL DESDE A PRIMEIRA INFÂNCIA

Neste capítulo, pais e professores poderão entender um pouco mais sobre a importância do apego e do desenvolvimento das habilidades socioemocionais desde a Primeira Infância. Quando entendemos como o cérebro da criança funciona e quais são as suas necessidades fundamentais para o estabelecimento do vínculo seguro, fortalecemos a base das nossas vidas e minimizamos possíveis traumas que podem nos acompanhar ao longo da nossa história.

DANIELE DINIZ

Daniele Diniz

Professora, graduada em Letras e Administração, Psicopedagoga, Educadora Parental e Pós-Graduanda em Neurociências, Desenvolvimento Infantil e Educação pela PUC-RS. Atua como Orientadora Educacional e Coordenadora do Programa de Inteligência Emocional na Maple Bear Penedo. Certificada em Educação Parental e Disciplina Positiva para a Primeira Infância, pela PDA (Positive Discipline Association – EUA); Certificada em Educação Neurocompatível, com Marcia Tosin; Certificada em Teoria do Apego pelo Instituto Aripe, com Alexandre Amaral; Certificada em Educação Respeitosa, com Mariana Lacerda; Certificada em Disciplina Positiva, com a metodologia Aline de Rosa; Certificada em Disciplina Positiva para crianças pequenas, com Bete Rodrigues. Mentoranda da Aline de Rosa, da Nova Geração de Pais (NGP) e da Iara Mastine. Especialista em Primeira Infância, Desenvolvimento Infantil e Educação Socioemocional. "De todos os aprendizados e cursos feitos, posso dizer, sem sombra de dúvidas, que minha maior escola na área da parentalidade - e da vida - é ser mãe da Olívia. É por ela que estou aqui".

Contatos
www.danielediniz.com.br
contato@danielediniz.com.br
Facebook: @parentalidadeconsciente
Intagram: @danielediniz
24 98146 3434

A infância é o chão sobre o qual caminharemos o resto da nossa vida.
LYA LUFT

A primeira infância

A primeira infância corresponde ao período do nascimento até os seis anos[1] de vida e é a fase de maior desenvolvimento do ser humano. É a fase em que experiências, descobertas e memórias afetivas são levadas para o resto da vida. Uma primeira infância em que a criança é cuidada com amor, afeto, respeito, estímulo e interação possibilita maior aproveitamento de suas potencialidades e um crescimento mais saudável e equilibrado.

Diversos estudos científicos nas áreas da neurociência e da psicologia do desenvolvimento mostram que esse é o período que o cérebro se desenvolve em termos estruturais e, por isso, acontecem os maiores marcos de desenvolvimento, além de grandes sinapses cerebrais. São os anos mais intensos e ricos da nossa vida e de todo tipo de aprendizado.

Estabelecer o vínculo seguro com nossos filhos é fundamental para um desenvolvimento saudável em todos os aspectos, pois o vínculo traz a sensação de segurança e amparo, que são primordiais para o desenvolvimento humano.

Uma das formas de estabelecermos esses vínculos e proporcionarmos segurança emocional aos bebês é a amamentação. Esse momento é de puro afeto, contato físico e conexão, e transmite, dos pais para o bebê, a formação de vínculos mais fortes e seguros. Todas as ações voltadas para que o senso de pertencimento e conexão sejam estabelecidos transformam os pais em uma base segura para a criança se desenvolver e explorar o mundo com confiança e segurança. E é essa sensação que desenvolve o apego seguro, tão importante para o desenvolvimento emocional das crianças, que falaremos a seguir.

A teoria do apego

A Teoria do Apego foi apresentada por Bowlby, em 1969, a partir da necessidade de entender como construímos nossas relações com os outros e o quão importante é estabelecermos vínculos genuínos e saudáveis. Bowlby constatou que a formação

---

[1] Alguns teóricos utilizam o período de 0 a 3 anos como primeira infância e a antroposofia trata por setênios (períodos de 7 anos). Neste capítulo, utilizaremos as referências de 0 a 6 anos como primeira infância.

desses vínculos nos primeiros anos de vida favorecia, exponencialmente, a saúde física e mental, além de estruturar o desenvolvimento emocional.

Esses estudos iniciaram após a guerra, quando bebês órfãos foram deixados em locais para serem "cuidados". Esses cuidadores ofertavam apenas alimento e cuidados básicos de higiene e não ofertavam nenhum tipo de carinho e afeto. Alguns bebês foram a óbito e Bowlby, que era referência em cuidados infantis na época, foi recrutado pela ONU para analisar o que estava acontecendo. Ele sugeriu que esses bebês recebessem - além dos cuidados básicos que estavam recebendo - colo, atenção, conexão e afeto; os resultados foram sensacionais. Os bebês pararam de morrer e passaram a se desenvolver de forma mais saudável.

Bowlby, com esse trabalho de pesquisa, chegou à conclusão que o primeiro ano de vida de todo ser humano é o mais importante. Além disso, ele constatou que o contato físico e o vínculo estão diretamente ligados à saúde mental e que as futuras relações ao longo da vida serão espelho da primeira relação estabelecida com pais/cuidadores.

Bowlby observou, também, que a saúde mental dos pais é de suma importância para os cuidados dos bebês e que está intimamente ligada ao que os pais receberam de seus próprios pais/cuidadores quando pequenos. Bowlby percebeu que o autoconhecimento e o fortalecimento parental são fundamentais para todo o processo do apego seguro. Afinal, a família é a primeira referência de convívio e é - ou deveria ser - a base principal para evitar e reverter possíveis traumas e relações de apego inseguro. O trabalho de Bowlby demonstrou que bebês que são afastados e privados de contato físico podem sofrer danos no desenvolvimento emocional e físico, acarretando traumas que podem perdurar por toda a vida.

Estabelecer vínculo com bebês pequenos não é difícil, mas é preciso consciência e atenção aos cuidados com ele. Todos os seres humanos têm a necessidade de se sentirem pertencentes e aceitos e, quando isso acontece, o vínculo está formado.

Ao longo dos anos, a Teoria do Apego foi sendo estudada cada vez mais e a conclusão foi que bebês e crianças que desenvolvem esse vínculo de apego seguro com seus pais/cuidadores desenvolvem grandes habilidades socioemocionais e estabelecem relações futuras de qualidade.

Quando bebês e crianças se sentem seguros, amparados e acolhidos em suas relações, eles aprendem a regular suas emoções e passam a ter a coragem e a confiança de explorar o mundo com segurança.

Os estudos mostram que bebês e crianças que são amadas, protegidas e cuidadas têm mais chances de serem adultos emocionalmente saudáveis e seguros, ou seja, a relação emocional estabelecida entre pais e filhos na primeira infância tem um impacto fundamental e primordial na vida das crianças.

Apego é necessidade básica de todo ser humano. Colo é apego. Quando damos colo aos bebês e às crianças, estabelecemos um contato físico que possibilita a regulação emocional e a criação do vínculo. Não economize nisso. Tenho certeza que você e seu filho colherão os frutos disso no futuro.

Como os traumas podem impactar a vida de uma criança

O trauma é uma grande ameaça com a qual não aceitamos, não entendemos e não sabemos lidar. Segundo Gabor Maté, o trauma não está ligado às coisas ruins que ocorreram conosco, mas ao que se passa dentro de nós como resultado do que nos aconteceu.

O trauma significa uma desconexão de nós mesmos. Muitas vezes a dor é tão grande e não conseguimos lidar com nossos sentimentos e emoções, que nos fechamos e criamos, inconscientemente, situações de medo e riscos para nós mesmos.

Quando nos tornamos pais, questões mal resolvidas da nossa história e do nosso passado podem influenciar a forma com que criamos nossos filhos. Experiências não processadas totalmente geram questões que podem desencadear conflitos nas relações entre crianças e adultos. Quando isso acontece, as crianças costumam responder com reações emocionais fortes, comportamentos impulsivos e desafiadores, percepções distorcidas ou sensações corporais mais intensas. Mesmo quando não estamos cientes e conscientes, questões enraizadas no passado impactam nossa realidade atual e afetam diretamente o que sentimos e como interagimos com nossos filhos.

O trauma também afeta o desenvolvimento do nosso cérebro. Determinados circuitos cerebrais importantes, que estão ligados à forma como reagimos, respondemos e nos regulamos com outras pessoas, podem sofrer danos. As funções do córtex pré-frontal medial são limitadas e restringidas pelo trauma, pois o cérebro se desenvolve em interação com o meio ambiente. Sendo assim, o cérebro de crianças traumatizadas não é igual ao cérebro das crianças não traumatizadas.

Quando nós, adultos, trazemos à tona nossas questões mal resolvidas e tomamos consciência dos nossos traumas, conseguimos entender que o problema não está nas crianças, e, sim, nas nossas questões mal resolvidas. Entender isso nos permite imaginar como a intolerância emocional e a impotência podem nos levar a experiências emocionais prejudiciais às crianças. Essa intolerância emocional pode trazer um senso de irrealidade e falta de pertencimento e aceitação às crianças, e desconectá-las dos próprios sentimentos, ou seja, o estado emocional, a vulnerabilidade e a impotência da criança são invalidados e seu senso de identidade interno é abalado, pois prejudica, diretamente, suas habilidades de tolerar as próprias emoções.

Quando ignoramos e não validamos as emoções e os sentimentos de nossos bebês e crianças, estamos desenvolvendo neles, mesmo que de forma inconsciente, a crença do abandono, da falta de pertencimento e da falta de aceitação.

O apego, conforme já visto anteriormente, é necessidade básica e fundamental para a sobrevivência dos bebês. Ignorar o choro do bebê, por exemplo, pode impossibilitá-lo de se conectar e se apegar de forma segura e vital. A única forma pela qual bebês se apegam é fisicamente.

Para que um trauma aconteça na vida de um bebê ou de uma criança, não é preciso muita coisa. Basta que seus pais/cuidadores estejam alienados de seus próprios instintos biológicos. Quando negamos colo, afeto, conexão genuína e interação, colocamos a criança em constante estado de vigilância, pois o que ela mais quer – e precisa – é se relacionar.

O cérebro da criança na primeira infância

A formação dos nossos filhos depende das informações que eles recebem, diariamente, do ambiente em que estão inseridos. Isso significa que as crianças crescem e se desenvolvem aprendendo por espelhamento, ou seja, aprendem com o que observam do comportamento dos seus pais.

Os estudos neurocientíficos elucidam que a interação dos pais com seus filhos estimula o desenvolvimento cerebral, o crescimento emocional e a aprendizagem. Além disso, esses relacionamentos sociais são grandes potencializadores do hormônio da felicidade.

Crianças sem interação social tornam-se despreparadas emocionalmente, carentes de afeto, sem limites e agressivas. Criar conexão genuína com nossas crianças possibilita que elas desenvolvam habilidades importantes para a vida adulta e, mais ainda, que não desenvolvam crenças nucleares que possam se transformar em possíveis patologias emocionais e psicológicas.

Segundo Daniel Siegel, autor de *O cérebro da criança*, para que isso aconteça, precisamos conhecer o cérebro da criança e suas necessidades emocionais. Aprender com os próprios erros e usar momentos desafiadores do cotidiano para ensiná-la a ser mais feliz, resiliente, responsável e mostrar sua potencialidade é um dos grandes diferenciais no desenvolvimento das habilidades socioemocionais na primeira infância.

Ainda de acordo com Siegel, nosso cérebro possui diversas partes e funções. O lado esquerdo, por exemplo, nos ajuda a pensar logicamente e a organizar pensamentos em frases. O lado direito, a sentir emoções e a ler sinais não verbais. Temos ainda um "cérebro reptiliano" que nos permite agir, instintivamente, e tomar decisões de sobrevivência em frações de segundos, e um "cérebro mamífero", que nos guia em direção a conexões e relacionamentos. Uma parte do nosso cérebro é dedicada a lidar com a memória, e outra, a tomar decisões morais e éticas.

Segundo Siegel, na primeira infância, o cérebro da criança está em constante programação e reprogramação e se desenvolve bem se receber afeto, comida, sono e

Funções dos hemisférios do cérebro humano

ESQUERDO (racional, lógico e matemático) DIREITO (intuitivo, criativo, artístico)

ESQUERDO	DIREITO
Intelectual	Sensível
Temporal, histórico	Eterno, atemporal
Ativo	Receptivo
Explícito	Tácito
Analítico	Gestáltico
Linear	Não linear
Sequencial	Simultâneo
Focal	Difuso
Masculino	Feminino
Temporal	Espaço
Verbal	Espacial
Lógico	Intuitivo
Racional	Irracial
Argumentador	Experimental

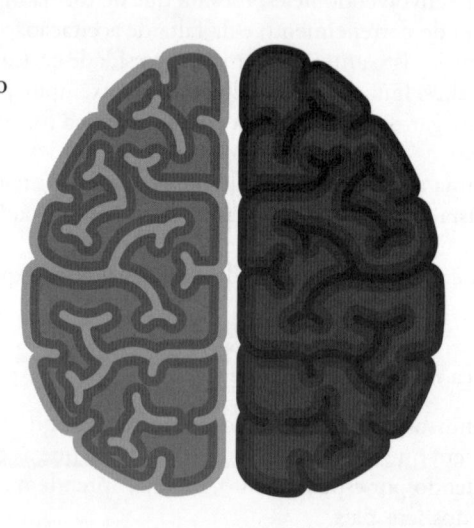

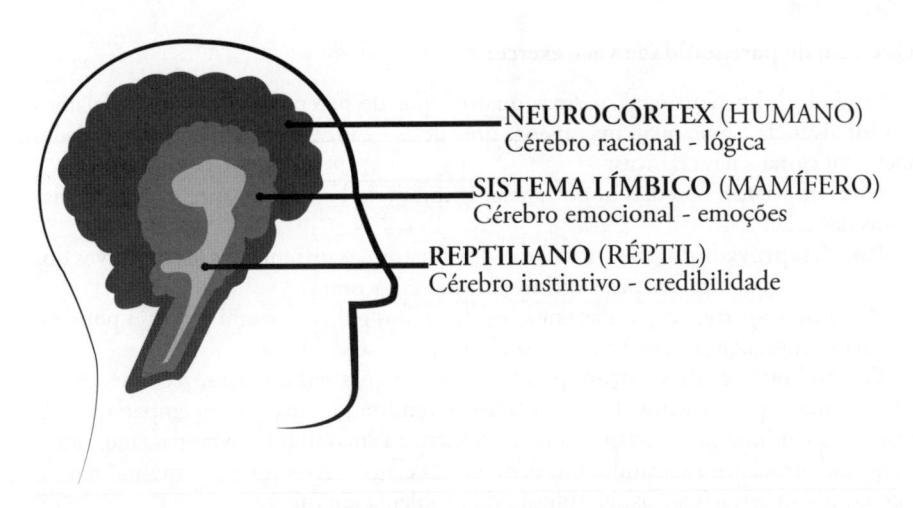

NEUROCÓRTEX (HUMANO)
Cérebro racional - lógica
SISTEMA LÍMBICO (MAMÍFERO)
Cérebro emocional - emoções
REPTILIANO (RÉPTIL)
Cérebro instintivo - credibilidade

estímulos adequados. Diversas pesquisas sobre desenvolvimento infantil sugerem que tudo que acontece conosco, em especial na primeira infância, afeta a forma como nosso cérebro se desenvolve, ou seja, além de nossa arquitetura cerebral básica e de nosso temperamento inato, os pais são responsáveis pelos tipos de experiências que desenvolverão o cérebro da criança.

Como desenvolver habilidades socioemocionais na primeira infância

Estudos apontam que pais que dialogam de forma respeitosa com seus filhos sobre sentimentos e emoções, desenvolvem inteligência emocional e possibilitam que compreendam e identifiquem os próprios sentimentos e o de outras pessoas também, por meio da empatia. Validar, acolher e respeitar os sentimentos de nossas crianças é o primeiro passo para ensinarmos sobre habilidades emocionais. Quando permitimos que nossos filhos sintam tudo - porque toda emoção é genuína e deve ser respeitada - mostramos aos nossos filhos que eles podem - e devem - expressar seus sentimentos. Todo sentimento é valido e aceito, porém, nem todo comportamento desencadeado por uma emoção ou sentimento deve ser. Como assim? Eu explico: nossos filhos precisam aprender a nomear e identifica suas emoções e sentimentos (raiva, alegria, medo, tristeza, etc.), mas não devem se comportar de maneira agressiva ou desrespeitosa quando sentem uma emoção, por exemplo: seu filho pode sentir raiva de um amiguinho que pegou seu brinquedo da sua mão, mas não deve bater no amigo porque sentiu raiva, porque bater não é uma forma respeitosa de se comunicar. Quando conseguimos desenvolver essas habilidades com nossas crianças, conseguimos um ganho enorme na saúde emocional delas.

A verdade é que, quando estamos presentes na vida de nossos filhos de forma genuína e intencional, podemos ajudá-los a se tornarem mais saudáveis emocionalmente. Lembre-se de que nossos filhos aprendem por espelhamento, ou seja, estão a todo tempo nos observando e replicando nossos comportamentos. Tudo começa com as experiências que os pais oferecem às crianças, estabelecendo as bases para a integração e a saúde mental.

Que tipo de parentalidade você exerce?

Segundo John Gottman, existem quatro tipos de parentalidade quando falamos em Inteligência Emocional, mas apenas uma delas é capaz de desenvolver habilidades socioemocionais nas crianças:

Pais simplistas: não dão importância, ignoram ou banalizam as emoções desafiadoras das crianças;

Pais desaprovadores: são críticos das demonstrações de sentimentos negativos dos filhos e podem castigá-los por exprimirem suas emoções;

Pais *laissez-faire*: aceitam as emoções dos filhos e demonstram empatia por eles, mas não conseguem impor limites respeitosos;

Pais treinadores de emoção: percebem as emoções das crianças, reconhecem na emoção uma oportunidade de intimidade e aprendizado, ouvem com empatia, legitimando os sentimentos da criança, ajudam a criança a encontrar palavras para identificar a emoção que ela está sentindo, impõem limites claros e respeitosos ao mesmo tempo que exploram estratégias para a solução do problema em questão.

O último é o modelo que nós, pais, devemos buscar ser para nossos filhos. Para desenvolvermos essas habilidades neles, precisamos, antes de mais nada, olhar internamente e saber se também conseguimos fazer isso por nós, como adultos. Um olhar carinhoso e respeitoso para nós mesmos é o primeiro passo para entendermos nossas forças e fraquezas e onde podemos trabalhar para desenvolver essas habilidades.

Quando falo aqui sobre essa busca, não falo sobre perfeição e, sim, sobre o que é possível para cada um de nós. Lembre-se de que nós só transbordamos o que está sobrando em nós. E você, quer transbordar o que para seu filho? Pense nisso!

Referências

BOLWBY, J. *Apego: a natureza do vínculo*. São Paulo: Martins Fontes, 2002.

FRANCO, J. *O poder do apego: como garantir uma base segura e garantir saúde física, mental e emocional para seu filho*. São Paulo: Skoobooks, 2020.

GONZALES, C. *Bésame mucho: como criar seus filhos com amor*. São Paulo: Timo, 2020.

GOTMAN, J. *Inteligência emocional e a arte de educar nossos filhos: como aplicar os conceitos revolucionários da inteligência emocional para uma compreensão da relação entre pais e filhos*. Rio de Janeiro: Objetiva, 2001.

MATÉ, G. *Scattered minds: the origins and healing of attention deficit disorder*. Canada: Ebury, 2019.

MATÉ, G.; NEUFELS, G. *Hold on to your kids: why parents need to matter more than peers*. Canada: Ballantine Books, 2006.

NELSEN, J. *Disciplina positiva para crianças de 0 a 3 anos*. Barueri: Manole, 2018.

SIEGEL, D.; BRYSON, T. P. *O cérebro da criança*. São Paulo: nVersos, 2015.

SIEGEL, D.; BRYSON, T. P. *O cérebro que diz sim*. São Paulo: Planeta, 2019.

WINNICOTT, D. W. *Bebês e suas mães*. São Paulo: Ubu, 2020.

10

A FALA "TINTIM POR TINTIM" DOS 0 AOS 5 ANOS

Como pais, uma de nossas preocupações é sobre o desenvolvimento da fala de nossos filhos. A fala é a febre da cognição e, quando ela não está acontecendo, precisamos entender de onde vem. Mas como saber? Bem, eu sempre falo que, a cada nova informação aprendida como pais, ajustamos "o grau dos óculos da vida", podendo ver com mais detalhes o que estava diante de nós o tempo todo. Você está aqui porque deseja aprender e ter outro grau de visão sobre o que ocorre em cada idade. Neste capítulo, explico sobre o esperado em cada fase do desenvolvimento da linguagem e da fala e sugiro algumas brincadeiras.

DEBORAH ZARTH DEMENECH

Deborah Zarth Demenech

Fonoaudióloga criadora do *Conceito Fada Falah* e do método *Fada Falah – Ensino de Fala pra Crianças e Adolescentes*. Comunicar é essencial para as grandes realizações da nossa vida e isso se aprende de pequeno. É por esse motivo que nós ensinamos crianças a falar bem e bem de si mesmas, para mudar o mundo. Pedagoga graduada pela UNIPAR (2003), pós-graduada em Educação Inclusiva e cursando especialização em Abordagem Comportamental Aplicada pela CENSUPEG.

Contatos
deborahdemenech@gmail.com
www.fadafalah.com.br
Redes sociais: @fadafalah.oficial
45 92000 0637

De 0 a 6 meses

Os bebês comunicam suas necessidades expressando seu desconforto com choro, resmungos e movimentos com o corpo. Essa primeira forma de comunicação influencia os pais que passam a interagir e estimular a linguagem e a fala.

Desde o nascimento da criança, os pais interagem e falam com ela, nomeando e dando significado às suas emoções, como dor, fome, sono... falando sobre elas e atendendo a pedidos não verbais. Com isso, a criança aprende a se comunicar utilizando expressões, gestos e vocalizações, indo além do choro.

Aqui o crucial para o desenvolvimento da linguagem é a promoção de experiências auditivas e motoras. Estimule a criança a acompanhar o brinquedo e as pessoas com os olhos e, também, a procurar uma fonte de som, como ao balançar o chocalho de um lado e do outro, em cima e embaixo, em relação à cabeça da criança.

Entre as primeiras palavras estarão as onomatopeias, que são esses sons dos animais e dos carros, por exemplo, "cocó", "bibi". Uma brincadeira ótima é colocar a criança em contato com animais e imitar o som deles, nomeando-os. Quem faz "au-au" é cachorro, e "miau" é o gato.

Outra questão muito importante nessa fase é focar na amamentação e evitar a todo custo a chupeta. Aos 4 meses, começa a fase oral, a criança precisa colocar e experimentar objetos seguros na boca para criar a imagem mental dessa estrutura e depois aprender a falar corretamente. Se a criança usa chupeta, balbucia menos e coloca menos a mão e brinquedos na boca, portanto não desenvolve a imagem mental dessa estrutura.

De 6 meses a 1 ano e 3 meses

Ainda faltam 6 meses para o 1º aninho e a mãe já está com tudo preparado para a festa. Afinal, aos 12 meses, serão muitos motivos para comemorar. Os meses antes da festa geram expectativas, pois a criança está nos primeiros passos e quase falando as primeiras palavras.

A fase que vai de 6 a 15 meses é crucial. A criança demonstra vontade de olhar para você, de observar seu rosto e ações, iniciando a imitação de gestos com as mãos, expressões faciais e imitando sons, principalmente. A diferença em relação à fase anterior é que ela vai IMITAR e isso é muito importante. A imitação é o primeiro sinal de que a criança está desenvolvendo a linguagem.

Na fase de 8 a 15 meses, o estímulo será para a criança aprender a prestar atenção visual e auditiva e, também, a imitar gestos com o corpo todo e com a boca. Então você pode ensinar a apontar, dar *tchau*, fazer gesto de "vem cá", "vai", "sim", "não". Quanto maior o repertório de gestos aos 9 meses, maior o número de palavras que ela estará falando em breve.

Uma brincadeira muito legal nessa fase é de esconder e encontrar objetos rapidamente: "achou!". A criança não entende que algo que não está visível continua existindo, por isso essa brincadeira ajuda a criar uma imagem mental e o conceito de conservação, que algo continua existindo mesmo sem estar sendo visto.

Com 1 ano, a criança já evidencia vasto repertório de compreensão. Entende, mas ainda não fala. Percebemos a compreensão pela linguagem não verbal: ela dá "*tchau, tchau*" sob solicitação ou quando percebe que é o esperado, por exemplo, quando alguém vai embora; entende o que é "cara feliz" e "cara brava" e consegue imitar essas expressões; sabe que deve parar quando os pais dizem "pare!"; sente que existem perigos e olha para os pais para pedir aprovação; fica desconfortável longe de pessoas da família; sente falta; sente medo; sente vontade de brincar e interagir.

Para ser capaz de articular as primeiras palavras com autonomia, a criança precisa ouvi-las em média 600 vezes, por isso, para seu filho falar, ele precisa ouvir, e muito. Então, até os 15 meses, a criança deve falar as primeiras palavras. Começa com uma palavra simples, que pode ser "papá", "mamá", "au-au".

As primeiras palavras serão com os fonemas oclusivos, sons produzidos com abertura e fechamento de alguma parte da boca: /p/, /m/, /b/ – que acontecem com abertura e fechamento dos lábios; /n/, /d/, /t/ – que acontecem com abertura e fechamento com uso da língua; e /g/, /k/ que acontecem com abertura e fechamento da região faríngea, lá na garganta.

Em geral, a primeira palavra é "papai" e o motivo é que o som /p/ é mais fácil de articular do que o /m/. Além do mais, a criança ouve a palavra papai muitas vezes ditas pela mamãe. "Olha lá o papai!", "Papai está chegando.", "Vamos ligar para o papai?".

Dos 15 meses aos 2 anos e meio

Algo muito importante a ser compreendido é: quando a criança começa a falar, ela amplia esse vocabulário rapidamente. Começa com "papá", "mamá" e logo sai "dá", "não", "au-au". Em menos de um mês, são de 25 a 50 palavras aprendidas. Aos 2 anos, o vocabulário é de 300 a 500 palavras. Os pais se assustam quando apresentamos esses números, mas colocando no papel percebem que a criança fala mais do que eles ouvem.

Quanto à aquisição dos sons da fala, a partir de suas experiências com alimentação, mastigação e exploração da fase oral, a criança consegue realizar movimentos mais complexos que exigem a constrição da boca para a articulação dos sons representados pelas sílabas FA, VA, SA, ZA, JA, XA, por exemplo.

Para promover o aprendizado desses sons, você pode estimular brincadeiras de sopro e sucção. E, olha só, nada de mamadeira, pois o estímulo para a fala também acontece quando variamos os utensílios da criança, que terá mais exigências no uso da musculatura e aprenderá com mais facilidade a fala e o som da vovó, da chuva e da FADA.

Dos 15 meses aos 2 anos, a criança já manifesta a empatia, habilidade socioemocional de se colocar no lugar do outro, o que proporciona aprimorar os turnos de diálogo, esperar quando alguém está falando, responder com uma palavra ou gesto e logo iniciar uma nova interação verbal ou não verbal.

As brincadeiras que estimulam o desenvolvimento dos turnos de diálogo são as que envolvem esperar sua vez, trocar objetos, escolher objetos de acordo com uma ordem verbal, responder com "sim" e "não".

Jogar a bola para o papai quando solicitado, esperar a sua vez para subir no escorregador e não passar na frente de outras crianças, fazer um "papá" respeitando uma ordem de ingredientes que a mamãe está propondo e responder "sim" e "não" com coerência é o que esperamos da criança com 2 anos.

Tendo desenvolvida a noção de ritmo e atenção compartilhada para turno de diálogo com palavras e gestos, a criança, que é desafiada a ter autoconfiança e a interagir socialmente, começa a formar frases simples.

Nessa fase, elas também gostam de ver o fenômeno de ação e efeito com brinquedos de montar, rolar, encaixar e empurrar. Aproveite esse momento para ensinar a ampliar a sintaxe, dizendo "me dá", "eu quero esse". A criança com 2 anos já forma frases simples.

Dos 2 anos e meio aos 4 anos

Você está vendo quanta coisa acontece em tão pouco tempo? Dá vontade de parar o tempo para não perder nenhum detalhe, não é? Isso que estamos estudando aqui é muito importante, pois a linguagem da criança e a sua fala estarão totalmente desenvolvidas até os 5 anos. Ou seja, até 4 anos e 11 meses, é importante a criança estar falando perfeitamente para que não haja impacto negativo no processo de alfabetização.

Dos 2 anos e meio até os 4 anos, é impressionante o quanto a fala, a articulação e a linguagem da criança se desenvolvem. São tantos aprendizados simultâneos em várias áreas, desde o controle dos esfíncteres até as habilidades de coordenação manual fina, que a criança fica altiva. A habilidade da autoconfiança e da iniciativa social se tornam tão intensas que os pais precisam auxiliar com estímulos para respeito, tolerância a frustrações e autogestão.

Nessa fase, especialmente aos 3 anos, a criança vai "falar pelos cotovelos", porque está descobrindo um mundo inteiro. A motricidade fina, envolvida na fala, vai evoluindo, especialmente se é uma criança que também está mastigando alimentos de texturas variadas, pois isso fortalece e aprimora a musculatura.

Ela aprende sons como o /l/, de "lua", o /lh/, presente na palavra "olho", desenvolve o arquifonema R que é comum na região Sul e Centro-Oeste, como na palavra "porta" e "cor", aprimora o som do /R/ na garganta como nas palavras "rato" e "rua". Palavras mais difíceis com o grupo "L" (pla, bla..) também se aprimoram e, próximo dos 5 anos, surge a articulação dos sons mais refinados como o r de "arara".

Atenção! A partir de 2 anos e meio, quando o pensamento linguístico tem seu pico, mas a coordenação pneumofonoarticulatória ainda não está bem treinada, podem acontecer episódios de gagueira. Os pais precisam ficar atentos para procurarem o fonoaudiólogo se perceberem que a gagueira não é leve ou se ela ultrapassar 3 meses de manifestação. Afinal, a gagueira é uma das patologias de fala que mais impacta o desenvolvimento psicoemocional da criança.

Nessa fase, se a gagueira aparecer, como agir? Primeiro, pensar e buscar entender se isso pode ser uma gagueira do desenvolvimento ou se é uma patologia. Para isso, investigue se há outros casos na família. Se sua resposta for sim, então, você já deve procurar um fonoaudiólogo imediatamente.

Caso nunca tenha havido ninguém com gagueira na família, você vai observar essa criança por 3 a 6 meses e perceber se isso acontece sempre, em qualquer situação, e se está diminuindo.

Mas o que é necessário fazer e como agir na hora que a criança está gaguejando? Abaixar-se na altura da criança para conversar. Diante da gagueira, apenas respire e demonstre calma, deixe-a perceber que tem muito tempo para falar. Eis o raciocínio: dar à criança tempo para ela falar. Outra estratégia é, quando ela terminar a frase, não responder de imediato, mas contar dois segundos mentalmente e, aí sim, realizar o seu turno de diálogo.

Os últimos meses da formação da fala

Até aqui você aprendeu que a fala começa a ser estimulada desde o nascimento e que, periodicamente, há um salto no desenvolvimento.

Dos 4 anos aos 4 anos e 11 meses, é o momento de aprimorar com palavras mais complexas e longas, como nas palavras "placa", "teclado", por exemplo. Além disso, a criança vai aprender o som do /r/ que chamamos de erre fraco, em que usamos a motricidade mais avançada e maior controle de todas as estruturas da boca. Ela vai aprender a falar palavras como "areia", "coração" e, na sequência, "prato", "trem", "professora".

O que pode atrapalhar esse aprendizado? Língua mole ou língua presa. Língua mole é quando a respiração é ruim ou há hipotonia generalizada na criança; língua presa é quando a estrutura embaixo da língua está encurtada, o que atrapalha também a mastigação e a deglutição, gerando até mesmo seletividade alimentar e desconforto abdominal após se alimentar.

Se você perceber que seu filho já evidencia dificuldade com esse som do /r/ brando, procure avaliação, pois é essencial resolver a causa o quanto antes.

Como podemos estimular a fala de crianças aos 4 anos? Brincar muito de trava-línguas, desafios de encontrar palavras que comecem com o mesmo som, ou rimas, além de brincadeiras com ritmo como "Escravos de Jó". Isso para que ela integre todos os sentidos e aprimore a parte cognitiva para ter agilidade em falar palavras mais complexas.

Outra sugestão é ter o quadro de rotinas e trabalhar a narração com a sequência de atividades, dias, horas, meses.

Bem, agora você sabe "tintim por tintim" o que acontece em cada fase e também teve algumas dicas para estimular a criança na aquisição da linguagem e da fala. Com esse "novo grau de óculos", você estará atento e, se algo inesperado ocorrer, terá conhecimento para procurar apoio adequado.

11

DÁ AULA OU SÓ BRINCA?

Convido você a expandir e valorizar a brincadeira na primeira infância como potencializadora do desenvolvimento infantil. Você dá aula ou só brinca? Reflexões sobre o brincar, as famílias, as instituições educacionais e nossa cultura, que ainda acredita que o brincar não promove aprendizagens.

EDILAINE GERES

Edilaine Geres

Edilaine Geres é psicopedagoga e pedagoga atuante no Ensino Fundamental (anos iniciais). Formada inicialmente no magistério pelo CEFAM (Centro de Formação e Aperfeiçoamento do Magistério), atuou em escolas particulares. Proprietária de Escola de Educação Infantil em Bastos/SP, onde reside e leciona atualmente. Atuou como coordenadora pedagógica do Ensino Fundamental e como assessora técnica pedagógica, atualmente ministra formação on-line para professores Alfabetizadores. Formada em LIBRAS, pós-graduanda em ABA para autismo e deficiência intelectual. Atua como psicopedagoga e é autora de projeto social para ajudar crianças carentes com atendimento psicopedagógico gratuito, com o projeto *Aluno fora de série* – cujo nome pode ser interpretado em ambos os sentidos: alunos que não estejam acompanhando suas séries escolares por qualquer que seja o motivo, como também torná-los "fora de série", potencializando seu aprendizado e oportunizando o seu direito à educação, incluindo alunos com TEA.

Contatos
www.edilainegeres.com.br
contato@edilainegeres.com.br
14 99116 9384

"Dá aula ou só brinca?" São inúmeras as vezes que um professor ouve essa frase, você mesmo já deve ter ouvido ou quem sabe falado.

Isso porque – culturalmente no nosso país e, de certa forma, infelizmente – o brincar ainda não é compreendido como uma grande e significativa forma de aprendizagem para as crianças, principalmente quando falamos da primeira infância.

De modo despretensioso, este capítulo vem como forma de refletirmos e, também, espalharmos o conhecimento, o que é um dos meus grandes propósitos. Quem de nós não brincou na nossa infância de forma tão significativa que ainda temos esses momentos na memória?

Não podemos dizer que não aprendemos por ter brincado na infância. Me recordo da minha infância simples e humilde em tempos que podíamos sair na rua ao entardecer e brincar com os amigos vizinhos. Tenho em minha memória uma rua sem asfalto, com terra batida, no bairro simples da cidade onde eu cresci e vivi a minha infância.

Trago até hoje lembranças de amigos daquela época. Tenho na memória um morro muito alto e grande, tendo em vista o meu pequeno tamanho na época, em que subíamos, escalávamos, escorregávamos, brincávamos, mas não tenho memória de brincar na escola.

Assim como também não tenho memória de nenhum adulto brincar comigo. Amo maçã, é uma fruta muito significativa para mim por dois momentos: primeiro, no início do meu desejo em ser professora, quando certa vez a professora do meu irmão me acolheu em sua casa, dentro da escola, e me deu a oportunidade de entrar na sala dos professores, naquela época aluno não tinha acesso, era mais rígido, era mais reservado. Daquele dia em diante, eu tive certeza de que eu queria ser professora, porque uma professora pode marcar a vida de uma criança de várias maneiras e eu vi que a forma positiva também era uma opção. Por que a maçã? Porque essa professora me levou para sua casa, cuidou de mim, me deu almoço e ainda me entregou uma linda maçã para que eu levasse para escola e comesse no recreio.

A outra memória que eu me recordo é que, nessa mesma casa citada no início, tinham várias plantas no quintal, onde eu brincava sozinha, e, nas minhas explorações, decidi que eu queria um pé de maçã. Retirei uma semente de uma maçã que havia comido, plantei e cuidava desse pé de maçã todos os dias. Ele cresceu, não me lembro de ver as maçãs sendo produzidas, mas me recordo muito significativamente de ter a experiência de plantar, cuidar e observar as transformações no meu pé de maçã e nas demais plantas que havia no quintal daquela casa; mas vamos ao ponto crucial.

O brincar não ensina?

O brincar não transforma e não desenvolve uma criança? Será que um professor está cometendo um erro gravíssimo quando dá os ensinamentos no ambiente escolar por meio do brincar?

Ora, claro que não! Então vamos levantar a bandeira do brincar, de permanecer as crianças na primeira infância dentro do que é da sua natureza. Brincar para a criança é algo prazeroso e que é feito com muitas possibilidades de desenvolvimento e de aprendizagens.

Quanto mais uma criança brinca, mais conexões são formadas, mais experiências ela vive e armazena, amplia o seu repertório, expressa os seus sentimentos, aprende a se comunicar, descobre sobre si, testa seus limites e desenvolve habilidades motoras e autoconfiança. No livro *Crianças Dinamarquesas*, observamos grande contribuição para nossa primeira infância, para brincar e quão potente é uma brincadeira livre, assim como uma brincadeira orientada e supervisionada por um adulto com intencionalidade pedagógica (SANDAHL, 2017).

Se a escola do seu filho na primeira infância brinca, sinta-se feliz, estamos vivendo um tempo em que se perde muitas coisas valiosas da nossa infância, não podemos tratar as crianças com tamanha falta de respeito às suas necessidades essenciais, e o brincar é uma delas. Criança brinca por impulso, por prazer, por querer. Por meio da brincadeira, podemos ensinar e desenvolver nas crianças muitas habilidades, buscando a formação integral tão almejada. Quando nos permitimos brincar com uma criança, realizando também a empatia, estamos nos colocando no mundo da criança com o intuito de intencionalidade, muitas vezes, pretendendo ensiná-la habilidades fundamentais para o seu crescimento e desenvolvimento. Vamos lembrar que a primeira infância é uma das etapas primordiais e que não podemos perder tempo esperando passar essa rica fase do desenvolvimento para que possamos, então, pensar em ensinar algo. Essas brincadeiras na prática ensinam mais e melhor do que a teoria, então, é importante pensarmos sobre educação na primeira infância de forma natural e intuitiva da criança por meio das brincadeiras possibilitando que elas pesquisem, experimentem, vivenciem, sintam e utilizem todo seu potencial em desenvolvimento para aprender em todos os sentidos, porque a escola ensina e também cuida.

Todos os documentos trazem o brincar como essencial e fundamental à estrutura do ensino para as crianças na educação infantil. Como podemos então aceitar uma fala adulta questionando o ensino por meio das brincadeiras?

Deus me livre de uma escola que sistematize o tempo todo, escolarize todas as atividades e trate a primeira infância, as crianças da educação infantil, como seres à parte da brincadeira e do desenvolvimento.

A ludicidade tem que permear todas as atividades, todos os planejamentos e toda a intencionalidade pedagógica.

Como mudar essa cultura e ressaltar a importância do brincar inclusive no ambiente escolar?

Uma das formas é envolver as famílias no contexto escolar desde a educação infantil, não limitando em convidar essas famílias apenas em momentos de problemas ou de reuniões para apresentarem relatórios, mas trazer essa interação para o fazer pedagógico, com participação em um dia de brincadeiras na escola, por exemplo.

O exemplo ensina mais do que a oratória, então, dessa forma, quando os pais participarem, compreenderem a ação pedagógica e a garantia do brincar em prol do ensino e da aprendizagem, terão a dimensão dessa atividade, bem como sua valorização. Outro fator importante é saber diferenciar o brincar livre e intencional. Infelizmente muitas famílias não realizam o brincar em casa com seus filhos, dando cada vez mais lugar às tecnologias, por isso a importância do brincar estar garantido na escola.

Certa vez recebi um aluno que a família relatava e lamentava seu interesse apenas em celular e telas. Os pais mencionaram que ele não brincava e não tinha interesse por brinquedos e brincadeiras ao ar livre, por exemplo.

Fui a campo experimentar isso no ensino com a criança e me deparei com uma criança saudável, muito interessada e receptiva. Ofertei aparelhos e demais brinquedos eletrônicos após um tempo de interação e brincadeiras com ela, utilizando jogos, brinquedos tradicionais etc.

Com certeza, o resultado não foi o relatado naquela situação anterior: mesmo tendo o aparelho eletrônico disponível, ele ficou em segundo plano, como se não estivesse ali. Isso mesmo, a criança mostrou que faltava a interação, faltava a troca, faltava incentivo, faltavam estímulos, faltava o humano.

Nossas crianças precisam de mais atenção e cuidados em vários aspectos. A primeira infância precisa ser entendida, valorizada e respeitada. Estamos perdendo a mão? Estamos desaprendendo do brincar?

Brincar não é tempo perdido, não é apenas "brincar".

Segundo Kishimoto (2019), ainda vivemos no Brasil o entendimento de que brincar é espontâneo e que não precisa fazer nada enquanto a criança brinca. É preciso romper paradigmas e entender que esse conceito impede o desenvolvimento infantil. Cuidar e trabalhar a brincadeira como estratégia para ensino e aprendizagem torna potente o desenvolvimento infantil. Para Vygotsky, brincar tem que ser uma decisão livre pela criança, mas quando o adulto cria condições para ampliar, dando suporte a essa brincadeira, a criança entra em outro nível de desenvolvimento.

Para finalizar, não podemos deixar de mencionar a importância de garantir o brincar como direito das crianças, conforme pressuposto nos documentos normativos da educação brasileira – entre eles: DCNEi e BNCC –, o foco das ações pedagógicas são as interações e brincadeiras.

Referências

KISHIMOTO, T. M. *O brincar e suas teorias*. Boston: Cengage Learning, 2019.

SANDAHL, I. D. *Crianças dinamarquesas*. Rio de Janeiro: Fontanar, 2017.

VYGOTSKY, L. S; LURIA, A. R.; LEONTIEV, A. N. *Linguagem, desenvolvimento e aprendizagem*. São Paulo: Ícone/Edusp, 1998.

12

O DESENVOLVIMENTO DAS HABILIDADES SOCIOEMOCIONAIS NAS CRIANÇAS: APLICANDO OS PRINCÍPIOS DA DISCIPLINA POSITIVA

Ajudar no desenvolvimento das emoções, atuando na sua regulação e compreensão, é uma tarefa para pais e professores. Há uma preocupação latente na sociedade sobre qual mundo deixaremos para nossas crianças. Mas como desenvolver crianças mais saudáveis emocionalmente e mais seguras para atuarem de forma mais assertiva, tolerante e inclusiva na vida adulta? É sobre essas questões que trataremos neste capítulo, sem a pretensão de esgotá-las, mas para lançar um olhar mais profundo sobre a superficialidade que se apresenta com relação a uma formação integral e integrada, que se inicia na infância. Dessa forma, abordaremos sobre as principais habilidades do ser humano; qual o papel de pais e educadores no desenvolvimento dessas habilidades; e o desenvolvimento da inteligência emocional nas crianças.

ELAINE ANDRADE

Elaine Andrade

Pedagoga, Mestre em Administração, Especialista em Gestão de Pessoas e Desenvolvimento. *Coach* de Carreira e *Kids Coach*. Palestrante e pesquisadora na área de educação antirracista. Professora de graduação e pós-graduação nos cursos de Gestão, Pedagogia e Neurociências aplicada à Educação; nas disciplinas Diversidade étnico-racial, cultural e de gênero; vida & carreira; metodologia de ensino e de pesquisa; *coaching* e neurociências; desenvolvimento humano e organizacional.

Contatos
elaine.andrade.santos@hotmail.com
Instagram: @kids_coaching
LinkedIn: linkedin.com/in/elaineandradesantos

As principais habilidades do ser humano no universo infantil

Na vida adulta, somos cobrados por uma postura e um comportamentos adequados e aceitos socialmente. Muito do processo de desenvolvimento das chamadas competências comportamentais só serão valorizadas e estimuladas quanto ao seu aprimoramento, quando chegamos a essa fase da vida. No entanto, as habilidades cobradas do indivíduo adulto devem iniciar seu processo de conhecimento e desenvolvimento, em certa proporção, na infância tanto na relação familiar como na escolar.

As principais habilidades sociais do ser humano são:

- Aceitar e reconhecer elogios;
- Fazer e encaminhar pedidos adequadamente;
- Saber expressar amor, gratidão e afeto;
- Fazer elogios;
- Iniciar e manter diálogos saudáveis e produtivos;
- Defender seus próprios direitos;
- Recusar pedidos – saber dizer não;
- Expressar opiniões pessoais, inclusive quando não concorda;
- Expressar incômodo, desagrado ou tédio;
- Pedir uma mudança de comportamento/atitude do outro;
- Admitir erros e desculpar-se;
- Saber receber as críticas;
- Solicitar de forma satisfatória uma atividade a outra pessoa;
- Falar em público.

Das habilidades listadas, falar em público é o maior medo da maioria das pessoas, segundo pesquisas. Esse receio de se comunicar para uma audiência, principalmente se ela não fizer parte da sua relação próxima, deve-se em muito à falta de autoconfiança e esta, por sua vez, é decorrente da falta de autoconhecimento, da ausência ou escassez de elogios na infância, principalmente o que nos remetem ao recebimento de críticas que podem destruir a autoestima do indivíduo.

Como desenvolver então essas habilidades ou estimulá-las? Iniciemos por oferecer/receber elogios.

Oferecer e aceitar elogios

Um estímulo adequado às crianças para que façam elogios positivos e sinceros propiciará o desenvolvimento saudável da autoestima e, consequentemente, gerará mais autoconfiança, contribuindo ainda para o exercício da empatia.

Paul Thompson, estudioso da Neurociências, na Universidade da Califórnia, destaca que nas crianças menores o desenvolvimento cognitivo no cérebro acontece de forma mais assertiva por meio de estratégias e estímulos positivas. Portanto, é fundamental para o desenvolvimento social adequado, reforçar aspectos positivos do comportamento infantil, por meio de elogios e da valorização, em vez de críticas ou punições. Essa postura é também a forma mais assertiva de fazer com que a criança também desenvolva a capacidade de elogiar.

Em casa, os pais ou responsáveis devem ficar atentos aos comportamentos expressos pela criança, em diferentes situações, fornecendo-lhes elogios sinceros e com frequência. Para tanto, o elogio deve ser específico e congruente com relação a uma ação também específica, o que fará com que a criança perceba na manifestação honesta do adulto a importância de reconhecer o que há de bom e positivo também nas outras pessoas e no ambiente que a cerca. Para conduzir conversas positivas aplicadas ao elogio, deve-se atentar para:

A situação: o que aconteceu > atitude da criança: o que ela fez > consequência: o resultado que a atitude gerou (sentimentos).

Fonte: a autora

O mesmo processo deve ser estimulado na criança, ou seja, incentivá-la a elogiar, genuinamente, os colegas de sala, irmãos, parentes, professores, sempre que perceber algo específico e satisfatório.

Os educadores, em vez de se fixarem em avaliações e *feedbacks* sobre os resultados, devem valorizar mais a aplicação de elogios durante as aulas, ao observarem as crianças e suas atitudes com relação a outros colegas, organização da sala de aula, cumprimento de atividades, respeito aos demais agentes da escola etc.

O elogio contribui, ainda, para o estabelecimento de uma cultura tanto no âmbito familiar quanto educacional de uma troca positiva, o que representa também uma forma de afeto, valorizando as pessoas e seus comportamentos adequados. Isso sendo aplicado a partir de pessoas em quem a criança confia e admira traz ainda mais credibilidade e reforço ao processo. Além disso, o elogio, sendo específico e adequado ao contexto, ajudará a criança a se perceber capaz, reconhecer seu potencial, por meio do reconhecimento de suas características positivas, oportunizando relações mais saudáveis e autênticas.

Encaminhar pedidos de forma adequada

Quantos de nós, adultos, não nos incomodamos com pessoas que, em vez de pedirem, impõem um desejo ou expectativa? Fazer pedidos adequadamente é uma habilidade extremamente importante na fase adulta, para manter as relações pessoais saudáveis e harmoniosas e as profissionais mais assertivas, com destaque ao papel de líderes na orientação e delegação de tarefas a membros de sua equipe.

Na infância, percebe-se que algumas crianças utilizam o choro, a birra ou outras manifestações para obterem o que desejam. Isso se deve à imaturidade. Porém, os pais, desde cedo, podem atuar no apoio à criança para que ela se sinta acolhida e ouvida em suas necessidades, mesmo que a resposta que vier depois seja uma negativa ao pedido.

É importante reforçar na criança que, ao negar-lhe um pedido, não se está deixando de amá-la.

O diálogo vai ser o grande instrumento para que essa habilidade seja desenvolvida.

O diálogo frequente possibilita à criança desenvolver conversações e expressar-se de forma específica, sendo estimulada pelos adultos a apresentarem seus pontos de vista sobre determinado assunto, bem como argumentos válidos quando querem pedir alguma coisa, sem a necessidade de fazer pirraças ou chantagem emocional.

Na abordagem da disciplina positiva, os adultos podem solicitar o apoio das crianças para que auxiliem no estabelecimento de regras, acordos, formas melhores de se comunicar e de pedir alguma coisa. Nesse momento, o adulto poderá reforçar para a criança que o fato de lhe dizer não em alguns momentos e, se tiver que ser mais enfático para isso, não significa que, nesse momento, deixou de amá-la e sim, pelo contrário, que é exatamente porque ele a ama que precisa demonstrar os limites necessários.

Ser permissivo transmitirá à criança uma mensagem negativa de que ela pode tudo e ela levará isso para a vida adulta, achando que as demais pessoas também deverão ceder diante de suas intransigências, gerando assim conflitos nas suas relações. Por outro lado, também é fundamental que o adulto compreenda que pode parecer positivo no momento aplicar algum tipo de punição para cessar a birra ou o mau comportamento, porém, a longo prazo, isso gerará sentimento de rejeição na criança, rebeldia e diminuição da autoestima.

O diálogo é mais efetivo que as habituais formas de controle que aplicam recompensas, quando as crianças agem conforme a expectativa do adulto, ou oferecem punições, quando fazem algo de errado ou negativo. A disciplina positiva ajuda na criação de crianças mais responsáveis, pois elas são convidadas para participar ativamente de decisões que incluem as regras, as quais deverão aplicar posteriormente, pois, assim como os adultos, as crianças tendem a aceitar melhor as regras que ajudaram a estabelecer, tornando-se mais saudáveis e participativas na família e na escola.

Essa abordagem deverá considerar: firmeza com gentileza; conexão com a criança e seus sentimentos; apoiar o desenvolvimento de valores como respeito, responsabilidade e colaboração, trazendo um efeito mais duradouro e saudável. Esse entendimento ajudará também na compreensão por parte da criança de que, se utilizar corretamente seus argumentos, poderá obter um resultado diferente na resposta do adulto, o que não implica permissividade. Além disso, também contribuirá para o desenvolvimento da sua capacidade de expressar suas opiniões de forma mais estruturada e positiva, inclusive quando alguma coisa lhe desagradar.

O papel de pais e educadores no desenvolvimento da inteligência emocional nas crianças

Existem quatro palavras mágicas que, quando as empregamos, exercem efeito especial sobre as pessoas. São elas: com licença, por favor, desculpe e muito obrigado.

Pais e educadores representam uma forte influência na formação de sujeitos maduros, saudáveis emocionalmente, autoconfiantes e com autoestima elevada. Por isso, compreender a importância desses princípios para o desenvolvimento emocional da criança é tão importante.

É notório que os pais, na atualidade, possuem acesso a mais informações e conhecimentos que no passado. Contudo, esse acesso amplo ao conhecimento nem sempre representa um aumento na qualidade das relações. É importante ressaltar que a vivência das experiências na infância gera marcas para toda a vida.

Sentir-se aceita e importante é fundamental para o desenvolvimento das habilidades emocionais nas crianças. Esse quesito também é determinante para o sucesso da criança no período escolar. O contato é um fator-chave para desenvolver na criança o sentimento de afeto e de se sentir amada, respeitada e importante. A forma como a criança recebe carinho modificará para toda a vida a forma como cérebro responderá às situações de estresse e frustração.

Bons pais querem que seus filhos sejam felizes. Para tanto, é imprescindível, então, que ajudem na capacidade da criança em se aceitar, ser confiante nas habilidades demonstradas, ser gentil para com as outras pessoas e ter coragem para enfrentar seus medos e desafios que estão de acordo com seu desenvolvimento físico e cognitivo.

Ao buscarem o autoconhecimento e o autodesenvolvimento das próprias emoções, os pais poderão fazer com que seus filhos consigam identificar e nomear as suas próprias emoções corretamente, para então compreenderem o que elas representam e como devem reagir. As condições que vão favorecer tal processo passam principalmente pelo exemplo. A forma como os pais lidam com os próprios sentimentos e reagem a eles será um dos mecanismos de aprendizagem mais marcantes para as crianças. Por isso, os pais precisam desenvolver-se emocionalmente e, por meio de suas atitudes no dia a dia, de como lidam com suas falhas, se tornarem um modelo emocional para as crianças.

As crianças que são estimuladas a descobrirem suas emoções, com autonomia e baseando-se em valores, conseguem perceber e diferenciar adequadamente as emoções, compreendendo que elas são passageiras e que podem aprender com isso a se conhecer melhor e a ter mais independência. Elas vão aprender que, quando estamos no mundo, e precisamos realizar algo, surge a necessidade de se relacionar e conviver com os demais. À medida que elas se tornam mais autônomas, também perceberão que em algumas situações terão de negociar com os demais os recursos compartilhados (seja um brinquedo, um espaço ou um lanche).

É necessário, portanto, deixar a criança experimentar e vivenciar suas emoções, sem punição ou repressão. Para desenvolver a autonomia com valores, é importante que os pais e professores:

- Respeitem a criança e entendam o seu jeito e personalidade e, assim, possam amá-la realmente pelo que é e não pelo que gostariam que ela fosse ou agisse;
- Permitam que ela possa fazer escolhas, dentro dos limites previamente acordados, sem impor ou ceder em seus caprichos;
- Expliquem com clareza os "nãos" que disserem, informando a justificativa de não conceder ao pedido da criança e argumentando com clareza, firmeza e respeito, sem expor a criança e sem gritar;
- Evitem recompensar as crianças por fazerem o que precisam fazer (como os afazeres de casa, estudar, respeitar os mais velhos).

Ao aplicarem a disciplina positiva, tanto pais como educadores promovem o aumento do bem-estar, da resiliência e a melhoria nos relacionamentos, pois nada substitui a experiência e o contato que emerge quando recebemos amor. Dessa forma, a própria mudança na conduta de pais e educadores, expressando seus valores e se desenvolvendo, é um exemplo claro e poderoso para a evolução de todos à sua volta, colocando em prática efetiva seus aprendizados; e é uma maneira de deixar um legado para o mundo e para as crianças, que aprendem a desenvolver o caráter e habilidades sociais e para a vida, além de ajudá-las a encontrarem seu caminho para a felicidade e para uma sociedade melhor, mais humana e igualitária, assim como nos deixou Mahatma Gandhi: "Seja a mudança que quer ver no mundo."

Referências

ACHOR, S. *O jeito Harvard de ser feliz: o curso mais concorrido da melhor universidade do mundo*. São Paulo: Saraiva, 2012.

BRYSON, T.; SIEGEL, D. *O cérebro da criança: 12 estratégias revolucionárias para nutrir a mente em desenvolvimento do seu filho e ajudar a sua família a prosperar*. Trad. Cássia Zanon. São Paulo: nVersos, 2015.

NELSEN, J. *Disciplina positiva: o guia clássico para pais e professores que desejam ajudar as crianças a desenvolver autodisciplina, responsabilidade, cooperação e habilidades para resolver problemas*. Barueri: Manole, 2015.

NIEMIEC, R. M. *Intervenções com forças de caráter*. Tradução Gilmara Ebers. 2. ed. São Paulo: Hagrefe, 2019.

SUSAN, D. *Agilidade emocional: abra sua mente, aceite as mudanças e prospere no trabalho e na vida*. São Paulo: Cultrix, 2018.

13

ABUSO SEXUAL INFANTIL INCONSCIENTE: A INTIMIDADE VELADA NO AMBIENTE DOMÉSTICO

Alerta para abuso sexual infantil não é só penetração genital, anal ou oral. Há diversas modalidades, mesmo que não seja forçado e com a indução da vontade da vítima, pode ser verbalizado e/ou visualizado. Além desses, há o abuso sexual infantil inconsciente, quando não há intenção consciente, mas inconscientemente há a invasão da sexualidade genital do adulto sobre o universo psíquico da criança, erotizando-a.

ELIAS LOPES VIEIRA

Elias Lopes Vieira

Graduado em Letras, Pedagogia e Psicologia Clínica. Especialista em VDCA – Violência Doméstica contra Criança e Adolescente pelo Instituto de Psicologia da USP/SP. Foi conselheiro tutelar, atuou no enfrentamento e combate ao abuso e exploração sexual contra crianças e adolescentes. Cumpriu gestões em conselhos municipal e estadual dos direitos de criança e adolescente. Atualmente, é coordenador do CREAS (Centro de Referência Especializado de Assistência Social), em Ilha Solteira/SP, equipamento que oferta o apoio e acompanhamento às vítimas e familiares. É palestrante e professor universitário em curso de graduação em psicologia. Escritor, autor do livro *Quem é você no espelho?*, coautor no livro *Gestão das emoções no ambiente corporativo*, com o capítulo "O adoecimento emocional dos professores no ambiente corporativo escolar", e no livro *Autismo: um mundo singular*, com o capítulo "Olha pra mim!!! Relato da caminhada com nosso amado filho autista", todos futuros lançamentos da Editora Literare Books.

Contatos
Facebook: eliaslopesvieira
Instagram: @eliaslopesvieiraoficial
YouTube: eliaslopesvieira

A sexualidade, para um casal, pode começar com um "bom-dia" ao levantar-se e terminar com um "boa-noite" ao deitar-se; o que ocorrer nesse período com carinho, elogios, toque físico, mesmo não havendo sexo, é sexualidade. O sexo é a cópula, a satisfação física ou estar regado com afeto.

Freud conceituou como sexualidade tudo o que é prazer e gozo liberando a libido, a energia pelo desejo de viver. Ao comer, é satisfeita a tensão da fome, o saciar prazeroso é considerado sexualidade. A autopreservação pela vida ao dormir, atividades físicas, trabalho, estudos, sonhos e realizações, tudo que gera a libido é considerado sexualidade.

O gozo é a liberação do prazer ao satisfazer um desejo. Gozar não é somente no ato sexual, é toda celebração de vida opondo-se à pulsão de morte.

O bebê nasce com sexualidade pelo instinto da sucção ao buscar o alimento no seio da mãe e goza ao saciar a fome com o leite materno. É a fase oral, inicia-se no nascimento e vai até 1 ano, tendo na boca a zona erógena.

Na fase anal, 1 a 3 anos, a criança passa a ter o controle dos esfíncteres, quando há o desfralde, e a zona erógena é no ânus.

Na fase fálica, 3 aos 6 anos, a zona erógena é no órgão genital, quando Freud conceituou o Complexo de Édipo.

Na fase da latência, 6 aos 11 anos, não há zona erógena, há o foco na aprendizagem. Até essa fase, a sexualidade infantil não é voltada para o sexo e precisa ser preservada.

Na fase fálica, a criança não tem a consciência genital nem o desejo pela relação sexual, não está apta para a reprodução. Qualquer ato de cunho sexual genital direcionado a uma criança é considerado abuso sexual infantil.

Dos 12 aos 18 anos, é a fase genital com a puberdade na adolescência, há a aptidão para o sexo e a fertilidade, e o despertar da consciência genital que perdurará pelo resto da vida.

Abuso sexual infantil não é somente quando há o estupro, ou seja, a conjunção carnal por meio da penetração genital, anal ou oral. Há diversas modalidades, mesmo que não seja forçada e com a indução da vontade da vítima.

Cunha (2000) apresentou as variações de intensidade e dano:
Com contato físico:

• Contato sexual gravíssimo (penetração genital, anal e/ou oral);
• Contato sexual grave (manuseio aos genitais descobertos, com ou sem penetração de dedos, seios desnudos, relação interfemoral);
• Contato sexual menos grave (beijos eróticos, toque sexualizado nas nádegas, coxas, pernas, genitais e/ou seios cobertos).

Sem contato físico:

- Forma verbalizada (sedução sutil, descrição de práticas sexuais, termos sexuais com palavras de duplo sentido);
- Forma visualizada (contato com objetos eróticos, revistas e filmes pornográficos, presenciar relações sexuais, exibição sensual de órgãos sexuais, *voyeurismo*, que é espionar de forma ostensiva o corpo da vítima).

O abuso sexual infantil é a invasão da sexualidade genital do adulto sobre o universo psíquico da criança, erotizando-a. Existe o abuso sexual infantil inconsciente, em que não há consciência, porém a ação é projetada e, de acordo com a limitação infantil de percepção e interpretação, a informação velada e abusiva é recebida.

Azevedo e Guerra (2000) conceituaram abuso sexual como: todo ato ou jogo sexual, em uma relação heterossexual ou homossexual entre um ou mais adultos e uma criança menor de 18 anos, tendo por finalidade estimular sexualmente a criança ou utilizá-la para obter uma estimulação sexual sobre sua pessoa ou de outra pessoa.

Até os anos 1980, as famílias preservavam a sexualidade dos adultos distante das crianças, no quarto do casal, os filhos não podiam entrar sem autorização nem deitarem-se na cama.

Uma crítica negativa era a sexualidade reprimida e não havia o diálogo intergeracional. Ocorre que, após essas décadas, houve uma expansão cultural sexual ao extremo.

A música "Na boquinha da garrafa", a partir de 1995, esteve no auge nacional por muitos anos, letra sexualizada, punha-se uma garrafa no chão, simbolizando um pênis ereto. Dançavam a melodia com roupas erotizadas, agachando-se aproximando o órgão genital ou o ânus simulando um ato sexual.

As crianças, com *shortinhos* parecidos com roupas íntimas, participavam da apologia ao sexo. Havia campeonatos de dança por todo o Brasil, inclusive em mídia nacional, e a maior audiência era dos infantes.

Foi a sexualização e o abuso sexual infantil culturalmente velado. Ninguém se responsabilizou por uma geração exposta às vulnerabilidades em ser objetos de desejo. Anos após, surgiram altos índices de gravidez na adolescência, violência sexual infantil e pedofilia.

No Estatuto da Criança e do Adolescente, há uma prevenção ao abuso sexual infantil com relação às literaturas pornográficas.

Art. 78. As revistas e publicações contendo material impróprio ou inadequado a crianças e adolescentes deverão ser comercializadas em embalagem lacrada, com advertência de seu conteúdo. Parágrafo único. As editoras cuidarão para que as capas que contenham mensagens pornográficas ou obscenas sejam protegidas com embalagem opaca.

Quando uma criança pequena com um bumbum avantajado aparece sem roupinha, andando pela casa, tiram-se fotos e postam-se nas redes sociais. Há algum mal nisso? Não há problemas em postar nas redes sociais fotos dos filhos, porém depende do conteúdo exposto.

A foto com o bumbum de fora coloca a criança em risco diante da insegurança virtual. Há redes clandestinas de pedofilia que baixam essas fotos, e a criança se torna objeto de lascívia.

O bumbum para o adulto tem um cunho sexual, para a criança não. Quando há o estímulo dessa parte do corpo como algo que chame atenção e elogios, tem-se o condicionamento ao prazer pelo exibicionismo, uma modalidade de abuso sexual, a necessidade irresistível de expor suas partes sexuais, tornando-se vítimas ao *voyeurismo*.

Outra questão é a identificação projetiva, definida por Melanie Klein em atribuir ao outro qualidades e desejos de si próprio. Quando o adulto posta essa foto da criança, conscientemente é a inocência da intimidade doméstica, mas inconsciente é o desejo de exibicionismo projetado na criança em ter essa parte do próprio corpo exposta e desejada. Tem-se, assim, a sexualidade do adulto projetada e abusiva sobre a infância.

Freud publicou, em 1909, *Análise de uma fobia de um menino de cinco anos*, sobre o Pequeno Hans, um importante caso clínico infantil. O garotinho tinha uma fobia específica por cavalos, medo que mordessem e arrancassem seu "pipi", um sintoma de angústia de castração, que o fazia nem sair de casa para brincar.

Hans estava na fase fálica, tinha uma fantasia em ser o companheiro da sua mãe, típico do Complexo de Édipo. Constantemente durante a análise, por meio do brincar, reorganizava o quadro familiar segundo seu desejo, colocando-se como o marido da mãe e seu pai como o avô de seus filhos.

O pai viajava muito a trabalho, a mãe tinha em Hans o protetor e colocava-o para dormir em sua cama, era um incesto emocional, confusão afetiva atribuindo, mesmo que momentaneamente, ao filho o papel de marido. Hans tinha medo de que seu pai chegasse a qualquer momento enfurecido, essa tensão pelo seu pai era deslocada e transferida para os cavalos supostamente castradores.

Na fase fálica, há a mielinização da coluna sacral na região genital, a criança passa a ter o desenvolvimento das terminações nervosas, há o surgimento do prazer e excitação. As crianças se tocam e sentem os "choquinhos" que não havia antes, atividades masturbatórias não ejaculatórias.

Esse processo também ocorre no imaginário infantil, devido à sensação prazerosa, a percepção do mundo em pares e o medo do abandono, a criança terá como primeiro objeto de desejo o que é mais próximo e já com vinculação afetiva, suas figuras parentais. É somente no aspecto psíquico e não no sexual genital.

Os meninos rivalizam com o pai e almejam a mãe, e as meninas rivalizam com a mãe e almejam o pai, o processo de complexo de Édipo.

Assim como houve o corte do cordão umbilical no nascimento, o desmame na fase oral e o desfralde na fase anal, na fase fálica, há a supressão da masturbação, quando a criança é orientada a não ficar se tocando publicamente.

Esse recalcamento da libido oportuniza a concentração no cognitivo, conduzindo a criança à fase de latência quando não há zona erógena e prevalece a produção cognitiva para a escolarização, dos 6 aos 11 anos, é a estruturação psíquica saudável e necessária. O Complexo de Édipo é revivido na puberdade durante a adolescência com a fase genital.

Nos adultos, diante dessas ações das crianças, são acessados pensamentos e desejos adormecidos perturbadores dessa fase que também passaram: o imaginário de ter desejado e serem desejados pelos pais. Muitos adultos, com o temor de abusarem sexualmente de seus filhos, acabam os abandonando afetivamente, deixando de dar carinho e colocar no colo.

Há relatos em clínicas terapêuticas de pacientes cujos pais foram frios e se distanciaram, essa não compreensão os causou carência afetiva e desamparo. Abandono afetivo na fase fálica, a criança capta o inconsciente de nojo e medo dos pais, recebendo a culpa desse distanciamento e abuso sexual velado não real.

Assim como Hans excluía a figura do seu pai no ato do brincar e colocava-se como marido da mãe, as crianças chegam a verbalizar que querem se casar com seus pais em um jogo de faz de conta. Winnicott descrevia o brincar como não somente via de comunicação, mas também como expressão do verdadeiro *self* e portão de entrada para o inconsciente.

Para ele o faz de conta funciona como estímulo para elaborar a fase de transição das fantasias do mundo interno e subjetivo da criança para o mundo objetivo e externo. Por isso, o brincar e o faz de conta nessa fase precisam ser conduzidos com cautela e zelo às crianças.

A narrativa de que criança não namora nem de brincadeira se faz necessária com o intuito de prevenir e combater a erotização precoce das crianças.

As crianças transferem a expectativa afetiva para os adultos, que devem se posicionar trazendo à realidade da diferenciação das relações do mundo adulto e do infantil. Nessa ruptura e corte de cordão umbilical necessários e saudáveis, a criança terá de elaborar sua libido e reprimir ao seu inconsciente.

Nas transferências afetivas, se os adultos não se posicionarem e corresponderem ao jogo de faz de conta, colocando-se como esse par almejado, em vez do corte, será construído um duplo vínculo, uma ambiguidade entre afeto de pais e de parceiros almejados. As linguagens inconscientes prevalecem, havendo o suprir das carências do adulto no almejo da criança.

As figuras parentais têm de cumprir seus papéis de supridores afetivos e não adentrar e estimular os jogos de faz de conta. O adulto já tem seu funcionamento psíquico estabelecido, a criança pode interpretar os significados das ações conforme sua formação psíquica infantil.

Há gestos de carinhos que precisam ser destinados ao âmbito do adulto, as "bitocas" e "selinhos" na boca da criança podem ser o elo da concretude desse mundo fantasioso. O Complexo de Édipo precisa ser elaborado e rompido, para que essa criança quando crescer vá em busca do seu objeto de desejo e não o espelho óptico de suas figuras parentais, ou seja, que não venham deslocar e buscar relacionar-se com pessoas que são a representação dos pais.

Os cordões umbilicais emocionais devem ser cortados pelos pais, quando não, os filhos precisam de recursos internos para isso. O filho precisa divorciar-se emocionalmente de sua mãe, tornar-se homem e entregar-se a um relacionamento, e a filha precisa o mesmo com relação ao pai. Há pessoas que só conseguem fazer esse corte quando há a ruptura fatal, a morte dos genitores, tornam-se adultos ou morrem juntos.

O Complexo de Édipo não elaborado conduz ao clássico ciúmes e rivalidade entre sogros e genros, sogras e noras.

Depois de algum tempo você aprende a diferença, a sutil diferença entre dar a mão e acorrentar a alma.
SHAKESPEARE

Há adultos que não têm sua sexualidade satisfeita e, na relação com os filhos, inconscientemente transferem a eles, ou elege um dos, o bode expiatório, a satisfação parcial dos prazeres de suas carências. Esse abuso sexual infantil inconsciente pode ocorrer mesmo sem toque físico. É o já citado incesto emocional, sabotagem dessa criança para si, codependência e dependência, não deixar crescer para que esse seja dependente eterno e cuidador/companheiro quando estiver idoso.

Freud baseou a Psicanálise na teoria da sexualidade infantil e no conflito edípico como estruturador da neurose. O inconsciente tem caráter infantil, é necessário o ser humano ter um encontro consigo mesmo na busca de se conhecer de mãos dadas com a criança que foi e é.

Estar em harmonia com sua sexualidade conduz os adultos a se compreenderem e serem saudáveis enquanto pais, amando incondicionalmente seus filhos e não projetando sobre eles os seus recalques e questões mal-elaboradas.

Referências

AZEVEDO, M. A.; GUERRA, V. N. A. Telecurso de Especialização em Infância e Violência Doméstica, LACRI – Laboratório de Estudos da Criança, USP/SP, 2006.

BRASIL. Lei nº 8.069, de 13 de Julho de 1990. ECA – Estatuto da Criança e do Adolescente. Presidência da República, Subchefia para Assuntos Jurídicos. Brasília/DF

CUNHA, M. L. C. Curso de Capacitação no Enfrentamento à Violência Doméstica contra Crianças e Adolescentes. Módulo 4 – Violência Doméstica contra Crianças e Adolescentes na Modalidade Violência Sexual. CECOVI – Centro de Combate à Violência Infantil. Curitiba/PR, 2006.

FEIST, J.; FEIST, G. J.; ROBERTS, T. *Teorias da personalidade*. Porto Alegre: Artmed, 2015.

FREUD, S. *Duas histórias clínicas* (o "Pequeno Hans" e o "Homem dos Ratos") 1909, Edição Standard Brasileira das Obras Psicológicas Completas de Sigmund Freud. Volume X. Editora Imago.

LAPLANCHE, J.; PONTALIS, J. *Vocabulário da psicanálise*. São Paulo: Martins Fontes, 2000.

OSORIO, L. C. *Psicologia grupal: uma nova disciplina para o advento de uma era.* Porto Alegre: Artmed, 2007

SEI, M. B., CINTRA, M. F. V. Psicanálise de crianças: histórico e reflexões atuais (artigo científico), *Revista da Universidade Ibirapuera*, São Paulo, v. 5, pp. 1-8, jan/jun. 2013.

WINNICOTT, D. W. *A família e o desenvolvimento individual*. São Paulo: Martins Fontes, 2005.

14

O PAPEL DA ARTE NO DESENVOLVIMENTO DO PROCESSO PEDAGÓGICO NA PRIMEIRA INFÂNCIA

Este capítulo aborda o papel da arte-educação na Primeira Infância e sua atuação como protagonista no crescimento emocional e intelectual da criança, propiciando situações capazes de desenvolver recursos preciosos para o indivíduo na fase adulta como a percepção, a sensibilidade, a reflexão, a imaginação e a criatividade.

ELISABETE DIAS

Elisabete Dias

Arte Educadora, com formação em Educação Artística e especialização em Artes Plásticas pela Faculdade de Belas Artes de São Paulo. Atua, desde 1994, na área da educação com ênfase na Primeira Infância, orientando e proporcionando experiências nas quais as crianças possam se expressar manifestando suas ideias e desenvolvendo suas habilidades.

Contato
bete_dias@live.com.pt

O período entre a gestação e os 6 anos de idade é curto se comparado ao poder que ele exerce ao longo da vida do indivíduo. É nessa fase que o cérebro humano está mais aberto a aprender e se desenvolver. Quando aplicados os estímulos apropriados é possível potencializar o desenvolvimento infantil.

A arte-educação na Primeira Infância atua como protagonista no crescimento emocional e intelectual da criança propiciando situações capazes de desenvolver recursos preciosos para o indivíduo na fase adulta como a percepção, a sensibilidade, a reflexão, a imaginação e a criatividade.

Os recursos e as atividades artísticas podem ser desenvolvidos ainda nos primeiros meses de vida da criança. Entender que nem só de leite e fraldas vive um bebê, abre uma perspectiva valiosa e incentivadora quando tratamos de estímulos infantis. Os momentos que antes eram de brincadeira em família agora ganham toques de aprendizado nas atividades desenvolvidas entre pais e filhos.

Saindo do berçário rumo ao ambiente escolar, ainda na primeira infância, as crianças são apresentadas a materiais antes desconhecidos, porém, agora, empoderadores. O acesso facilitado a recursos como pinceis, tintas, papeis de diferentes texturas e cores permite que eles desenvolvam ainda mais suas habilidades sociais e motoras. O processo lúdico, muitas vezes atrelados ao brincar, propicia um ambiente altamente produtivo para o desenvolvimento infantil.

As crianças apreciam descobrir o novo e ficam extasiadas ao perceberem, por exemplo, que por meio das misturas das cores primárias é possível obter tonalidades diferentes. Trabalhar a arte no contexto infantil como desenvolvimento do indivíduo é uma das maneiras mais assertivas de formar adultos com êxito em sua jornada. Quando combinada com outras disciplinas os resultados obtidos são ainda mais satisfatórios.

Não se conhece um país sem conhecer sua história e sua arte.
Ana Mae Barbosa

Atualmente, há 11 tipos de manifestações artísticas: Música, Dança, Pintura, Escultura, Teatro, Literatura, Cinema, Fotografia, História em quadrinhos (HQ), Games e Arte Digital. A sensibilidade de escolher qual a mais favorável, considerando sempre o contexto em que a criança está inserida, cabe a cada arte-educador. Qualquer uma delas, se associada e adaptada à idade do aluno, é favorecida pela possibilidade de utilizar o processo lúdico em sua aplicação, o que torna a aprendizagem nessa etapa mais prazerosa.

Nem tudo é questão de gosto, mas sim de dar para a criança a oportunidade de desenvolver e consolidar o aprendizado por meio do processo cognitivo. O universo criativo infantil é ilimitado. Um excelente caminho a trilhar é permitir que a criança tenha contato com novas situações e amplie seu leque experiências. Do berçário ao jardim de infância, é possível adaptar recursos artísticos compatíveis a cada uma delas. Independentemente da idade, o foco é o processo criativo infantil, trabalhado, direcionado e orientado.

Benefícios da arte na educação infantil

Atua como facilitador no desenvolvimento das competências socioemocionais

As habilidades socioemocionais ultrapassam as questões cognitivas e estão diretamente ligadas à capacidade do indivíduo de lidar com suas emoções, se relacionar com o próximo e com o mundo ao seu redor. O contexto da arte-educação atrelado aos processos lúdicos contribui para o desenvolvimento senão de todas as habilidades emocionais, as mais importantes como:

- Autoconhecimento;
- Inteligência emocional;
- Empatia;
- Trabalho em equipe;
- Paciência;
- Pensamento crítico;
- Tolerância e cooperação.

Estudos mostram que crianças inseridas e estimuladas no contexto abordado têm maior probabilidade de se tornarem adultos fortes emocionalmente, criativos e inovadores. Expressar sentimentos como medo, raiva, empatia ou até mesmo a alegria pode ser mais fácil utilizando recursos artísticos. Cantar pode ser uma forma de expressar, por exemplo, a alegria e a tristeza.

Auxilia na coordenação motora

Uma das formas mais práticas para que as crianças exercitem sua imaginação e desenvolvam suas habilidades motoras é o desenho. A dança, por sua vez, contribui nesse aspecto com o desenvolvimento do equilíbrio, da flexibilidade e da resistência.

Estimula a escrita

Ao rabiscar e pintar, as crianças treinam suas habilidades com o lápis. Os movimentos realizados por eles contribuirão no desenvolvimento do processo de escrita e alfabetização.

Desenvolve a imaginação

Estimular a imaginação permite que a criança desenvolva a habilidade de resolver situações em qualquer contexto da vida. A contação de histórias, em que ela tem oportunidade de dar sua contribuição para o enredo, é um dos recursos utilizados para fortalecer ainda mais a criatividade, propiciando às crianças mais recursos para lidar com situações no dia a dia.

Aprimora o vocabulário

Inserir música no cotidiano infantil auxilia no enriquecimento do vocabulário ainda em evolução nessa fase da vida, permitindo que sentidos como fala e audição sejam amplamente estimulados.

Incentiva o trabalho em equipe

Atividades teatrais podem ser utilizadas como ferramenta a fim de promover o trabalho em equipe na Primeira Infância. Uma peça teatral só terá êxito se todos se envolverem. Dessa forma, fica bem claro e evidente para a criança a importância de respeitar o individual, mas, sobretudo, valorizar o trabalho coletivo.

Trabalha a autoconfiança

Ainda utilizando o contexto teatral ou até mesmo inserindo outras apresentações ao público em contextos escolares, trabalhar a autoconfiança estimula a criança a sair de sua zona de conforto. Para aquelas mais tímidas, pode contribuir e trazer recursos para que vençam a timidez.

> *Eu afirmo: se dermos às crianças a mesma liberdade para o processo artístico que lhes damos para as suas brincadeiras, as crianças chegarão à excelência no aprimoramento do processo criativo.*
> Anna Marie Holm

Durante muito tempo a disciplina em questão foi vista como uma atividade meramente recreativa. Porém, pesquisas científicas e a evolução percebida nas crianças provaram o contrário. A arte-educação tem ganhado cada vez mais espaço no contexto educacional.

Durante a Semana Internacional de Educação Artística de 2020, a Organização das Nações Unidas para a Educação, a Ciência e a Cultura (UNESCO) destacou a importância das artes durante o confinamento decorrente da pandemia da COVID-19, estabelecendo uma conexão forte entre as atividades como artes visuais, música, dança entre outras com a resiliência independentemente da faixa etária. Segundo Audrey Azoulay, diretora-geral da Organização "a criatividade gera a resiliência de que precisamos em tempos de crise. Ela deve ser alimentada desde a mais tenra idade para liberar a imaginação, despertar a curiosidade e desenvolver o apreço pela riqueza do talento e da diversidade humana. Na educação é onde isso começa."

A arte-educação na primeira infância é a ponte que liga as produções artísticas pessoais ou em grupo ao aprendizado crítico e reflexivo permitindo assim que cada ser humano seja protagonista de sua história ao longo da vida.

Referências

DEMICHELI, S. P. *Como a arte pode auxiliar no desenvolvimento das habilidades socioemocionais*. Escola da Inteligência, 2020. Disponível em: <https://escoladainteligencia.com.br/blog/arte-no-desenvolvimento-das-habilidades-socioemocionais/>. Acesso em: 04 out. de 2021.

DINIZ, Y. *Descubra quais são e como trabalhar as competências socioemocionais BNCC em sala de aula*. Imagine Educação, 2020. Disponível em: <https://educacao.imaginie.com.br/competencias-socioemocionais-bncc/>. Acesso em: 04 out. de 2021.

Educação artística na primeira infância: por que seu filho deve fazer arte. Primeiros 1000 dias, 2021. Disponível em: <https://www.primeiros1000dias.com.br/educacao-artistica-na-primeira-infancia-por-que-seu-filho-deve-fazer-arte>. Acesso em: 04 out. de 2021.

FUKS, R. *Tipos de artes*. Cultura genial, 2021. Disponível em: <https://www.culturagenial.com/tipos-de-arte/>. Acesso em: 04 out. de 2021.

SONSIN, J. *A importância da primeira infância e o desenvolvimento infantil*. Telavita, 2021. Disponível em: <https://www.telavita.com.br/blog/primeira-infancia/>. Acesso em: 04 out. de 2021.

UNESCO celebra o poder da arte e da educação em todo o mundo. UNESCO, 2020. Disponível em: <https://pt.unesco.org/news/unesco-celebra-o-poder-da-arte-e-da-educacao-em-todo-o-mundo>. Acesso em: 04 out.de 2021.

15

TELAS NA PRIMEIRA INFÂNCIA: IMPLICAÇÕES SOBRE O BRINCAR

Neste capítulo, convido você para refletir sobre o uso de telas na primeira infância. Nele discutiremos as implicações sobre o brincar na infância, a partir das novas experiências tecnológicas. Entre os tantos desafios que se apresentam nesse contexto, possivelmente o maior deles seja encontrar o equilíbrio quanto à utilização, de modo que se possa assegurar um desenvolvimento saudável às crianças.

FERNANDA MENEGHEL CADORE

Fernanda Meneghel Cadore

Psicóloga graduada pelo Centro Universitário da Serra Gaúcha (FSG), Mestranda em Educação e Especialista em Psicopedagogia Clínica e Institucional pela Universidade de Caxias do Sul e em Psicologia Infantil pela Faculdade Integrada de Brasília. Bacharel em Administração de Empresas pela Universidade de Caxias do Sul. Atua na área clínica como Psicóloga da Infância, Adolescência e Orientação a Pais.

Contatos
psicologafernandameneghel@gmail.com
Instagram: @psicologafernandameneghel
Facebook: psicologafernandameneghel
54 99131 0014

Diariamente nos deparamos com opiniões divergentes sobre o uso de telas na infância e isso nos traz importantes questionamentos sobre a melhor forma de utilizá-las: o quanto de fato faz mal para as crianças e como deixá-las fora do meio digital uma vez que estamos inseridos em um contexto norteado pela tecnologia.

A sociedade contemporânea traz consigo novos desafios, dentre eles o avanço tecnológico, que reflete em uma série de mudanças na vida das pessoas e, consequentemente, das crianças. A internet possibilita novas formas de comunicação e acesso à informação. Em contrapartida, observa-se a utilização dessa tecnologia por crianças muito novas.

Na primeira infância, período que vai do nascimento aos 6 anos, a criança é apresentada às interações sociais, que são fundamentais ao seu desenvolvimento. Nessa fase, ela conhece o mundo por meio dos estímulos sensoriais, pelos seus sentidos: tato, visão, audição, paladar e olfato; com eles, as crianças descobrem o mundo e o que está acontecendo ao seu redor. Mais tarde, a linguagem será outro meio de interação e de obter informações. É uma fase do desenvolvimento em que se deve oferecer à criança vínculos afetivos saudáveis, interação social, espaço adequado para a liberdade de movimentos, brincadeiras livres e disponibilidade de brinquedos, materiais de aprendizagem e de exploração dos ambientes.

A demasiada exposição a telas restringe as possibilidades de interação das crianças pequenas e consequente redução desses estímulos, imprescindíveis ao seu desenvolvimento. A experiência com telas na primeira infância é, na grande maioria, passiva, solitária, sedentária e pode causar dependência; por outro lado, o brincar é investigativo, exploratório e experimental, isso possibilita a construção do conhecimento.

O excesso de tempo de tela pode impedir as crianças de aprender a brincar, sendo o brincar crucial para o desenvolvimento de uma criança em tenra idade. De fato, há muitas evidências que apoiam o fato de que a brincadeira é o meio predominante de aprendizagem das crianças em seus primeiros anos. Se as crianças não tiverem desenvolvido habilidades de brincadeira por causa do excesso de tempo de tela, há um risco real de sofrerem dificuldades ao entrar na escola e se relacionarem.

A Sociedade Brasileira de Pediatria (SBP, 2016), em consonância com a Academia Americana de Pediatria (AAP, 2016), orienta quanto ao tempo adequado de uso de eletrônicos de acordo com a idade, considerando o desenvolvimento e maturação cerebral. Estudos realizados sobre a utilização excessiva de telas na primeira infância apontam para atrasos no desenvolvimento cognitivo, na linguagem, em aspectos emocionais, além de comportamentos agressivos, alterações sociais e de sono e, até mesmo, dificuldades alimentares.

Nesse sentido, a recomendação de exposição a mídias para crianças menores de dois anos é tempo zero. O principal motivo para essa recomendação é que nessas idades as evidências das pesquisas mostram que as interações sociais com pais e cuidadores são mais efetivas e estimulantes para o desenvolvimento da linguagem, da inteligência e das habilidades motoras, o contrário do que promove a utilização de telas, a chamada distração passiva, que é inversa à função do brincar ativamente e de interagir com o mundo ao seu redor, dois aspectos cruciais para o desenvolvimento infantil. Nos primeiros mil dias de vida, o cérebro passa por um período único de maturação, e a falta de estímulos reais suprimidos pelo virtual pode vir a ser muito prejudicial.

Entre 2 anos completos e 5 anos, a recomendação desses órgãos é de apenas 1 hora por dia. Acima dessa idade, o recomendável é de até 2 horas por dia. Os acessos precisam ser monitorados e somente ser permitido o que é indicado, de acordo com a idade, respeitando-se a classificação indicativa do conteúdo a ser exibido.

Por que o brincar é tão importante?

Brincar é aprender. A brincadeira é estruturante, uma base que permitirá à criança aprendizagens mais elaboradas. A ludicidade do brincar prepara para o processo ensino-aprendizagem e para as relações. Para Vigotski (1991), que foi pioneiro no conceito de que o desenvolvimento intelectual das crianças ocorre em função das interações sociais e condições de vida, o brincar, assim como o brinquedo, ajudará a desenvolver uma diferenciação entre ação e significado, sendo um importante instrumento para o desenvolvimento infantil.

Para Winnicott (1975), a capacidade de brincar na criança aparece naturalmente no decorrer do desenvolvimento emocional saudável, uma vez que o surgimento do brincar sinaliza que a criança foi bem-sucedida em seu processo de constituição subjetiva. A criança que brinca é beneficiada de diversas formas, já que a atividade lúdica promove sua autonomia, estimula sua criatividade e oferece maior conhecimento sobre si. Na brincadeira, ela interage com outras crianças, aprende e exercita a capacidade de dividir, de ceder, de esperar sua vez e de respeitar regras.

Por meio do brincar é que as crianças externam suas emoções. No brincar, a criança constrói e recria seu mundo, sendo que a imaginação da criança ao brincar dá vazão aos sentimentos que experienciam no cotidiano, vivenciando simbolicamente diferentes papéis.

No jogo, com outras crianças, ela é testada nas várias situações, em especial de competição, cooperação, realização e frustração, que são os protótipos da vida em sociedade. São atividades que permitem que conheçam a si próprias no aspecto social e na solução de seus conflitos internos (WINNICOTT, 1982).

O sujeito se desenvolve por meio da cultura em que está inserido e por meio da interação com o outro. Sendo assim, a criança da contemporaneidade já nasce imersa em uma sociedade tecnológica e globalizada, denominados nativos digitais, que desde muito cedo terão contato com os recursos tecnológicos, cada vez mais precocemente, uma vez que faz parte do cotidiano das famílias.

O brincar vem se modificando não só no modo, mas também nos objetos utilizados para brincar. Há alguns anos, as crianças encontravam-se nas ruas para brincarem de pega-pega, esconde-esconde, amarelinha, andar de bicicleta, jogar bola, dentre outros; esse tipo de brincar socializa, resgata tradições culturais, costumes, promove interação, desenvolvimento pessoal, consciência grupal, estimula a criatividade e a vivenciar regras, importantes para a constituição do sujeito.

A internet transformou a forma de se relacionar, bastando um clique para acessar informações e pessoas a qualquer distância. Ver vídeos, jogar videogame ou simplesmente navegar na internet é uma das atividades preferidas por grande parte das crianças, e nelas se emprega muito tempo. Os aparelhos eletrônicos emitem sons, no entanto, não conversam, não produzem diálogo para que os lugares sejam de fato ocupados, eles oferecem uma linguagem fragmentada, mas não sustentam sua função. Os adultos, por sua vez, ficam fascinados com as habilidades que seus filhos pequenos possuem em apertar botões e deslizar telas, já que essa foi uma aprendizagem tardia para a geração deles (JERUSALINSK; BAPTISTA, 2017).

Os brinquedos atuais são em grande parte automáticos, que podem diminuir a possibilidade da criança de fantasiar, criar e transformar esses objetos, resultando em um brincar de maneira mecânica e acelerada, uma vez que as imagens são rápidas, instantâneas e exigem pressa na atuação da criança. Com regras previamente estipuladas e ritmo previsto, alguns brinquedos não propiciam que a criança pense, agindo por estímulo.

Mas existem benefícios na utilização de tecnologia na infância?

Ao pensarmos que estamos imersos na tecnologia, presença constante no cotidiano das famílias, e que nossas crianças estão rodeadas de mídias, é preciso ressaltar que existem estudos que apontam benefícios em decorrência da utilização dos eletrônicos – desde que seu uso seja de forma equilibrada e nesses contextos –, como a sugestão de que o uso de jogos com caráter didático poderia facilitar o processo de aprendizagem, além de auxiliar no raciocínio lógico. Considerando a capacidade de interatividade que as tecnologias digitais proporcionam, compreende-se que seu uso, para auxiliar a aprendizagem, depende da forma como ocorre a relação entre o usuário e as informações contidas no programa por ele utilizado.

Outro aspecto que pode ser considerado positivo na relação da criança com a internet é que com a utilização elas se tornam conectadas, investigadoras e críticas, sendo mais um aliado no estímulo aos processos educacionais formal e não formal, propiciando que busquem mais informações, de forma mais aprofundada sobre determinado assunto em alguns cliques e em diferentes fontes acadêmicas.

Como as crianças estão inseridas nesse contexto tecnológico, uma realidade atual da contemporaneidade, se faz necessário entender o sentido que as crianças e as famílias dão para esses recursos e como as relações sociais têm sido estabelecidas a partir deles. A tecnologia pode tanto informar quanto alienar, unir ou afastar as pessoas. Dessa forma, o brincar e as novas experiências tecnológicas necessitam ser repensadas, com objetivo de estabelecer uma relação saudável e crítica das crianças com a tecnologia.

E pode, sim, desde que utilizada de modo adequado, torná-los além de atrativos, educativos, auxiliando as crianças em processos de aprendizagens, por meio de jogos educativos ou pesquisas, contribuindo para criar formas de brincar e aprender.

Importante:

A internet tem um ritmo veloz. Você é incentivado a clicar rapidamente de um *link* para outro, na maioria das vezes não absorvendo completamente o conteúdo ali exposto. O mundo virtual estimula tudo a ser entregue num ritmo rápido e em punhados de informações, preferindo mandar mensagens e *emojis* a ter uma conversa fluida.

Um dos grandes dilemas que encontramos frente à tecnologia é que os cérebros em desenvolvimento das crianças passam a se acostumar com esse ritmo rápido demais de informações. Elas se habituam com a gratificação e a recompensa instantâneas – por exemplo, se realizam uma tarefa corretamente em um aplicativo ou completam uma fase de um jogo, ganham um certificado virtual ou surge uma medalha na tela – o aprendizado no mundo real é mais lento e sua gratificação, menos instantânea.

Com isso...

O brincar, que é fundamental para o desenvolvimento infantil, sofre influência direta, pois está relacionado à oferta de novas possibilidades, que estão ligadas em sua maioria à tecnologia. O ato de brincar não é apenas uma ação espontânea de uma criança, em determinado momento, ele é a sua representação, revelando suas questões, seus traumas, seus conflitos, sendo necessário para seu desenvolvimento psíquico, ou seja, é um elemento fundamental na vida da criança.

Cabe ressaltar que a tecnologia, por si só, não faz mal a ninguém; o que prejudica é o uso excessivo e sem controle, trazendo prejuízos irreparáveis no desenvolvimento das crianças. O ambiente familiar precisa ser baseado na afetividade, necessitando demonstrações de carinho e atenção, para que os filhos construam laços fortes com seus pais e cresçam em uma sociedade com crianças saudáveis, bem-cuidadas e seguras para os desafios que se apresentam vida afora.

Para que isso ocorra, importante que pais e responsáveis sejam os mediadores do uso de eletrônicos e internet, pois apesar de terem contribuições pedagógicas e de estimulação cognitiva, necessitam de supervisão. Os pais precisam escolher jogos e programas de TV de acordo com a idade de seu filho, estipulando o tempo em frente às telas, para que haja equilíbrio em suas relações, interagindo com familiares e outras crianças.

Como o advento das tecnologias são recentes, ainda não existem estudos de longo prazo que meçam o impacto do uso de aparelhos digitais em crianças no futuro, sobretudo do uso em sua primeira infância, no entanto, trabalhos já indicam que o uso excessivo desses dispositivos tem causado prejuízos no desenvolvimento cognitivo e social e até no peso de crianças e adolescentes.

Entre os tantos desafios que se apresentam nesse contexto, possivelmente o maior deles seja encontrar o ponto de equilíbrio entre o desejo das crianças em fazer uso dessas tecnologias e o discurso e a prática dos pais e responsáveis, de modo que se possa assegurar uma constituição psíquica adequada às crianças, não excluindo assim o acesso a essas novas experiências tecnológicas, mas atribuindo o devido espaço a elas. De um lado os pais, que atualmente fazem uso das tecnologias para comunicação, lazer, trabalho, sendo exemplo para essas crianças; de outro, as crianças diante de inúmeras possibilidades à sua frente e imersas em um universo de descobertas e tecnologias.

Referências

AAP – American Academy of Pediatrics. Media use in school-aged children and adolescents. *Pediatrics*, nov. 2016, 138(5). Disponível em: <https://pediatrics.aappublications.org/content/138/5/e20162592>. Acesso em: 6 abr. de 2021.

JERUSALINSKY, J.; BAPTISTA, A. *Intoxicações eletrônicas: o sujeito na era das relações virtuais.* Salvador: Ágalma, 2017.

SBP – Sociedade Brasileira de Pediatria. Saúde de crianças e adolescentes na era digital. Manual de Orientação, *Departamento de adolescência*, out. 2016. Disponível em: <https://sbp.com.br/src/uploads/2016/11/19166d-MOrient-Saude-Crian-eAdolesc.pdf>. Acesso em: 6 abr. de 2021.

WINNICOTT, D. W. *O brincar e a realidade.* Rio de Janeiro: Imago, 1975.

WINNICOTT, D. W. *A criança e seu mundo.* Rio de Janeiro: LTC, 1982.

VIGOTSKI, L. *A formação social da mente.* São Paulo: Martins Fontes, 1991.

16

POR QUE BRINCAR É TÃO IMPORTANTE? COMO AS BRINCADEIRAS PROMOVEM O DESENVOLVIMENTO E A CONSTRUÇÃO DE VÍNCULOS AFETIVOS NA PRIMEIRA INFÂNCIA?

Neste capítulo, você vai descobrir como brincar pode ser uma ferramenta poderosa, capaz de potencializar o desenvolvimento cerebral, favorecer a formação de vínculos afetivos e ser utilizado como estratégia de promoção da saúde mental infantil. Boa leitura!

FERNANDA PRATA LEITE DAMIANI

Fernanda Prata Leite Damiani

Psicóloga há 10 anos, com atuação clínica nas modalidades presencial e on-line. Neuropsicóloga associada à SBNp (Sociedade Brasileira de Neuropsicologia). Formação em Terapia por Contingência de Reforçamento pelo ITCR (Instituto de Terapia por Contingência de Reforçamento) de Campinas. Certificação Internacional em Educação Parental e Educação Infantil pela PDA (*Positive Discipline Association*) – EUA e Certificação em Fundamentos da Saúde Mental Infantil pelo ICP (*Institute of Child Psychoterapy*) no Canadá. Psicoterapeuta por vocação e em constante atualização, é uma profissional completamente fascinada pela aprendizagem humana. Sua missão é trabalhar em prol do desenvolvimento de habilidades socioemocionais e fortalecer o relacionamento afetivo entre pais e filhos.

Contatos
www.psicologafernandapld.com
contato@psicologafernandapld.com
Instagram: @psicologafernandapld

A infância e o brincar

Imagine por um instante um lugar com várias crianças... Para onde sua imaginação te guiou? O que você percebeu, ouviu e sentiu nesse local?
Suponho que nessa cena havia crianças brincando.
Como brincar está associado a atividades da infância, logo pensamos em um mundo lúdico cheio de risadas, fantasia, entusiasmo e alegria.

Brincar é um fenômeno universal, presente em todas as fases do desenvolvimento. Atravessa as mais diversas culturas, gêneros e grupos étnicos. Podemos observá-lo desde o bebê brincando com as mãos até o idoso contando piadas.
Apesar da importante função adaptativa que a ludicidade ocupa na formação humana, os jogos e as brincadeiras ainda são vistos atualmente como tarefas improdutivas e restritas à diversão. E na prática clínica não é diferente, ouvimos com frequência a indagação: "mas o meu filho só brinca na terapia?"
Exatamente! Brinca em casa, na escola, na praça e, também, na sessão de terapia, porque as crianças interagem com o mundo de uma forma diferente dos adultos.

Os brinquedos são usados como palavras e a sua linguagem própria é a brincadeira (LANDRETH, 2002).

Compreendemos mais o mundo infantil quando falamos o idioma das crianças, pois é brincando que se sentem seguras, expressam sentimentos, revelam necessidades e conectam-se emocionalmente.

Brincar, mais que um verbo, é um idioma!
Para nos comunicarmos melhor com as crianças, precisamos praticá-lo!

O desenvolvimento cerebral e a ludicidade

Sabemos que as experiências da infância, especialmente durante os primeiros anos de vida, moldam a estrutura, o funcionamento e o desenvolvimento do cérebro. Mas qual é a importância da ludicidade nesse processo?

As atividades lúdicas ajudam a esculpir a arquitetura cerebral, estimulando o nascimento de neurônios, a formação e o aumento de conexões neuronais.

Para que atinja o pleno desenvolvimento, o cérebro depende de diversos fatores. Se eu fosse listar um ingrediente crucial da receita de como "criar" um cérebro saudável, certamente diria: permita à criança participar de um ambiente rico em experiências, portanto, repleto de brincadeiras.

As experiências ambientais que o brincar confere fortalecem as sinapses, isto é, as atividades entre os neurônios, possibilitando a organização de redes neurais cada vez mais sofisticadas.

Para exemplificar o que acontece no cérebro, imagine que uma lâmpada se acende cada vez que um grupo de neurônios se comunica. Então, quando a criança tem contato com cantigas, sente diferentes texturas, corre e brinca no balanço, seu cérebro fica integralmente ativado e incontáveis pisca-piscas reluzem o espetáculo da aprendizagem.

Brincar é um dos métodos evolutivos mais avançados que a natureza inventou para que o cérebro se desenvolvesse (BROWN; VAUGHAN, 2009). Esse ato nutre as competências cognitivas, motoras, físicas, sociais e emocionais, tendo uma relação direta com o desenvolvimento neuropsicológico.

Uma infância enriquecida por oportunidades lúdicas aumenta consideravelmente as chances de as crianças crescerem criativas, flexíveis, emocionalmente saudáveis e capazes de se relacionarem socialmente.

O papel da brincadeira na construção de vínculos afetivos

Você se recorda das brincadeiras realizadas na sua família? E com os amigos da escola? Aposto que você coleciona na memória várias recordações com as pessoas com quem construiu relações sociais de maior proximidade. Nas interações lúdicas, as pessoas se encontram intimamente conectadas, totalmente presentes e disponíveis para construírem vínculos afetivos. Brincar é a ponte que dá acesso e nos interliga emocionalmente uns aos outros.

As pesquisas em desenvolvimento infantil concordam que o comportamento de brincar assume papel importante no funcionamento adaptativo (RUSS; NIEC, 2011), inclusive, as brincadeiras parecem sensibilizar o desenvolvimento de circuitos pró-sociais no cérebro (PANKSEPP, 2007). Dentre os animais, somos os mais brincalhões, como também os mais sociáveis e hábeis para lidar com as constantes mudanças do ambiente (BROWN; VAUGHAN, 2009).

Um exemplo disso é quando o bebê emite o primeiro convite para brincar esboçando um sorriso à mãe. Logo que os olhares se encontram e a cuidadora lhe responde com um sorriso de volta, as ondas cerebrais de ambos se sincronizam (MELLENTHIN, 2018). Magnífico, não é?

A partir dessa conexão amorosa, se estabelece o vínculo, inaugurando-se o despertar social. E cada vez mais o bebê inicia e responde às interações: sorrindo, vocalizando, dando risadas e esticando os bracinhos (PAPALIA; FELDMAN, 2013).

Uma descoberta formidável das neurociências é que, quando a mãe ou a figura cuidadora se engaja em comportamentos lúdicos com o bebê – cantando, embalando e tocando-o suavemente, ele é inundado por oxitocina, um hormônio que aumenta o bem-estar e o interesse social (PAPALIA; FELDMAN, 2013). Como um ímã, as interações lúdicas são capazes de atrair nossa atenção e permitir a aproximação.

A brincadeira está ao alcance de todas as famílias.
É o idioma universal que elas podem falar.

Brincar forma e nutre os vínculos afetivos. É a linguagem que transmite segurança, melhora o humor, modela as emoções, promove a convivência e o sentimento de pertencimento social.

Pais que brincam e ensinam aos filhos habilidades de brincar na primeira infância criam condições favoráveis para que estes cresçam confiantes e psicologicamente saudáveis.

Considerando que as crianças nessa fase não desenvolveram completamente a linguagem oral e o pensamento lógico, brincar é o recurso que dispõem para expressarem as próprias emoções e compreenderem as dos outros.

É um lugar propício no qual podem exercer protagonismo no ambiente. Brincando, elas negociam, tomam decisões, treinam habilidades, criam estratégias de enfrentamento para os problemas diários e estabelecem vínculos sociais.

O poder terapêutico do brincar

Tenho uma recordação muito viva do primeiro ano da faculdade, quando estagiava semanalmente na brinquedoteca hospitalar da minha cidade natal. Naquela época, conheci um garotinho internado, há uma semana sem receber visitas.

Convidei-o para brincar, concordou sem esboçar qualquer entusiasmo. Não interagiu sequer com as outras crianças. Fez um desenho, traçando com força figuras geométricas usando um giz vermelho e voltou cabisbaixo para o quarto.

Na semana seguinte, sua recepção foi completamente diferente: respondeu com abertura, disponibilidade e um belo sorriso. Na brinquedoteca, conversou e produziu um desenho colorido.

E na outra semana? Bem, não o encontrei, porque havia recebido alta.

Essa experiência, somada às que tenho no cotidiano do consultório, me permitem concluir que brincar é sinal de saúde, além de ser uma poderosa ferramenta terapêutica capaz de recuperar a saúde.

Brincar é pré-requisito para a saúde integral.

No tratamento infantil, a brincadeira assume o lugar de peça-chave, como apontam intervenções baseadas em evidências (RUSS; NIEC, 2011).

Os recursos lúdicos são empregados com o propósito de prevenir, diagnosticar e intervir em problemas psicológicos.

Sem dúvida, brincar com as crianças é a melhor maneira de compreender o mundo delas (NELSEN; ERWIN; DUFFY, 2018), isso porque a ludicidade traz proximidade com ambiente natural, criando uma atmosfera favorável para que as crianças se sintam confortáveis em expressar seus sentimentos e aprenderem diferentes maneiras para lidar com os afetos, dando novos sentidos às experiências.

Contarei, a seguir, como o brincar foi crucial no tratamento de um caso que acompanhei.

Caso clínico: Caio e o medo de balões

Caio (nome fictício) é uma criança de 5 anos. Ele sentia um verdadeiro terror ao se deparar com bexigas de ar. Na escola e nas festinhas, não conseguia se divertir ao ver o mural decorado, chorava muito com medo de que os balões estourassem. A professora o acalentava, a mãe o acompanhava, mas o medo persistia.

E nesse contexto, Caio veio para terapia encaminhado pela pediatra. A expectativa da família era tratar a fobia a balões.

O tempo de acompanhamento foi de 4 meses. Contando as entrevistas familiares e as sessões com a criança, realizamos cerca de 12 encontros.

Nos atendimentos iniciais, Caio trouxe seu boneco de super-herói. Ele contava com satisfação como o Batman era forte e enfrentava "o mal". Usamos peças de Lego® para representar os vilões. O Batman deu uns bons golpes neles.

Convidei Caio para conhecer meus brinquedos e materiais de artes. Ele escolheu desenhar, então sugeri que desenhássemos juntos a coragem e o medo do Batman. O lado da folha com a coragem ficou cheio: voar, enfrentar o Coringa, ir para a escola, dormir no escuro. O lado do medo foi representado com animais perigosos e balões.

Perguntei se o Batman queria enfrentar os medos. Ele respondeu que sim. Afirmei que nós dois juntos iríamos ajudá-lo.

Por volta da sexta sessão, no encontro de orientação familiar, prescrevi que dedicassem todos os dias um tempo para brincadeiras livres, escolhidas pela própria criança. E quanto às festas, pedi para que explicassem que haveria balões no local e que ele poderia pedir para ir embora caso ficasse muito incomodado, porque o importante era se divertir.

No decorrer do acompanhamento, Caio já não trazia o Batman e queria explorar o ambiente do consultório pedindo brinquedos e jogos diferentes, como jogo da memória, quebra-cabeça, esconde-esconde de miniaturas, montar cenários com dinossauros etc. Ele se sentia seguro e feliz por estar naquele espaço comigo. Foram muitas cócegas, risadas e abraços calorosos.

Como o Batman não vinha mais para as consultas, indaguei por onde ele andava. Caio disse que estava enfrentando os vilões. Com essa deixa, perguntei se o Batman estava preparado para enfrentar também o medo de balões. Ele respondeu que sim. Combinamos de, no próximo encontro, ele trazer o Batman e eu, as bexigas.

Caio veio com o boneco. Estava meio apreensivo. Brincamos um pouco com o Batman, depois perguntei se o super-herói tinha coragem de encher um balão. Enchemos e esvaziamos alguns. Caio se divertiu com o barulho do ar saindo.

Na sessão seguinte, amarramos uma bexiga pequena e brincamos de vôlei. Ele disse que gostou da brincadeira. Esvaziamos o balão e rimos novamente do barulho.

Na penúltima sessão, enchemos vários balões e jogamos para cima. Mas um estourou. E Caio? Ele disse: "umas pocam mesmo, né?" E continuou brincando.

No encontro de encerramento, lembramos tudo que brincamos, repetimos a brincadeira com as bexigas e ele se despediu sorridente com um cacho de bolas na mão.

A principal ferramenta utilizada no acompanhamento de Caio foi o brincar. Essa foi a linguagem pela qual nos aproximamos, nos relacionamos e construímos um vínculo positivo e terapêutico.

Nossas "antenas afetivas" se sintonizam na brincadeira. Ele se sentiu compreendido por um adulto com quem pôde se divertir, confiar, se expressar, experimentar o medo de forma segura e desenvolver recursos emocionais para enfrentá-lo.

Referências

BROWN, S.; VAUGHAN, C. *Play: How it shapes the brain, opens the imagination, and invigorates the soul.* New York: Penguin Group USA, 2009.

LANDRETH, G. *Play therapy: the art of the relationship.* New York: Routledge, 2002.

MELLENTHIN, C. *Play therapy: engaging and powerful techniques for the treatment of childhood disorders.* Eau Claire: PESI Publishing, 2018.

NELSEN, J.; ERWIN, C.; DUFFY, R. A. *Disciplina positiva para crianças de 0 a 3 anos: como criar filhos confiantes e capazes.* Tradução Bete P. Rodrigues, Fernanda Lee. Barueri: Manole, 2018.

PANKSEPP, J. Can PLAY diminish ADHD and facilitate the construction of the social brain? *Journal of the Canadian Academy of Child and Adolescent Psychiatry.* v. 16, n. 2, May 2007.

PAPALIA, D. E.; FELDMAN, R. D. *Desenvolvimento humano.* 12. ed. Porto Alegre: AMGH Editora, 2013.

RUSS, S. W.; NIEC, L. N. *Play in clinical practice: evidence-based approaches*. New York: The Guilford Press, 2011.

VILLACHAN-LYRA, P.; QUEIROZ, E. F. F.; MOURA, R. B.; GIL, M. O. G. *Entendendo o desenvolvimento infantil: contribuições das neurociências e o papel das relações afetivas para pais e educadores*. São Paulo: Artêra, 2019.

17

ODONTOLOGIA PRÉ-NATAL E NA PRIMEIRA INFÂNCIA

A prevenção de doenças dentárias e gengivais desde a infância traz mais chances de sucesso ao longo da vida dos indivíduos. Por isso, a abordagem preventiva já se inicia no período gestacional, o que chamamos de pré-natal odontológica. Após esse período, a visita da criança ao odontopediatra, pelo menos desde o primeiro dentinho, se mostra muito eficaz. Por isso essa prática deve ser adotada por todos os pais.

GABRIEL POLITANO

Gabriel Politano

Graduado em Odontologia pela PUC-Campinas. Especialista em odontopediatria pela USP-SP. Mestre em odontopediatria pela São Leopoldo Mandic. Doutor em Ciências Médicas pela FCM/UNICAMP. MBA executivo em gestão empresarial pela FGV. Pós-graduado em hipnose com ênfase em neurociências pelo Instituto Dendros. Pós-graduado em gestão e *marketing* em odontologia pela ACDC. Professor titular da disciplina de Odontopediatria da FO-São Leopoldo Mandic. Sócio e odontopediatra atuante na Politano Odontopediatria e Ortodontia e no Ateliê Oral Kids, clínicas exclusivas de atendimento infantil.

Contatos
www.odontopediatriacampinas.com.br
gabriel@clinicapolitano.com.br
Instagram: @gabrielpolitano
19 3579 2904
11 96175 1298

A primeira infância, definida pelos primeiros 5 anos de vida das crianças, se caracteriza por muitas questões importantes no que se refere à saúde geral e bucal. Mais especificamente os primeiros mil dias da vida dos bebês são fundamentais para que os pais tenham tranquilidade futura com relação a muitos quesitos. Por isso, atualmente, a odontopediatria estende sua atuação desde a gestação.

O atendimento odontológico de gestantes tem dois objetivos principais. O primeiro é realizar a cura de doenças odontológicas em gestantes, já que aquelas que atingem a gengiva são sabidamente associadas a complicações obstétricas como o parto prematuro e a pré-eclâmpsia. Não é à toa que os órgãos máximos de todos os países regulamentam a indicação de todas as gestantes fazerem o acompanhamento odontológico pré-natal. Mas não é só isso. A segunda fase desse pré-natal odontológico refere-se justamente aos objetivos deste capítulo. Abordagem de orientações sobre a saúde bucal do futuro bebê no momento mais oportuno possível. Caso a gestante não compareça ao consultório para essas orientações, é válido que as receba o quanto antes procurando um especialista em odontopediatria após o nascimento do bebê.

Para entender, basta pensarmos em algumas situações que vivemos todos os dias em nossas clínicas de odontopediatria. Se recebemos bebês com menos de 2 anos e dentes cariados ou bebês com alterações ósseas consideráveis pelo uso de chupeta, qual seria o momento mais oportuno para que uma mãe recebesse orientações de como prevenir esses problemas? Com certeza, o mais cedo possível. Assim que o bebê nasce, é importante que os pais saibam de muitas coisas, pois se demorarem 1 ou 2 anos para aprender, talvez seja tarde demais.

Dessa forma, abordamos muitas questões em nossas consultas, mas principalmente assuntos relacionados à prevenção da cárie, doença séria e até fatal, e das maloclusões, alterações ósseas decorrentes de hábitos inadequados.

Vamos realizar, a seguir, orientações para cada fase da vida do bebê de modo muito didático.

1ª fase: bebês sem dentes

Após o nascimento do bebê, surge a primeira dúvida sobre a saúde bucal. Devo ou não higienizar a "gengiva" do bebê sem dentes? A resposta é não, principalmente se o aleitamento materno estiver sendo realizado. O leite materno é isento de riscos e não tem sua remoção de nenhuma parte do corpo estimulada. Por que deveríamos remover o leite depositado na boquinha do bebê após o aleitamento? Se não há dentes não há cárie. E o "sapinho", doença chamada candidíase? Saiba que a não remoção do leite faz muito mais sentido para evitar essa doença, já que a candidíase acontece se houver queda de imunidade, e o leite materno traz essa imunidade. Portanto, bebê sem dentes e amamentado não precisa de higienização bucal.

Mas e se não houver aleitamento materno, somente com fórmula? Aí, de fato, não estaremos removendo a proteção do leite materno e, apesar de não trazer benefícios, acredita-se que não haja malefícios nessa limpeza da fórmula ou composto lácteo, às vezes, bem pegajosos.

Outra dúvida que gera muita ansiedade aos pais é a idade de erupção dos dentinhos. Para tranquilizá-los, é importante saber que a normalidade é bastante ampla. A Figura 1 ilustra essas idades. Portanto, repare que, mesmo se o primeiro dentinho não tiver nascido até o primeiro ano, tudo pode estar normal. Caso algo diferente da tabela esteja acontecendo, é importante procurar um especialista. Além disso, também é importante saber que os dentes de leite e permanentes já estão dentro do osso quando o bebê nasce, mas todos em estágios diferentes de formação.

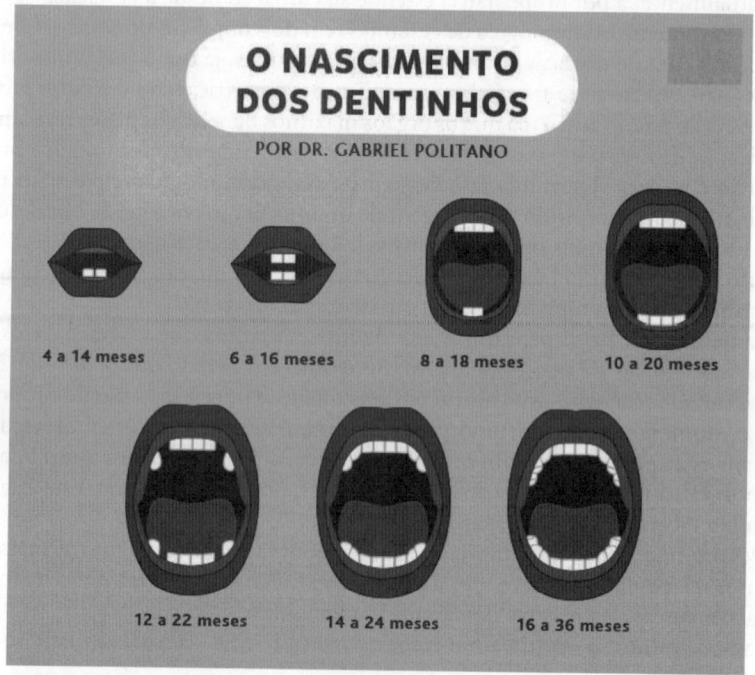

O NASCIMENTO DOS DENTINHOS
POR DR. GABRIEL POLITANO

- 4 a 14 meses
- 6 a 16 meses
- 8 a 18 meses
- 10 a 20 meses
- 12 a 22 meses
- 14 a 24 meses
- 16 a 36 meses

Esta tabela apresenta intervalos amplos, mas considerados normais e sem necessidade de investigações complementares. Ela é uma estimativa, que não elimina a orientação profissional após exame clínico e eventualmente radiográfico. A consulta a um odontopediatra se justifica caso não haja irrupção próximo ao extremo máximo da tabela. Variações existem baseadas em raça, gênero, prematuridade, genética, dentre outros. Ou seja, há casos em que pode haver normalidade mesmo estando fora do intervalo proposto.

Figura 1 – Época de nascimento dos dentes de leite.

2ª fase: bebês com dentes

Com o nascimento dos dentinhos, a questão da higienização muda totalmente. Se antes, as bactérias que começavam a habitar a boca do bebê (inicialmente estéril) não tinham superfícies duras para se aderir, agora elas têm. E, na dependência da alimentação e escovação, podem causar duas doenças: a gengivite e/ou a cárie. Saiba que a cárie atinge mais de 600 milhões de crianças no mundo, sendo a doença mais prevalente no corpo das crianças, superando até mesmo os tão comuns problemas respiratórios.

Portanto, a partir do momento em que os dentes aparecem na boquinha, eles devem ser higienizados diariamente. Essa remoção de bactérias precisa ser realizada com escova para bebês, de cabeça pequena, cerdas macias e pasta de dentes com flúor na concentração acima de 1.000 ppm. É válido entender que essa indicação não é pessoal, do autor, mas sim dos maiores órgãos públicos e privados de muitos países do mundo, incluindo Brasil e Estados Unidos, com suas associações médicas e odontológicas endossando a orientação.

Mas o flúor não fará mal? Até o dia de hoje, o que se sabe do flúor é que o único possível malefício está relacionado ao risco de manchar os dentes permanentes em formação, caso se degluta em excesso. Isso não acontecerá se o bebê menor de 3 anos utilizar a quantidade equivalente a um grão de arroz e, acima de 3 anos, um grão de ervilha, até três vezes ao dia. E os malefícios sistêmicos? Nenhum comprovadamente relacionado ao íon fluoreto na concentração citada; caso contrário, as sociedades médicas mundiais não endossariam tal recomendação.

Mas apenas a escovação não basta para prevenção da cárie, a dieta das crianças é igualmente importante. Só desenvolve cárie a criança que fraciona a ingestão de carboidratos refinados (as famosas "porcarias"). O que significa isso? Significa que as crianças com dentes saudáveis (bem formados) que têm como refeições o café da manhã, lanche, almoço, lanche, janta e eventual ceia, não apresentarão cárie escovando os dentes de duas a três vezes ao dia com pasta de dentes fluoretada. Isso porque quando não escovamos nos lanches a saliva o faz. Mas ela precisa de tempo para isso. Então transformar os lanches em várias "beliscadas" ou mesmo mamar várias vezes na madrugada não possibilita a ação da saliva e, como as escovações não acontecerão na mesma frequência, a cárie provavelmente surgirá.

Caso a cárie aconteça, é comum a percepção de alguns pais de que ela não é tão perigosa nos dentes de leite, que um dia irão "cair". Outro engano muito comum. Vamos entender: inicialmente, os dentes de leite são dentes permanentes em miniatura (Figura 2). Apresentam os mesmos tecidos e, também, canal. Quando um dentinho de leite cai, vemos somente sua coroa, mas, até então, o que o deixava firme na boca, sem mobilidade, era(m) sua(s) raiz(es), de pelo menos 1 cm de comprimento cada, que foi(foram) reabsorvida(s) por estímulo do dente sucessor, permanente.

E aí temos um grande problema. Quando a cárie atinge o canal do dente de leite, que é bem mais fácil de ser atingido do que no dente permanente, a infecção passa para o osso que segura esse dente de leite e, consequentemente, para o dente permanente que está logo a seguir, dentro do osso (Figura 3). Essa infecção atingindo o dente permanente pode causar desde manchas ou até mesmo parar sua formação, gerando ausência do dente permanente. Veja, portanto, como a cárie no dente de leite pode ser perigosa para o dente permanente, além de trazer dor, irritação, dificuldade alimentar e diminuição na qualidade de vida das crianças.

Mas o problema da cárie não é só localizado, com risco de problema no dente de leite e/ou permanente. Essa infecção de canal do dente de leite atinge o sistema sanguíneo e, dependendo da imunidade da criança, se exacerba e causa abscessos consideráveis chegando ao ponto de necessitar internação hospitalar, trazendo risco à vida da criança.

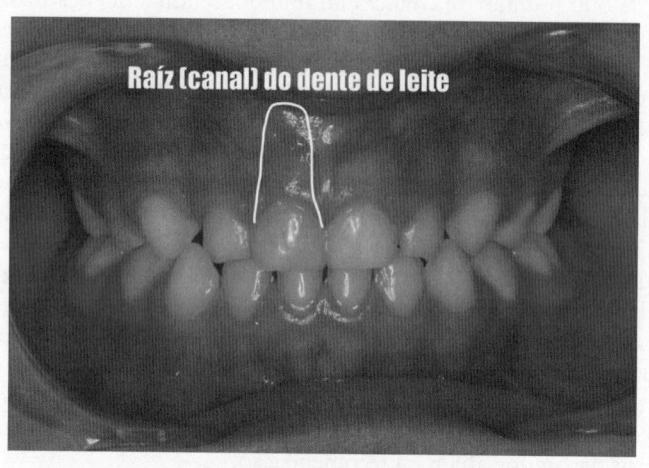

Figura 2 – 20 dentes de leite na boca (aos 3 anos) e desenho esquemático da raíz que está dentro do osso.

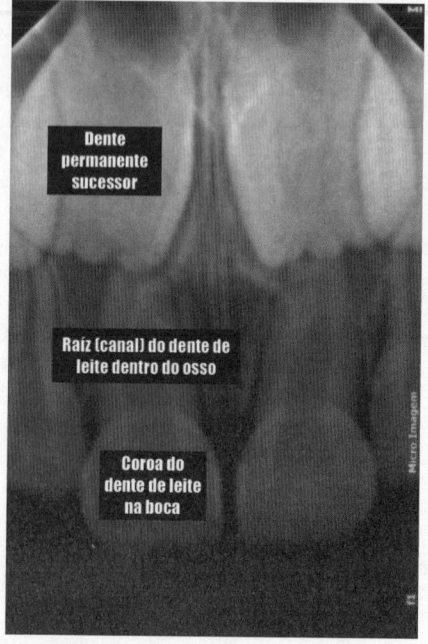

Figura 3 – Radiografia mostrando osso por dentro aos 3 anos.

Portanto é importante finalizar as orientações sobre a cárie deixando os pais cientes de que essa doença é prevenida em casa, com bons hábitos alimentares e de escovação, sempre associado ao uso de pasta de dentes com flúor acima de 1.000 ppm. Para a criança que tiver hábitos menos controlados, a visita ao especialista se torna mais importante e mais frequente.

Tratando-se da missão do odontopediatra, é claro que a prevenção da cárie não é o único papel importante. Se, como dito anteriormente, recebemos frequentemente bebês com deformidades esqueléticas importantes por uso inadequado de bicos, é fundamental que o profissional oriente as famílias como preveni-las. A seguir, discorreremos sobre esse assunto.

O primeiro e mais importante conceito que todas as mães devem ter é que o aleitamento materno não é só o melhor nutriente para as crianças, mas também a melhor forma de desenvolver os ossos e a musculatura da face, assim como incentivar a respiração nasal e diminuir o risco de cárie e uso inadequado de bicos complementares. São muitos benefícios em um ato muito natural.

Por isso, é papel do odontopediatra incentivar o aleitamento materno mostrando seus benefícios e acolher as famílias que não conseguiram realizar esse processo de forma tão simples como muitas outras.

Já o uso de bicos artificiais, como a chupeta, pode ser mais ou menos problemático na dependência de cada caso. Inicialmente devemos ter em mente que nenhum bebê, principalmente se amamentado, deve necessitar de complemento de sucção em chupeta, por exemplo. Por isso, partimos do princípio de evitar a inserção desse hábito, principalmente pela dúvida existente no que se refere à confusão de bico e risco de desmame precoce.

Dentre os malefícios da chupeta, ainda estariam o mal posicionamento da língua, problemas com a deglutição, fala e potenciais alterações ósseas. Tudo isso dependendo do tipo de bico, da força de sucção, do padrão genético e da predisposição de cada criança.

Por isso, a regra inicial é tentar evitar ao máximo a inserção da chupeta. Caso os pais, ainda assim, optem por utilizá-la, aí vão algumas sugestões: escolher chupetas mais anatômicas, não permitir o uso durante o período de vigília e remover a chupeta até o bebê completar 1 ou 2 anos no máximo.

E se o bebê "pegar o dedo"? A sucção de dedo é outra dúvida frequente. Os estudos não nos mostram que o dedo seja pior que a chupeta, mas muitos pais se preocupam porque, de fato, ele não terá como ser "jogado fora". Por outro lado, a tendência é que o dedo seja largado aos poucos, naturalmente, por isso inserir a chupeta pode também ser arriscado. Cada família decidirá como fazer, mas a ciência ainda nos diz que a sucção de dedo é comum desde o período intrauterino e tende a ser diminuído, principalmente com o aleitamento materno.

Como profissionais conectados com a ciência, mas ao mesmo tempo empáticos, que devemos ser, podemos finalizar o assunto sugerindo que as famílias evitem a utilização dos bicos artificiais, mas caso utilizem, regrem horário e removam o quanto antes.

E as mamadeiras? Devo ou posso utilizar? As mamadeiras podem ser ainda mais problemáticas do que a chupeta, dependendo do que pensa cada família. Caso o intuito seja amamentar, a mamadeira pode contribuir com o desmame precoce por criar a chamada confusão de bico. O bebê aprende a sugar o leite da mamadeira, com outros músculos e bem mais facilmente que no peito, e se desestimula do aleitamento materno.

Além disso, caso haja mamadeira com fórmula ou composto lácteo, é fundamental que os pais tomem cuidado com a frequência das mamadas. O maior índice de cárie nos bebês menores de 3 anos está associado à alta frequência de mamadas na madrugada.

Por isso, quando há intenção de amamentar, o ideal é evitar a mamadeira. Mas caso os pais optem por utilizá-la por algum motivo pessoal, busquem bicos de silicone mais próximos aos copos de transição, evitando também a alta frequência.

Referências

BORRIE, F. R.; BEARN, D. R.; INNES, N. P.; IHEOZOR-EJIOFOR, Z. Interventions for the cessation of non-nutritive sucking habits in children. *Cochrane Database Syst Rev.*, 31 mar. 2015.

BRASIL. Ministério da Saúde. Guia de recomendações para o uso de flouretos no Brasil. Brasília, 2009. (Série A. Normas e Manuais Técnicos).

BUCCINI, G. D. S.; PÉREZ-ESCAMILLA, R.; PAULINO, L. M.; ARAÚJO, C. L.; VENANCIO, S. I. Pacifier use and interruption of exclusive breastfeeding: Systematic review and meta-analysis. *Matern Child Nutr*, v. 3, 13 jul. 2017.

JAAFAR, S. H.; HO, J. J.; JAHANFAR, S.; ANGOLKAR, M. Effect of restricted pacifier use in breastfeeding term infants for increasing duration of breastfeeding. *Cochrane Database Syst Rev*, v. 8, 30 ago. 2016.

PITTS, N., *et al.* Early childhood caries: IAPD Bangkok declaration. *Int J Paediatr Dent*, v. 29, p. 384-386, 2019.

18

CRENÇAS E MEMÓRIAS DA INFÂNCIA

A essência do que somos é formada em nossos primeiros anos de vida, no nosso lar, cercados pelas pessoas mais próximas. Nossa família nos ajuda a construir o que seremos amanhã; pelas ações e palavras, vão nos mostrando e nos ajudando a perceber como é o mundo, como nós somos e como seremos no futuro. Como criar crenças fortalecedoras por meio das memórias?

GISARA MATTOS LEÃO

Gisara Mattos Leão

Educadora Parental certificada pela PDA (USA) - *Positive Discipline Association* (2020). *Coach* pela Febracis (2019). Ministrante do Jeito de Viver Família do CIS Educar pela Febracis (2019). Embaixadora do CIS Educar. *Parent Coach* (*coaching* para pais) certificada pela *Parent Coaching* Brasil (2019). Especialista em *Coaching* Infantil pelo método *KidCoaching – Rio Coaching* (2017, 2018). Facilitadora do programa Jornada das Emoções pela Amar e Acolher (2018). Neurociência da Infância pela Crescer Devagar (2020), Analista de Perfil Comportamental, entre outros. Idealizadora da Educarmente, mãe de dois e apaixonada pelas infâncias.

Contatos
www.educarmente.com.br
contato@educarmente.com.br
Instagram: @gisara e @educarmente

Crenças

Cada um de nós trilha o maravilhoso caminho da vida com recursos próprios. Alguns de nós têm pontos fortes e fracos que começam a surgir em torno das crenças familiares.

A essência do que somos é formada em nossos primeiros anos de vida, quando estamos em nosso lar, cercados pelas pessoas mais próximas, pais ou cuidadores. Nossa família nos ajuda a construir o que seremos amanhã: pelas suas ações e palavras, vão nos mostrando e nos ajudando a perceber como é o mundo, como nós somos e como seremos no futuro.

Graças a nossas famílias vamos entendendo o mundo e, aos poucos, nos conhecendo, até passarmos a ter uma própria percepção da vida.

Crença é toda a programação mental, sinapses neurais, adquirida como aprendizados durante a vida e que determina os comportamentos, as atitudes, os resultados, as conquistas e a qualidade de vida. Todas as experiências vividas ao longo da nossa existência, principalmente durante a infância, são fixadas pelas pessoas em forma de aprendizados, que são consolidados no cérebro em forma de conexões neurais que determinam como cada indivíduo se posiciona no mundo, considerando como enxerga a si mesmo e as pessoas ao redor e como lida com as diferentes situações às quais é submetido.

As crenças correspondem às convicções mais profundas, ou seja, às verdades incontestáveis de alguém em determinado momento. Por isso, definem a relação de uma pessoa consigo mesma e com o mundo.

A base das nossas crenças é definida principalmente na infância, até os 12 anos de idade, e por essa razão são influenciadas pelas pessoas que mais convivemos: pais, biológicos ou adotivos, ou os responsáveis pela nossa criação, em muitos casos os avós.

Aprendemos sobre nós mesmos e sobre o mundo a partir das lentes de outras pessoas, de modo que, se elas são infelizes, pessimistas, inseguras, raivosas e rancorosas, por exemplo, naturalmente passamos a sentir, pensar e nos comportar da mesma maneira. O contrário também acontece, crianças criadas em um ambiente amoroso, próspero, esperançoso, pacífico, respeitoso e acolhedor tendem a se tornar adultos cuidadosos, empáticos, confiantes e bem-sucedidos.

O processo de programação das crenças acontece por meio da repetição ou de acontecimentos que proporcionem forte impacto emocional. Nós interpretamos tudo ao nosso redor de acordo com as crenças que temos, podendo ser de forma positiva ou não.

Legado

As crenças são como um legado que nossa família nos deixa e são tão importantes que às vezes ficam em nosso inconsciente e, sem perceber, seguimos como se fossem mandatos.

Existem vários tipos de crenças que nos são transmitidas, e algumas delas podem nos fazer muito mal. São facas de dois gumes, pois as temos tão incorporadas que não tomamos consciência delas e as seguimos com naturalidade, mesmo que nos causem desconforto.

"Se os pais tiverem a consciência de que as palavras que dizem aos filhos determina o seu futuro," explicita Dr. Bruce Lipton (2019), cientista americano, renomado por seu estudo da biologia das crenças. Tudo que escutamos dos nossos pais nos primeiros anos de vida moldará a forma como vivemos a nossa vida. A maioria de nós recebeu a mensagem durante a infância, em menor ou maior grau, de que não éramos bons o suficiente em vez de recebermos a mensagem de que éramos bons o suficiente ou que poderíamos nos tornar a nossa melhor versão.

Nessa fase, a criança precisa aprender o máximo que puder sobre seu próprio valor, quem ela é, sobre valores familiares e sociais. Sobre o que ela é capaz de realizar e sobre o que ela merece ter, conquistar. Independentemente do que aconteça nos primeiros anos de vida, será esse o "programa" que rodará na nossa mente inconscientemente ao longo da vida, as crenças mais profundas que temos e que influenciam todas as outras.

Alguns exemplos podem ser frases que repetimos sem parar para pensar na implicação que têm, como: "os homens são todos iguais" ou "as mulheres são todas iguais". Alguém que tenha sido criado com essa frase pode inconscientemente seguir essa crença, passar a ter dificuldades de relacionamento e sempre desconfiar.

Esse é o período de vida que aprendemos sobre conexões, relacionamentos e sobre socializar no meio onde vivemos. Também é nesse período que aprendemos a respeito de nossa identidade pessoal, sobre ver o mundo com bons olhos ou não, sobre nosso senso de capacidade e merecimento. O que nossos pais nos dizem nessa fase de vida, é o que nos tornamos. Então, se dissermos aos nossos filhos que eles são inteligentes, capazes, brilhantes, amorosos e gentis, é isso que rodará no programa inconsciente; mas se dissermos que são feios, burros, preguiçosos ou que não conseguem fazer nada direito, é isso que rodará no programa. Ou se dissermos que não ganharão determinada coisa porque não merecem pois fizeram muita bagunça, a voz interna será "eu não mereço", pois o que nossos pais nos falam quando somos crianças se torna a nossa verdade.

Então, sem percebermos, seguimos algumas crenças que podem prejudicar o nosso autoconhecimento e o desenvolvimento da nossa própria impressão de determinadas situações.

Assim, nos limitamos e ficamos com o que aprendemos sem sequer explorar novas direções. Agora, isso não significa que todas as crenças sejam negativas, mas algumas realmente são.

A ciência avançou, os recursos que temos hoje nos permitem ter informações que nossos pais não tinham, o mundo evoluiu e, diante de tudo que já sabemos dos malefícios do autoritarismo e dos maus-tratos no desenvolvimento emocional e psicológico das crianças, é hora de olhar para a infância. A agressão de forma alguma é só física, muitas vezes as palavras machucam tão profundamente quanto um ataque físico.

Nós crescemos escutando "criança não tem de querer", "quem manda aqui sou eu", "cresça e apareça" e outras frases que hoje atuam dentro de nós como crenças limitantes. E "ai" da criança que se pronunciasse, afinal "o adulto é quem sabe", "pais não erram" e "merecem respeito". Será que é mesmo desse lugar que queremos nos relacionar com nossos filhos?

Quando nos abrimos ao processo de autoeducação, aprendemos a ser mais humildes diante de nossos filhos. Não somos detentores da verdade, somos mestres dos nossos filhos, mas também aprendizes, e vamos caminhando juntos.

Raízes

As crenças herdadas também podem ser boas, pois podemos aprender por meio delas, então é importante levá-las conosco. Da mesma forma, se começarmos a ter mais consciência de quais crenças adotamos como mandatos, podemos enfrentar as crenças negativas que seguimos.

Vale ressaltar que cada família é única. Algumas verdades são transmitidas de geração para geração independente da sua configuração familiar, visto que hoje temos diversas formações familiares, a construção das crenças segue da mesma forma.

Nossas raízes são a essência de onde viemos, honrá-las nos permite dar um passo além. Seja bom ou mau, o que nos ensinaram nos permitiu viver, e podemos aprender todos os dias com isso. Quando analisamos nossas experiências mais íntimas, começamos a ser livres para escolher como seguir o nosso caminho.

Então, quando crescemos, podemos decidir o caminho que queremos percorrer. Da mesma forma, podemos escolher qual parte preservar daquilo que nos foi ensinado. Mantemos o que queremos de nossas raízes e, conscientes ou não, focar nelas nos permite crescer, aprendendo todos os dias.

Pode ser extremamente útil prestar atenção nas crenças que aprendemos. Desse modo, podemos ficar com aquelas que nos beneficiem e questionar aquelas crenças que assumimos sem análise prévia.

Existem crenças que contribuem muito e que aumentam o bem-estar daqueles que as seguem. Não há nada mais maravilhoso do que saber o que é bom para nós e manter isso em nossas vidas.

A questão não é só detectar se as crenças são negativas, também é importante transformá-las para evitar o desconforto. Atreva-se a tornar consciente o inconsciente e a modificar o que te faz mal.

As crenças familiares nos levam até onde permitimos. Elas nos levam a alcançar nossas metas quando são formas maravilhosas de ver a vida e a enfrentar as dificuldades, mas também nos afastam de nossos objetivos quando são tóxicas. Depende de nós decidir o que seguiremos e o que deixaremos.

Podemos fazer uma metamorfose maravilhosa do legado que nossa família nos deixou, ao entender que ela nos transmitiu uma forma de ser na vida e de compreender o mundo e que podemos aproveitar esses ensinamentos ou nos afastar deles, dependendo de qual sensação causam a nós.

Se virmos as crenças familiares como uma aprendizagem, será mais fácil para nós assumi-las. Atreva-se a buscar no fundo do seu ser essas crenças que você transformou em verdades imperativas. Refletir e transformar nosso mundo interior aprendido é uma forma maravilhosa de ter outro ponto de vista mais consciente. E com um novo olhar, pensar em quais crenças queremos transmitir para as crianças ao nosso redor, seja você pai, mãe ou educador(a).

Memórias

A infância é o período no qual edificamos as bases que sustentarão tudo o que virá depois. É também um período mágico, em que o brincar e a imaginação constroem memórias cheias de significado que perdurarão por toda a existência.

Engana-se quem pensa que o começo da vida é uma etapa que fica para trás depois que viramos adultos. É um ciclo vivo, que volta, e se renova. Ecos da criança que fomos continuam a ressoar dentro de nós no decorrer da vida.

Somos e vivemos de acordo com a combinação de nossas memórias; as racionais, pelo conhecimento, e as emocionais, pelas nossas crenças.

Memória é tudo o que vivemos desde a concepção até agora. Nossa saúde física, emocional e espiritual é formada pelas nossas memórias. Todas as nossas experiências, tudo que vimos, ouvimos e sentimos, por meio de um significado que gera sentimentos. Memórias emocionais são eternas.

A formação de memórias ocorre por meio de sinapses, nome que se dá à transmissão de impulsos nervosos entre neurônios. Cada processamento sináptico é acrescido de um significado, bom ou ruim. Os significados, por sua vez, são registrados por meio de sentimentos ativos no indivíduo durante o processo de formação de memória, sendo influenciados diretamente pelo que ele vê, ouve, sente ou pensa durante a experiência. São esses três elementos, memórias, sentimentos e significado que, armazenados nas sinapses, formam nossas crenças. É um processo muito rápido, acontece em milésimos de segundos e interfere diretamente no que somos e no que podemos ser. Então, cada memória produzida vai nutrindo determinadas crenças.

As verdades que acreditamos e os rótulos que imprimimos na criança diariamente estão totalmente vinculados à formação das crenças dela.

Ela é chorona. Ele é bonzinho. Ele é bagunceiro. Ela é terrível. Ele é devagar. Quantas vezes você já ouviu ou disse algo assim?

É como se fosse a base de concreto da estrutura de um prédio que seu filho vai construir conforme cresce e se desenvolve, e essa base é o que determina muitas vezes qual será a personalidade dele, seus limites e bloqueios e como lidará com os desafios da vida. Essas crenças ficam dentro de nós e nos guiam quando precisamos tomar decisões e fazer escolhas. É como se tivesse uma voz dentro da nossa cabeça dizendo: eu não mereço, eu não consigo, eu não importo, eu não sou bom o suficiente, só me amam quando eu como tudo, só me amam quando sou boazinha.

Encorajar é focar no esforço que a criança exerceu, mas sabemos o quanto esse exercício pode ser difícil. Nós fomos rotulados e por isso rotulamos. Exige muito de nós fazermos diferente e quebrarmos um ciclo, mas também não devemos nos cobrar a perfeição, um passo de cada vez, uma mudança de cada vez.

O exercício está em trocar o rótulo negativo pelo positivo: "nossa, como você é bonzinho!" por "nossa, como você gosta de cooperar!". O primeiro está diretamente relacionado à identidade, ao que a criança é, e ser "bonzinho" nem sempre é positivo. Se falamos, é o que a criança acreditará que é. O segundo relata o que ela gosta ou está gostando naquele momento, e cooperar com família e futuramente com a sociedade é algo positivo.

O próximo passo é trocar o "você é" por "você está": "como você é devagar" por "como você está devagar, está mais cansado hoje? O que aconteceu?". Quando afirmamos que a criança é algo, isso é diretamente ligado a ela; quando você fala que ela está, denota que é algo passageiro, ela não é assim, mas está assim hoje, por exemplo.

Para criar crenças fortalecedoras e saudáveis, toda criança precisa vivenciar um padrão de experiências e, assim, produzir um padrão de memórias fortalecedoras.

Ser uma criança que sabe que é amada é das coisas mais fortalecedoras de uma existência. Saber que é seguro ser quem é, que não é preciso adequar-se ao que esperam de você, que é seguro perguntar, desabafar, contar as coisas da vida, que há uma escuta ativa e empática, tudo isso faz um ser humano saber-se importante, pertencente, visto, ouvido com amor, respeito e proteção, nos faz sentir que vale a pena viver e estar aqui. Segundo Paulo Vieira (2021), "somos nossas memórias. Somos o passado porque o futuro não existe e o presente é um microinstante que passa a cada milésimo de segundo".

Que as nossas famílias possam ser lugar de boas memórias!

As nossas lembranças são o único paraíso do qual nunca poderemos ser expulsos.
JEAN PAUL RICHTER

Referências

ALELUIA, R. *Programação Neurolinguística, ciência e espiritualidade com Bruce Lipton e Gregg Braden.* Disponível em: <https://www.ritaaleluia.com/pnl-ciencia-espiritualidade-bruce-lipton-gregg-braden/>. Acesso em: 20 out. de 2021.

BRIGGS, D. *A autoestima do seu filho.* 3. ed. São Paulo: Martins Fontes, 2002, pp. 3 e 136.

CLAIRE, J. D.; GOTTMAN, J. *Inteligência emocional e arte de educar nossos filhos.* São Paulo: Objetiva, 1997, pp. 19 e 42.

NELSEN, J. *Disciplina positiva: o guia clássico para pais e professores que desejam ajudar as crianças a desenvolver autodisciplina, responsabilidade, cooperação e habilidades para resolver problemas.* Barueri: Manole, 2015, pp. 1, 20, 57, 84, 123 e 150.

SIEGEL, D. J.; BRYSON, T. P. *O cérebro da criança: 12 estratégias revolucionárias para nutrir a mente em desenvolvimento do seu filho e ajudar sua família a prosperar.* São Paulo: nVersos, 2018, pp. 105 e 150.

VIEIRA, P.; BRAGA, S. *Educar, amar e dar limites: os princípios para criar filhos vitoriosos: tudo que você precisa saber para promover a melhor educação emocional para seus filhos na 1ª infância e sempre.* São Paulo: Gente, 2021, pp. 10 e 80.

19

COMO NOSSOS PAIS — A TRANSFORMAÇÃO PELO *COACHING*

Conhecer a forma que fomos educados é a base da transformação para os comportamentos indesejados que observamos em nossos filhos. O *coaching* é a ferramenta de transformação que surgiu para consolidar essas mudanças.

GUILHERME PRISCO

Guilherme Prisco

Engenheiro que se converteu ao mundo do autodesenvolvimento da própria família e busca levar a transformação aos lares de famílias em conflitos. *Life coach* certificado internacionalmente pela SLAC (Sociedade Latino Americana de *Coaching*); Analista de Perfil Comportamental DiSC pela SLAC e Atools; *kid coach* certificado pela Rio *Coaching* e Instituto de *coaching* infantojuvenil (ICIJ); certificado em ferramentas de *Parent Coaching* pela *Parent Coaching* Brasil; *Master Practitioner PNL* certificado pela *The Society of NPL* por meio da Sociedade de desenvolvimento humano (SIDH); certificado em Hipnose Clínica pela SIDH.

Contatos
www.guilhermepriscocoach.com.br
contato@guilhermepriscocoach.com.br
instagram: @guipriscocoach
11 96333 5904

Minha dor é perceber que apesar de termos feito tudo o que fizemos, nós ainda somos os mesmos e vivemos como os nossos pais.
BELCHIOR

Muitas vezes durante o dia nós, como pais e mães, tentamos administrar os comportamentos dos nossos filhos. Dizemos o que devem fazer e o que não devem, como devem fazer para que nós sintamos orgulho de suas ações. Lembra como seus pais faziam isso com você? O que queriam que fizessem para que tivessem orgulho ou para você ganhar um presente? Até mesmo o que devia fazer para não perder alguma coisa (o passeio da escola, horas de videogame, brincar na casa da melhor amiga)?

Talvez agora você esteja tendo dois tipos de pensamentos:

1. Nossa! Hoje faço com meus filhos igual os meus pais faziam comigo.
2. Meus pais sempre fizeram isso e eu odiava. Por isso agora faço diferente com meus filhos.

Qualquer um dos dois pensamentos que tenha tido estão certos e você não deve se sentir mal por nenhum deles. Umas das célebres frases de Napoleon Hill é: "Não espere, o momento perfeito nunca chegará. Comece de onde está e com as ferramentas que tem em mãos. Você encontrará ferramentas melhores pelo caminho". E tenho certeza que, assim como eu, você não esperou ter as melhores ferramentas para depois ter um filho. Algumas vezes até escutamos os conselhos dos nossos pais e familiares, ou amigos mais próximos, mas a verdade é que em algum momento você pensou que criaria seus filhos da maneira que achasse que seria a certa. E é óbvio que não existe uma maneira certa ou errada de criar filhos, mas existe, sim, a melhor forma que se adapta a você e extrai o melhor desenvolvimento do seu filho.

No começo, eu disse que "tentamos administrar os comportamentos dos nossos filhos", mas eles não são uma empresa que precisa de gestão. São seres humanos que precisam de amor, carinho, valorização e orientação. Ninguém gosta de ser mandado a fazer algo. Seja criança ou adulto. Como você se sentia quando recebia uma ordem dos seus pais? O que é diferente hoje quando recebe uma ordem do seu chefe, do seu parceiro ou parceira, ou até mesmo do seu filho?

Da engenharia ao autodesenvolvimento familiar

Tenho a engenharia mecânica como minha primeira formação profissional, passando por algumas pós-graduações que envolvem administração e finanças. Foram ótimas ferramentas de conhecimento que me transformaram em um profissional capacitado para gerir e administrar a empresa da família.

Mas quando me deparei com o nascimento do Luka, percebi que não eram as ferramentas adequadas que eu precisava para extrair o melhor da minha família e criar um filho que deixasse uma contribuição ao mundo.

Foram diversas formações no universo do autodesenvolvimento que fizeram com que eu adquirisse as melhores ferramentas para isso.

A começar comigo mesmo, precisei encontrar o que chamamos de propósito de vida e começar a construir as histórias que eu gostaria de contar nos meus últimos dias de vida.

Como muitas famílias, também tive problemas de relacionamento com minha esposa. Mas quando começamos a olhar para dentro, ambos pudemos identificar o que e por que tínhamos determinados comportamentos. Aprendemos a respeitar as necessidades de cada um de acordo com a forma de pensamento. Existem diferentes estudos de perfis comportamentais que explicam as diferenças entre cada pessoa e como podemos extrair o melhor do outro.

Perfil comportamental

Respeito grandiosamente o ensinamento que diz que devemos fazer ao outro o que gostaríamos que fizessem para nós. Mas a realidade é outra, devemos fazer ao outro o que ele gostaria que fizessem por ele.

Como premissa básica do *coaching*, devemos conhecer como nos comportamos, quais são as nossas reais necessidades e motivações.

Podemos dividir as pessoas em quatro principais grupos de comportamentos que, apesar de serem mais claramente visíveis em adultos, também podem ser observados no desenvolvimento das crianças, embora só se consolidem ao atingirem a adolescência. Para simplificar, relacionarei a característica principal com um animal conhecido:

- Dominante – tubarão: tem como principal motivação o poder. Pode ser visto como autoritário por querer que as coisas sejam feitas rapidamente e do jeito dele;
- Influenciador – águia: tem como principal motivação a liberdade. Criativo e cheio de ideias, gosta de se relacionar mais do que gosta de fazer tarefas do dia a dia;
- Segurança – gato: como o nome diz, é motivado pela cautela. Introvertido, gosta das coisas como estão e evita conflitos e mudanças repentinas;
- Controlador – lobo: tem suas ações regidas pela rotina. Age de forma metódica e analista.

Cada um dos perfis citados anteriormente possui motivações, necessidades e pontos de atenção diferentes. Nada é certo ou errado, desde que respeite o perfil do outro e não exija que seja motivado pela mesma coisa que você.

O conhecimento dessa ferramenta é de grande valia para restaurar relacionamentos familiares e ajudar a extrair o melhor do seu(sua) parceiro(a) e de seus filhos.

Filhos criados de acordo com suas necessidades individuais são mais felizes e colaborativos. Conflitos são evitados simplesmente por conhecer e respeitar as diferenças.

Ciclos e estilos parentais

O autoconhecimento e o conhecimento do seu parceiro ou parceira é apenas o início do conhecimento da família. Dizemos que toda família é um sistema vivo que se transforma constantemente por meio de cada membro dinâmico que a compõe.

Antes do casamento, cada membro do casal possuía valores e crenças que foram originados na própria família. Algumas vezes os conflitos surgem antes da união entre os dois, mas, após essa união, o conflito de valores é certo. Como foi a sua primeira semana de casamento? O que você descobriu sobre o(a) seu(sua) parceiro(a) que você desconhecia até aquele dia? E ao final do primeiro mês?

A falta do autoconhecimento é, muitas vezes, a responsável pelo aumento dos conflitos e das grandes brigas entre os casais. E quando achamos que elas foram solucionadas de alguma forma, é após o primeiro filho que elas ressurgem. Ou melhor, os conflitos sobre como criar o filho aparecem.

Nesse momento, se os valores da família não estão formados e não são claros para ambos, o divórcio torna-se a melhor solução. Estudos apontam que grande parte dos casais se divorciam após o nascimento do primeiro filho.

Divergências sobre a criação, o cuidado e até mesmo a forma de demonstrar o amor viram homéricas discussões de casal.

Lembre-se de que eu disse que nossos valores e como criamos nossos filhos são baseados na nossa criação. Foi a forma com que fomos criados que nos moldou ao que somos hoje. Como amamos e recebemos amor está ligado a esse passado, é ele que influenciará a forma com que nos relacionaremos com nossos filhos.

Foram observados quatro principais estilos de criação, que são:

- Estilo permissivo – crianças exigentes: pais compreensivos, tolerantes e afetuosos. Evitam exercer a autoridade ou impor regras para os limites. Resulta em crianças de boa autoestima e baixa empatia. Apresentam resultados escolares de baixo a medianos e com algumas deficiências comportamentais;
- Estilo negligente – crianças não envolvidas: pais nem responsivos nem afetuosos. Responde de forma evasiva aos comportamentos da criança, focando-se apenas nas necessidades básicas. Observa-se crianças pouco envolvidas socialmente e pais egocêntricos. Resulta em crianças com baixas competências sociais, emocionais e cognitivas. O desempenho escolar é baixo e pode apresentar desordem de conduta;
- Estilo democrático – crianças líderes: pais participativos e afetivos, que influenciam naturalmente os comportamentos e encorajam a autonomia, ao mesmo tempo que definem bem os limites e regras. Promovem a discussão de pontos de vistas por meio de diálogos e firmes controles das divergências. Resulta em crianças com altas competências sociais e emocionais, autorreguladas e socialmente responsáveis. Os resultados escolares são excelentes, com o despertar da curiosidade e criatividade;
- Estilo autoritário – crianças passivas: nesse último estilo, está a presença de pais que prezam pela imposição da obediência e o respeito pela autoridade. Pode-se

observar a ausência do afeto e da reciprocidade, que dão lugar à submissão e ao conformismo. Privação de privilégios, ameaças e punição são constantemente utilizadas para promover o medo, hostilidade e ansiedade nos filhos. Crianças criadas sob esse estilo possuem baixo autoestima e empatia. Os resultados escolares chegam a ser de medianos a bons, mas com altos índices de problemas sociais e emocionais.

Olhando para dentro

Acabei de te dar duas grandes informações sobre você, que talvez você mesmo(a) não sabia. Primeiro: todos nós temos um perfil de comportamento que rege nossas ações e pensamentos. Segundo: a forma de criar seus filhos está ligada ao estilo de parentalidade que seus pais exerceram sobre você.

Gostaria que nesse momento parasse de ler, fechasse os olhos e observasse qual é a memória mais forte que tem sobre sua infância. Como ela foi responsável para sua formação? Procure nos arquivos mentais da sua infância e do relacionamento com seus pais.

Pronto? Agora, feche os olhos novamente, procure a conexão que ela tem com a forma que cria os seus filhos e como embasa as suas ações.

Você está confortável com isso? Algumas pessoas utilizarão esse exercício para reforçar o quão gratas são aos seus pais. Outras, terão como resultado a busca pela transformação.

Ao primeiro grupo, agradeço imensamente o prazer da sua companhia e digo que estão dispensadas do resto da leitura deste capítulo. Mas se, assim como o segundo grupo, você quiser saber mais sobre a relação de Belchior e Napoleon Hill, peço mais algumas linhas da sua atenção.

A transformação de famílias pelo *coaching*

Como expliquei nos parágrafos anteriores, somos moldados de acordo com as experiências que tivemos no passado. Os pais são os exemplos que moldam os filhos. Os resultados podem ser os esperados ou podem resultar em certas deficiências. Mas o fato é que os filhos não aprendem exatamente o que os pais dizem e mandam. Eles aprendem com o que fazemos e como nos comportamos.

Dizer o que uma criança deve fazer é menos eficaz do que repetir a ação por algumas vezes sem dizer uma só palavra.

Parafraseando Belchior, eu digo que, apesar de tudo o que fazemos, ainda somos como os nossos pais. E está tudo bem! Pois é nesse momento que lhes digo que hoje existem ferramentas melhores, como aquelas que Napoleon diz que encontraremos na nossa jornada.

O *coaching* desenvolvido para o universo familiar e infantil (*parent coaching* e *kids coaching*) é a ferramenta que permite o autodesenvolvimento de pais, mães, filhos, cuidadores e até professores.

Essas metodologias são capazes de trazer clareza à situação atual dos conflitos familiares entre casais, pais e filhos. Traçar planos de transformação específicos para cada tipo de família, respeitando os seus valores, capacidades e necessidades.

O conhecimento do hoje é a motivação da transformação do amanhã. Quem você quer ser como mãe? Que histórias quer contar como pai?

Referências

ESCOLA DE PAIS DO BRASIL – Seccional da Grande Florianópolis. *Os estilos parentais*. Disponível em: <https://www.janela-aberta-familia.org/pt/content/os-estilos-parentais>. Acesso em. 19 set. de 2020.

MARQUES, I. M. *Janela aberta à família: uma janela de comunicação*. Disponível em: <https://escoladepaisgrandefloripa.org.br/os-estilos-parentais-e-o-desenvolvimento-das-criancas/>. Acesso em: 08 set. de 2020.

SIEGEL, D. J.; BRYSON, T. P. *O cérebro da criança:* 12 estratégias revolucionárias para nutrir a mente em desenvolvimento do seu filho e ajudar sua família a prosperar. São Paulo: nVersos, 2015.

SIEGEL, D.; HARTZELL, M. *Parentalidade consciente: como o autoconhecimento nos ajuda a criar nossos filhos*. São Paulo: nVersos, 2020.

/ 20

O EQUILÍBRIO PARA UMA EDUCAÇÃO MAIS CONSCIENTE

Neste capítulo, os pais compreenderão as raízes do mau comportamento dos seus filhos, como desenvolver respeito mútuo e o porquê da importância e do equilíbrio em ser firme e gentil ao mesmo tempo.

JANAINA POTENZA

Janaina Potenza

Psicanalista Clínica Integrativa formada pela SBPI, com especialização em Psicanálise Infantil. Professora de Psicanálise Infantil pela SBPI. Terapeuta Quântica e Integrativa. *Coach* de Vida e de Família, certificada pela Sociedade Brasileira de *Coaching* (*SBCoaching*). Idealizadora do Projeto Mente Consciente, *podcast* que tem o objetivo de promover o autoconhecimento, autoconsciência, autorreflexão e clareza sobre o desenvolvimento emocional infantil. Autora do *Diário do Autoconhecimento*, um livro/diário com questões reflexivas para promover o autoconhecimento. Bióloga de formação e coração. Apaixonada pela mente humana, pelo desenvolvimento infantil e pela maternidade.

Contatos
www.janainapotenza.com.br
janapotenza@gmail.com
Instagram: janainapotenza
Facebook: janainapotenzapsicanalise
11 98338 1202

> *Quando nós, pais, temos dificuldade de dar à criança aquilo que ela pede, devemos rever nosso próprio desamparo infantil em vez de colocar a culpa na criança.*
> LAURA GUTMAN

Acredito que um dos pontos mais difíceis quando falamos em educação é "como lidar com o mau comportamento do meu filho". Viemos de várias gerações com uma educação extremamente autoritária, e percebo que há grande dificuldade em diferenciar autoridade de autoritarismo.

Autoridade está ligado à liderança, comando.

Autoritarismo, por sua vez, está ligado à imposição, dominância e obediência. É a imposição de algo pela força, geralmente satisfazendo a decisão da própria pessoa sem se importar com a opinião e a vontade alheia.

Nós, pais, precisamos exercer a autoridade, porém agindo de maneira autoritária podemos prejudicar o sucesso na maturidade emocional de uma criança. O autoritarismo gera medo, ameaças, censuras e traumas emocionais.

Já se perguntou o que quer gerar no seu filho? Se quer que ele cresça com medo de você ou que ele confie em você?

Enquanto eles são crianças, conseguimos dominar seus comportamentos (mesmo que seja com autoritarismo, castigos etc.), mas e amanhã? Além da distância emocional que haverá entre vocês, quais crenças e traumas não poderão ser gerados? Em que esses medos serão refletidos lá na frente? Com quais vazios e incompreensões eles terão de lidar?

Você já se perguntou o porquê dessa necessidade? Já se olhou internamente e identificou qual parte da sua criança está ferida e machucada?

Pense em todas as vezes que se sentiu humilhado e punido, como você se sentiu? Com mais raiva e sentimento de impotência, injustiça e rejeição ou com mais motivação e vontade de cooperar?

Educar não é adestrar. Isso é tão enraizado na nossa sociedade que achamos que para a criança aprender ela precisa apanhar. Temos a convicção de que para ela nos respeitar precisamos deixar de respeitá-las e aplicar castigos, palmadas e gritos.

Françoise Dolto (2007) defende que a violência física cometida contra uma criança não tem nada a ver com educação. Quando a criança apanha, ela não compreende porque apanhou (por mais óbvio que isso seja para os pais). Quando isso acontece, ela perde toda a segurança nos seus pais, é como se ela se sentisse órfã, afinal, quem mais deveria a proteger não a protege.

É importante entendermos que, nos primeiros anos de vida, o cérebro da criança está em formação, não está pronto ainda para compreender as situações ou para controlar seus sentimentos e suas emoções, por isso ela acaba agindo com crises de choro ou de raiva, e isso não deveria ser motivo para que seja castigada. Isso também não quer dizer que não precise de orientação. Nenhuma criança aprende o que queremos que ela aprenda na base da punição ou humilhações. Ela pode, sim, no momento da punição, responder da forma como queremos, obedecendo às ordens impostas, mas isso não significa que ela aprendeu a mensagem que queríamos passar. A punição funciona no curto, mas não no longo prazo. Nenhuma criança aprende a desenvolver características positivas sobre ela mesma e sobre o mundo recebendo críticas, humilhações e punições. Pelo contrário, se torna adulto necessitado de aprovações, sente a necessidade de agradar a tudo e a todos sem respeitar e compreender seus reais desejos, não possui força de vontade para superar obstáculos e desafios que surgirão em sua vida, poderá possuir baixa autoestima, baixa resiliência, sentimento de culpa e se tornar submissa e rebelde.

É importante sabermos também que as crianças são espelhos dos adultos. Elas aprendem por imitação, e não apenas pelo que é dito por nós. Como queremos que nosso filho se acalme se quando ele está em um momento de fúria gritamos com ele? Pedimos para nosso filho parar de gritar, gritando. Pedimos para nosso filho controlar a raiva, mas nós não a controlamos quando perdemos a paciência e usamos da força e violência. Somos nós, pais, que mais deveríamos acalmá-los nesse momento, já que eles não têm maturidade emocional para isso, mas somos nós que ficamos mais descontrolados.

Na contramão do autoritarismo, há a permissividade. Muitas famílias, para não exercerem o autoritarismo, tornam-se permissivos. São lares onde há crianças sem limites, aquelas que para satisfazerem seus desejos recorrem a gritos e inúmeras maneiras de chamar atenção. Crianças que crescem sem limites e regras sofrem grandes riscos de problemas de conduta, não aprendem habilidades suficientes e possuem dificuldade em resolver os próprios problemas, têm dificuldade em assumir responsabilidades, tornam-se dependentes e, assim como no autoritarismo, possuem problemas de autoestima e insegurança.

Muita gentileza sem firmeza torna-se permissividade e muita firmeza sem gentileza torna-se autoritarismo.

Não confunda gentileza com permissividade. Ceder ou satisfazer as vontades de nossos filhos não é ser gentil, é ser permissivo.

Por que a importância da firmeza e da gentileza? Como elas podem andar juntas?

O que é ser gentil?

Ser gentil é ter respeito. Respeito pela criança e respeito por você.

Respeitar a criança vai muito além de ceder ao que ela está te pedindo. Respeitar é deixar seu filho tentar e não fazer por ele, é deixá-lo passar pelas frustrações que ele precisa passar (quando você diz um "não", por exemplo), é ouvir o que ele tem a dizer, é não falar na frente dos outros algo que é da intimidade dele, é não dar rótulos diante de algum comportamento (preguiçoso, tímido, bonzinho, chorão...), é deixá-lo chorar quando está sentindo essa necessidade, é deixá-lo sentir suas emoções, mesmo que sejam negativas. Respeitar é ajudá-lo a nomear essas emoções e dar alternativas para lidar com elas. Cobramos das nossas crianças que elas saibam lidar com as crises de raiva, frustrações, ciúmes, inveja, tristeza, mas nós mesmos não sabemos como lidar com as nossas.

Quando falamos em permitir sentir as emoções negativas, não significa que a criança pode se comportar de qualquer maneira. Nesses momentos em que a criança experimenta a explosão desses sentimentos, pode envolver comportamentos descontroláveis, e é de nossa responsabilidade nomearmos esses sentimentos para ela, validá-los (dizendo que é permitido sentir), mas orientá-la que alguns comportamentos não são aceitáveis, como gritar, bater ou chutar, por exemplo.

E respeitar você é não permitir que seu filho fale ou te trate de maneira desrespeitosa. Mas não quer dizer que você precise puni-lo por isso, pois aí está perdendo o respeito por ele.

É uma linha muito tênue para encontrar esse equilíbrio. Então, ficamos migrando, sem perceber, de um extremo ao outro: ora somos permissivos demais, ora somos autoritários demais. E essa inconsistência gera mais confusões.

Temos que ter esse cuidado e analisar que deixar nossos filhos fazer o que quiserem nem sempre é respeitá-los. Há famílias que, por exemplo, acham que estão respeitando seus filhos deixando-os na privacidade do seu quarto 24 horas por dia sem ter acesso aos seus conteúdos. Nessa situação, respeitar vai muito além de invadir privacidade. Em primeiro lugar, respeitá-los é zelar pela sua saúde física, mental e emocional. Nossos filhos não possuem maturidade para discernir o que é certo ou errado, ou o que é perigoso ou não. Para uma boa compreensão e convivência, e para ter respeito com todos os envolvidos, o ideal é criarmos, juntos, regras muito claras e bem estabelecidas. Quando há a participação das crianças nessa construção, sentem-se responsáveis em colaborar e cooperar.

Mas o que fazer e como achar esse equilíbrio?

1º passo – Conexão: conecte-se com seu filho

Entenda que seu filho não se comporta mal para te manipular, te castigar ou para te ver mal. Há uma frase de Marshall Rosenberg que deveríamos lembrar a cada descontrole emocional de nossos filhos: "Por trás de todo comportamento, há uma necessidade". Trazendo para nossa realidade, podemos entender que, por trás de todo mau comportamento de uma criança, há sempre uma necessidade que ela não sabe explicar, há sempre uma necessidade não atendida.

2º passo – Empatia: coloque-se no lugar do seu filho

Você já parou para pensar o que há por trás do mau comportamento do seu filho? Da recusa em cumprir as regras? De "não obedecer"? E você... já parou para olhar as suas necessidades? Quando você está bravo com seu marido/esposa, por exemplo, e demonstra com cara feia ou alterando seu comportamento para que ele/ela perceba que algo não está legal, está deslocando sua necessidade real. Nós não conseguimos comunicar nossa real necessidade, pois na maioria das vezes nem conseguimos identificar qual é. Em vez de dizermos o que realmente estamos precisando ou sentindo, que poderia ser uma necessidade de atenção do(a) companheiro(a), por exemplo, acabamos alterando nosso comportamento. As crianças fazem o mesmo. Alteram seu comportamento para demonstrar que algo não está legal. Mas não toleramos que elas façam o mesmo.

Antes de julgarmos e rotularmos o comportamento das crianças, deveríamos tentar nos colocar no lugar delas e imaginar qual conflito estão tentando enfrentar. Elas não sabem pedir o que realmente necessitam.

3º passo – Comunicação: ouça e se comunique com seu filho

Ouvir o desejo deles para então comunicarmos o nosso desejo também. Dependendo da idade da criança, basta apenas comunicar. Comunicar no sentido de interpretar e nomear as necessidades deles.

Com tantas tarefas diárias que temos hoje, ficamos cada vez mais distantes de nossos filhos, mais desconectados de suas necessidades. Se não nos conectamos com eles nem nos colocarmos no lugar deles, mais difícil será para eles comunicar o que estão necessitando. E o que acontece? Caímos no "não imediato". Usamos e respondemos o "não" para qualquer situação. Quantas vezes falamos "não" sem realmente precisar? Claro que precisamos usar o "não", mas já percebeu quantas vezes respondemos "não" sem saber o que realmente nossos filhos estão querendo nos dizer. Se estamos conectados com eles, podemos nomear e ajudá-los a expressar suas necessidades, as quais eles não conseguem elaborar. Em vez de dizermos: "NÃO atrapalhe seu irmão", podemos dizer "Ah, você está com muita vontade de brincar com seu irmão, mas agora ele está fazendo lição." (Ou seja: reconheci sua necessidade e a nomeei). Ou "Ah, você está curioso para saber como são as tomadas da casa", em vez de "não coloque o dedo aí."

Quando comunicamos, não estamos também permitindo que a criança faça o que quiser. Estamos apenas interpretando seus desejos.

4º passo – Dedicação: dedique tempo a seu filho

Muitas das necessidades de nossos filhos estão na nossa atenção.

Após comunicarem suas necessidades, podemos estabelecer acordos: "o que você acha da gente desenhar ou brincar um pouco até que seu irmão termine a lição de casa, depois vocês podem brincar juntos" ou "o que você acha de irmos juntos verificar as tomadas da casa, aí eu te mostro onde você pode colocar o dedo e onde não pode, e isso só poderá ser feito quando estivermos juntos, OK?". Para tudo isso, é preciso dedicação e vontade da nossa parte.

Laura Gutman (2017) enfatiza que a dedicação é o segredo para que tenhamos ótimas relações com nossos filhos. Se não conseguimos dedicar um tempo de nosso dia para alimentar as relações afetivas com nossos filhos, a vida familiar se transformará em um inferno de proibições e irritações de ambas as partes. As crianças com mau comportamento são filhos de pais que não conseguem se conectar nem com os filhos nem com eles mesmos e que destinam e priorizam atenção e energia em outros assuntos.

5º passo – Autoconhecimento: se conheça para também conseguir conhecer seu filho

Deveríamos nos perguntar sempre sobre a satisfação de nossos desejos. Se estamos felizes com o que somos e o que fazemos, ou com raiva ou frustrados com algo. Se estamos nos sentindo desamparados, como vamos olhar para o desamparo de nossos filhos? Como vamos cuidar deles se internamente estamos procurando quem cuide de nós? Se fomos crianças maltratadas emocionalmente e não temos consciência disso, usaremos dessa autoridade que nos foi imposta na infância como forma de protesto, só que agora contra os nossos filhos, que são menores (e visivelmente mais fracos) que nós. Ou, do outro lado, se nos tornamos adultos inseguros ou medrosos, seremos incapazes de nos opor ao desejo de nossos filhos, cairemos na permissividade e não conseguiremos nos conectar, nos comunicar, nos dedicar nem encorajar nossos filhos.

6º passo – Encorajamento: incentive as boas atitudes de seu filho

Para Jane Nelsen (2000), "uma criança que se comporta mal é uma criança desencorajada". Muitas vezes, elas se comportam mal para receber atenção (sua necessidade será atendida, já que o adulto vai parar o que está fazendo para lhe dar uma bronca). Encorajar é ensinar habilidades de vida e responsabilidades sociais, importantes para, no futuro, poder se relacionar e ter sucesso na vida. Às vezes, em um momento de fúria, um abraço e um simples "eu te amo" podem ser o combustível mais encorajador que seu filho possa ter.

Por último, e não menos importante, o AMOR. Sim, amar não é uma tarefa simples, ao contrário do que parece, afinal, para dar amor precisamos ter recebido amor. Não sabemos dar o que não recebemos.

Para Winnicott (2013), o amor é construído desde o nascimento do bebê. E são nesses momentos iniciais que os pais, ao atenderem as necessidades desse bebê, estarão fortalecendo a capacidade dele em se sentir vivo e sentir que a vida vale a pena. E é essa relação inicial que a criança vai ter como base para um desenvolvimento emocionalmente saudável para a vida toda.

Referências

DOLTO, F. *As etapas decisivas da infância*. São Paulo: Martins Fontes, 2007.

GUTMAN, L. *A maternidade e o encontro com a própria sombra*. 21. ed. Rio de Janeiro: Best-Seller, 2016.

GUTMAN, L. *Mulheres visíveis, mães invisíveis*. 4. ed. Rio de Janeiro: Best-Seller, 2013.

NELSEN, J. *Disciplina positiva: o guia clássico para pais e professores que desejam ajudar as crianças a desenvolver autodisciplina, responsabilidade, cooperação e habilidades para resolver problemas*. 3. ed. Barueri: Manole, 2015.

WINNICOTT, D. W. *A família e o desenvolvimento individual*. São Paulo: Martins Fontes, 2001.

21

PARA ACOLHER UMA CRIANÇA

Neste capítulo, os pais encontrarão uma reflexão sensível sobre questões importantes que a chegada de um bebê suscita. Afinal, a criança dependerá dos cuidados dos adultos por muito tempo até que possa alcançar a sua independência. Deixar a criança aos cuidados de alguém de confiança ou colocá-la na escola pode ser um dilema importante. Além disso, é preciso pensar em quais processos a criança vivencia nessa adaptação ao movimento da nossa sociedade.

JULIANA ROSADA

Juliana Rosada

Pedagoga, formada pela UNISAL (Universidade Salesiana Dom Bosco), com especialização em Gestão Escolar e Supervisão Escolar. Psicopedagoga formada pelo INPG (Instituto Nacional de Pós-Graduação). Pós-graduada (LATU SENSU) em Gestão Escolar, pela UFSCar (Universidade Federal de São Carlos). Professora e Diretora de Escola de Ensino Fundamental da Rede Municipal de Piracicaba/SP.

Contatos
juprofa@gmail.com
19 98761 6328

Nasce o bebê. Planejado ou não, ele está posto na sociedade e vem despertando na sua família, na maior parte das vezes, o sentimento do cuidado, do acolhimento, da troca de afeto, da alegria e de poder compartilhar descobertas da vida. Mas também chega trazendo muitas inseguranças e alguns conflitos importantes no que toca o ato de educar diante do mundo.

A chegada do bebê mobiliza uma experiência única de amadurecimento para os pais sobre autoconhecimento. É impossível não se ver diante de um filho, questionando os padrões recebidos anteriormente dos pais, ou mesmo, repetindo-os. A preocupação que aparece é sempre a de fazer algo bom por esses serezinhos.

Pensando na grande responsabilidade que é gerar e educar outra vida, para o que não temos nada além da nossa própria experiência como filhos, as experiências dos nossos colegas e familiares e os valores do grupo social ao qual pertencemos, é urgente e preciso buscar canais de reflexão e de apoio.

Há um pensamento que diz sobre a urgência de deixar filhos melhores para o nosso planeta. Percebemos nos últimos anos que viver tem se tornado muito angustiante, o índice de suicídio e uso de drogas entre os jovens só aumenta. Como pais, podemos prevenir esse e outros problemas? Podemos criar filhos mais conscientes e prontos para os desafios da vida? Com certeza! Quando? Desde o positivo no teste de gravidez, procurando de todo modo acolher bem essa criança.

Acolher uma criança é um ato de amor, responsabilidade, diálogo e autoconhecimento, por isso, se você chegou até aqui, espero poder te ajudar a ver isso de modo muito sensível.

Um ditado diz: "É preciso toda uma aldeia para educar uma criança". Isso nos diz que, para receber seu bebê, você contará com a influência de muitas pessoas, familiares ou não: o pediatra, o obstetra, os amigos, a família, os professores e o conhecimento produzido pelos especialistas. Todo esse conjunto integra sua visão de mundo e, por consequência, a forma como sua criança será recebida e acolhida.

Mas, de tudo isso, o primeiro passo é compreender que o especialista no seu filho é você. A parceria mais rica da maternidade/paternidade com esse bebê é toda sua.

Pelos primeiros cuidados, você aprenderá a ouvir e identificar o que essa criança precisa. É por causa dessa escuta atenta que seu filho sempre confiará em você ao encontrar os pequenos e os grandes dilemas da vida e irá além, confiando também na própria capacidade.

Quando nossos filhos chegam, há um mundo de experiências, símbolos, relações, imagens e sentimentos que comporão a personalidade deles e sua maneira de lidar com a vida. Dependerá muito de como nós, na posição de acolhedores dessa infância, iremos apresentá-los a este mundo.

Uma das etapas desse acolhimento é a reorganização da vida familiar. Causa bastante angústia para a maioria das famílias decidir como a vida se organizará com alguém que depende em tudo do outro. E será importante pensar na escolha de quem, dentro dessa aldeia que citamos anteriormente no ditado, se encarregará de parte dos cuidados necessários enquanto os pais se esforçam para conciliar os seus compromissos de trabalho e desenvolvimento pessoal e profissional.

O que é melhor: colocar a criança na escola? Contratar uma babá? Deixar com os avós? Quais as possibilidades? O que é o certo?

Essa é uma escolha que tem a ver com a concepção de infância e educação que a família tem, o que imagina sobre a função de educar, quais possibilidades têm e as prioridades que estabelece. Contudo, podemos nos aprofundar no que uma criança realmente necessita nos seus primeiros anos de vida e, por assim dizer, refletir para uma boa tomada de decisão.

Nesse ponto me proponho a discutir com você as nuances emocionais e sensíveis desse processo e a racionalizar alguns clichês que encontramos, como o da culpa pela rotina intensa de trabalho que sofrem os pais e as mães. Quero refletir sobre o que de fato acontece quando a criança se separa dos pais que precisam ir trabalhar, para que diante das suas possibilidades, seja possível fazer boas escolhas para o desenvolvimento emocional da criança.

Quero compartilhar minha experiência com a maternidade, apenas como uma história para tornar mais concreto alguns aspectos sensíveis que podem afligir as famílias, de modo ainda mais particular as mamães, dada a sua relação tão importante com o bebê.

"Então, a Giovana chegou em um mundo completamente sonhado e programado para ela. Fruto de uma gravidez tranquila, saudável e muito desejada, nasceu quando eu já estava em um momento estável da minha carreira. Na época, trabalhava como coordenadora pedagógica em uma escola pública. Toda a sua chegada foi pensada de modo que eu pudesse voltar ao trabalho normalmente, mantendo a organização da casa e da rotina alimentar de todos, de forma saudável e equilibrada, e que ainda dispusesse de tempo para estar com ela. Decidimos, eu e meu marido, que ela não iria para a escola enquanto pudéssemos contar com alguém de confiança para nos ajudar, pensando nas questões da imunidade e de uma boa saúde, o que nos dava um sentimento de paz e de que éramos ótimos pais. E assim fizemos. Tínhamos alguém da família muito próximo a nós para exercer esse cuidado, mas quando a Giovana completou um ano, precisamos optar pela escola, pois a cuidadora precisaria se dedicar a questões de sua vida pessoal. Nesse momento, a preocupação com a imunidade se transferiu para a preocupação com a segurança, e entendemos que a escola cumpriria esse papel. Mas ao tomar essa decisão, entramos em contato com algumas ideias que, depois, percebi que rondavam também o universo de outras mães que eu conhecia. No momento de tomar uma decisão dessa, os familiares querem ajudar, trazendo consigo suas visões de mundo: 'Mas se você tem a opção de trabalhar meio período, por que colocar o dia inteiro na escola?', 'Mas se o seu marido tem um bom trabalho, por que você não para a carreira por um tempo?' ou até mesmo: 'Será que sua filha não ficará traumatizada passando o dia inteiro na escola?'. São perguntas que chegam até os pais, mais direcionadas à mulher/mãe, na intenção de ajudar, mas que, na verdade, são carregadas de senso comum e, dependendo de como são colocadas, geram bastante angústia, desconforto e sentimento de culpa. Eu confesso que sofri muito com a entrada da Giovana na escola, mesmo conhecendo e atuando naquele ambiente, pois sentia com muita frequência as pressões das exigências sociais: trabalhar como se não fosse mãe e ser mãe como se não trabalhasse. Para piorar, ela chorava muito na entrada da escola, às vezes, até durante o caminho que o carro fazia. Na porta da escola, agarrava no meu cabelo e tudo o mais que podia para não viver aquela angústia que ambas vivíamos pela minha insegurança. A minha saída? Uns bons livros sobre educação de bebês e, com certeza, terapia com uma boa profissional".

É nesse ponto que eu retomo a minha fala do início do texto: você é o especialista no seu filho. E foi isso que aprendi: que precisava tomar decisões seguras e com amor, estando atenta aos sinais que a minha criança me dava e o que eles diziam sobre mim.

Foi um processo de autoconhecimento que me permitiu contornar os problemas do momento e compreender que o comportamento e o desenvolvimento das nossas crianças dizem mais sobre nós do que podemos imaginar.

A partir desse conflito, busquei o autoconhecimento e, por esse motivo, também me tornei uma profissional melhor ao orientar as mães que estão deixando seus filhos na minha unidade escolar. Percebo que, quando tenho escuta para elas e reflito sobre o que estão sentindo a respeito do comportamento dos seus filhos, consigo ajudá-las a perceber que os filhos precisam ao mesmo tempo de segurança e espaço para crescer.

É fato que o bebê, nos seus primeiros meses de vida, precisa muito da função materna: por meio do ato de alimentá-lo, manipulá-lo, sustentá-lo, até que ele possa perceber que é alguém que se diferencia da mãe, dando os primeiros passos no seu desenvolvimento psíquico.

De acordo com Winnicott (1965), importante psicanalista e pediatra francês, é pela função materna e das primeiras frustrações no ato de aguardar por algo que se deseja que o bebê cria objetos de transição que o ajudam a compreender o afastamento e depois retorno da figura materna e, por consequência, da sua satisfação.

Os objetos de transição, de acordo com Winnicott (1975), podem ser um paninho, um bichinho de pelúcia ou qualquer outro objeto que o bebê, por si, elege como conforto para os momentos em que não pode ser plenamente atendido.

A mãe, por sua vez, consegue entender que seu bebê pode se afastar dela, aprendendo a explorar o mundo de modo cada vez mais independente e lidar com essa angústia, percebendo que está colaborando para a autonomia e crescimento da sua criança, ou pelo menos, deveria seguir esses princípios.

Winnicott (1965) definiu esse movimento de amparar, cuidar e deixar experimentar a vida, os sentimentos, a exploração do seu corpo e da sua capacidade como o conceito da "mãe suficientemente boa", ou seja, aquela que estabelece o jogo de parceria com o bebê e que percebe que é necessário dar espaços para o crescimento cognitivo e emocional, os espaços se referem às tentativas de experimentar sua própria capacidade e, também, de aprender a lidar com as frustrações, passando por elas.

Com a minha filha, e sugiro isso também a outras mães, costumo usar a analogia do "voar fora do ninho" com confiança nas próprias asas.

Desde que a criança nasce, ela caminha passo a passo para um voo fora do ninho, com segurança nas próprias asas, porque os que a acolheram lhe proporcionaram essa condição.

Mas, então, vem a pergunta: "se a figura materna precisará se afastar, e se isso é benéfico para a criança, o que faremos de melhor nesse momento: deixar a criança com um cuidador (tios, avós, babás) ou na escola? E deixando a criança, quais os processos mentais que ela vivencia?"

Em primeiro lugar, é preciso entender que a opção está relacionada às possibilidades da família, tanto econômicas quanto culturais, e que os pais, quando atentos e participativos, são os verdadeiros especialistas na questão.

Deixando a criança com a escola ou com um cuidador, ocorrerá o desenvolvimento de um processo emocional parecido: o bebê não diferencia a princípio esses ambientes, ele primeiro lida com o ir e vir da mãe, mas não consegue medir o tempo que passa longe dela. O objeto de transição se torna fundamental nesse momento, tanto em um espaço como em outro.

Com o tempo, o bebê tende a fortalecer os vínculos e fazer explorações do ambiente, desenvolvendo a capacidade de lidar com a frustração de ficar sem a mãe e, depois, de aprender a confiar que ela sempre retorna e continua a exercer o vínculo.

Ao deixar o bebê vivenciar e elaborar os momentos de afastamento da figura materna, a família proporciona elaboração do sentimento de amar e odiar, deixar ir e retomar e de permitir-se desenvolver outros elementos para lidar com esse problema, como interessar-se pelo mundo e, consequentemente, aprimorar o potencial criativo.

O ir e voltar da figura materna é extremamente positivo, quando ela o faz satisfeita consigo mesma e com a forma como está mostrando o mundo para o seu bebê. Esse processo pode ser desenvolvido na escola de educação infantil, aos cuidados de alguém de confiança ou com a própria mãe que opta por cuidar integralmente do seu bebê.

É fato que, ao deixar a criança mais tempo em casa, antes de iniciar a vida na escola, há uma boa chance de poupar seu sistema imunológico, dando chance a ele de enfrentar isso com mais força depois. Contudo, é fato também que na escola a criança terá um ambiente especializado para os seus cuidados, podendo crescer mais autônoma e compreendendo melhor a perspectiva do outro, já que as relações são estimuladas pelo contato e pelas interações.

Do ponto de vista do bebê, o espaço escolar não difere das explorações que ele fará em casa, com o cuidador e com alguém da família. Na escola, explorará tudo isso por meio das rotinas de alimentação, do sono, das brincadeiras cantaroladas, da exploração dos espaços, da relação de afetividade que o professor/cuidador desenvolverá e, ainda, terá outros estímulos como a companhia de outros bebês, sendo um espaço extremamente estimulante e benéfico.

É importante que, ao decidir deixar sua criança aos cuidados de alguém, você sempre busque a parceria com ela, interessando-se por tudo que acontece na sua ausência e que ela encontrará formas de comunicar-se à medida que cresce.

A presença e interesse da família, seja em saber como foi o dia passado em casa, em participar das festinhas escolares ou de se alegrar com os primeiros rabiscos produzidos para serem entregues como forma de carinho pela criança, cria a confiança necessária para seguir o desenvolvimento psíquico saudável.

> *Basta estarmos sempre presentes, e sermos coerentemente iguais a nós mesmos, para proporcionarmos uma estabilidade que não é rígida, mas viva e humana, com a qual o bebê já pode sentir-se seguro. É em relação a isso que o bebê cresce, e é isso que ele absorve e copia*
> WINNICOTT, 1965

E desse modo acolhedor, nós, pais, poderemos ver, pouco a pouco, lindas asas se fortalecendo, várias tentativas de voo, grandes voos certeiros e, em consequência, filhos mais capazes de cuidarem de si, dos outros e do nosso planeta.

Ainda que com algum sentimento de que poderíamos ter feito melhor, teremos a certeza de que fizemos tudo o que foi possível de ser feito com amor e cuidado.

Referências

WINNICOTT, D.W. (1965) *A família e o desenvolvimento individual*. São Paulo: Martins Fontes, 2005.

WINNICOTT, D.W. *O brincar e a realidade*. Rio de Janeiro: Imago,1975.

22

A VIVÊNCIA DA MATERNIDADE QUE SE INICIA ANTES DO PARTO

A mulher sempre está em contato com vivências muito profundas em sua vida, mas quando se torna mãe, parece que sua vida vira de cabeça para baixo e muitos sentimentos, que estavam escondidos, vêm à tona e ela precisa lidar com isso.

KEIZI MÁRCIA ODORIZZI

Mãe da Antonella, advogada, especialista em Direito Sistêmico, *Coach* pelo Instituto Brasileiro de *Coaching*, *Practitioner* em Programação Neurolinguística pelo Instituto de Desenvolvimento Humano Sócrates Vittori, formação em Justiça Restaurativa pelo Núcleo de Aplicação Sistêmica do Direito.

Keizi Márcia Odorizzi

Contatos
keiziodorizzi@yahoo.com.br
Instagram: @keiziodorizzi
47 99997 8595

Durante a gestação sentia que algo dentro de mim se movimentava. Eu tinha uma vida muito corrida, mas gostava muito de crianças, então decidi engravidar. A princípio uma tarefa simples, quando olhava para outras mulheres, eu achava maravilhoso aquele momento, grávidas são muito paparicadas.

Durante a gestação ocorreu tudo bem, claro que com os medos antes de fazer exames, esperando que ela estivesse se desenvolvendo bem. Quando foi para descobrir o sexo, sentia dentro de mim que seria uma menina; ao mesmo tempo, tinha medo de estar errada e causar algum sentimento de exclusão no bebê. Na verdade, como gostava muito de estudar sobre diversos temas, sempre tinha medo de estar causando algo a ela e me policiava. Quando tinha a oportunidade, perguntava para alguns professores que tinham um conhecimento mais holístico, talvez, se o que eu fizesse poderia influenciar no desenvolvimento dela. Acredito que toda mulher grávida, ou a maior parte, desenvolve um sentimento de culpa, pois é algo novo e muitas situações ninguém menciona.

Minha vida sempre foi muito agitada, eu trabalhava em outra cidade, vinha para casa apenas para dormir, basicamente. Por causa do trabalho, também viajava para outras cidades e percebia o quanto essa vivência me fazia pensar nas outras mulheres e o que elas passavam durante a gestação. No início sentia muito sono, não tinha aquela vontade de me arrumar para sair de casa como antes. Estava me transformando em outra mulher, e não entendia por que isso estava acontecendo, já que ao olhar outras mulheres grávidas elas estavam sempre bem.

O tempo foi passando, por muitos finais de semana eu não estava em casa, pois estava em algum curso ou na pós-graduação. Montei o enxoval, queria tudo o que meu bebê tinha direito, sempre buscando o melhor. Ledo engano, pois muitos dos itens nem usamos ou usamos pouco. Durante esse período, conheci o parto humanizado. Inicialmente eu sabia que não queria cesárea, pois não me sentia confortável em realizar uma cirurgia, eu nasci de um parto cesárea, mas existia algo dentro de mim que se incomodava com isso. Eu presenciei a experiência da minha irmã, que teve dois filhos de parto natural, achei que a recuperação foi ótima e era esse meu objetivo: um parto com analgesia. Mas eu tinha medo de não dar conta na hora.

O tempo foi passando e ouvi relatos de como era o parto humanizado e que o que se praticava no local onde realizam o parto não era nada humanizado. Então, comecei a estudar mais sobre, e cada vez mais algo dentro de mim se movimentava e eu não me sentia confortável em realizar um parto que não fosse humanizado. A princípio me sentia muito confusa, pois era algo muito novo e as experiências de algumas pessoas próximas muitas vezes não eram boas, algumas tinham passado até por violência obstétrica, porque essas mulheres não tiveram escolha. Aprofundei-me no assunto, realizei alguns cursos e, então, decidi que queria ter um parto humanizado, de acordo com a minha vontade, me respeitando.

Na região onde vivo não tinha essa possibilidade, o local mais próximo que encontrei foi há uns 130km de distância de onde moro. Inicialmente, não me passava pela cabeça não ter um parto de forma humanizada. Marquei a primeira consulta com os profissionais. Durante a consulta, já estava me sentindo mais tranquila, vendo que estavam de acordo com o que eu havia estudado. Marquei uma conversa com a doula e as situações foram se encaixando, parecia que tudo estava se encaminhando, mas eu tinha muitas dúvidas: será que era isso mesmo? Como fazer quando chegar a hora? Vou conseguir chegar a tempo? Onde vamos ficar se algo não acontecer conforme o esperado?

Eu continuei realizando o acompanhamento com uma profissional próxima à minha cidade, até para me sentir mais segura caso acontecesse uma emergência. Eu tinha uma certeza dentro de mim de que era esse o parto que eu queria. Agora, como eu faria eu não sabia, mas isso pulsava dentro de mim, e sentia que era isso que a Antonella queria também, quanto mais eu estudava mais tinha essa certeza. Eu ficava imaginando como era antigamente, como minhas ancestrais deram conta dos partos, minhas avós que tiveram muitos filhos. E não se falava muito sobre isso no passado, sobre as experiências, eu apenas sentia isso dentro de mim, e assim vinham as perguntas... Por que tanto medo? Medo de não dar conta, de sentir dor. E quanto mais eu estudava, baseada em evidências, mais eu entendia como era todo o processo que envolvia o parto, como o corpo agia. Com respeito a todas as mulheres que têm seus filhos de uma cesárea, eu nasci de uma cesárea, então isso na minha cabeça era algo muito confuso. Lembro que, quando era pequena, pensava que quando tivesse um filho seria de cesárea, mas, depois da experiência da minha irmã, mudei minha cabeça e vi que poderia vivenciar e fazer algo diferente. Muitas mulheres não tiveram a possibilidade de ter a escolha de um parto humanizado, de ter as suas decisões respeitadas, de conhecer sobre como é o parto na sua essência.

O parto

Enfim, com tudo resolvido, a médica orientou para que estivéssemos na cidade a partir das 37 semanas para que fosse mais seguro. Chegamos lá com 38 semanas, realizei a primeira consulta e já estava com 2 cm de dilatação, eu estava tranquila, pois sabia que isso era normal e não significava que ela nasceria logo, mas como toda mãe, existia uma grande expectativa. Os dias foram passando, sempre tínhamos algo para fazer, conversas com a doula, escalda-pés, alguns exercícios para auxiliar no parto. Durante a gestação pratiquei atividade física, pilates e yoga, que me auxiliaram a ficar mais tranquila durante o período. Eu gostaria de ter continuado com as atividades físicas nos dias que antecederam o parto, mas acabei não dando prioridade, já que a possibilidade de parto ocorre até 42 semanas e a DPP (data provável do parto) seria na 40ª semana. Os dias foram passando, meu marido estava trabalhando do apartamento, eu aproveitava para dormir e descansar, a doula não estaria nesse primeiro final de semana pois tinha um curso em São Paulo, então, por esse motivo, também não fiz nenhuma atividade para não correr o risco de entrar em trabalho de parto.

O final de semana passou e chegou a segunda-feira, realizamos com a doula a pintura na barriga. Então, eu resolvi fazer uma aula de yoga, pois vi que teria de esperar. Realizei a aula de yoga no final da tarde, chegamos ao apartamento já era noite e fomos dormir. Eu estava um pouco cansada, mas estava tudo bem.

Durante as consultas eu já havia entregue aos profissionais o plano de parto com as nossas escolhas. Enfim, quando era aproximadamente 3 horas da madrugada, comecei a sentir cólicas, como cólicas menstruais, mas pensei que não era nada. Tentei voltar a dormir, mas percebia que elas vinham e iam. Tentei me manter tranquila, encaminhei mensagem para a médica e para a doula, mas eu achava que não estava em trabalho de parto, pois com as pessoas com quem conversei as dores vinham das costas e eu sentia embaixo da barriga, mas elas me disseram que era. Então, relaxei e fui tomar um banho. Eu havia baixado um aplicativo para contar as contrações e, no início, elas não estavam regulares. Após o banho, eu comecei a perceber que elas estavam mais regulares. Já estava arrumando as malas, pois sabia que havia a possibilidade de não voltar para o apartamento. Quando acompanhei as contrações, estavam aproximadamente de 5 em 5 minutos. Conversei com a doula, ela estava com a médica em outro parto. Então, pediram para que eu fosse para a maternidade para me examinar. Lá fomos nós, as malas da maternidade já estavam prontas, só faltavam alguns objetos de higiene pessoal, mas, como pensávamos que ainda não era a hora e iríamos voltar, não levamos.

Chegando à maternidade, a médica me examinou. Eu já estava com 6 cm de dilatação. Fiquei surpresa, não imaginava que estaria tão avançado o trabalho de parto. Estava tudo bem, realizamos o internamento e optamos pela suíte de parto para ficar mais à vontade. A princípio tudo certo, rindo e conversando entre as ondas (contrações) com os profissionais, achando tudo perfeito, porém quando chegou a 8 cm de dilatação, o parto não estava evoluindo, já era próximo das 16h. Então, a médica viu que a bebê estava alta ainda na pelve e sugeriu estourar a bolsa. Inicialmente fui impactada, não poderia imaginar que isso estaria acontecendo, pois eu sabia as consequências que geraria esse procedimento. Então, pedi para tentar mais um pouco, fazendo mais alguns exercícios com a doula, foi então que fomos para o chuveiro e realizamos outros exercícios. Após um tempo, solicitei que fosse realizado mais um exame e não obtive muita evolução. Como eu estava bem cansada, optei por estourar a bolsa. Claro que não tinha certeza se era realmente isso que eu queria, mas como já estava acordada fazia um bom tempo, achei que seria a melhor solução. Voltei para o chuveiro e de repente tudo mudou, não conversava mais com ninguém, entrei na parte ativa do parto, para mim, parecia ter entrado em outro campo de consciência. Os profissionais sempre próximos, meu marido também, mas eu não tinha vontade de falar, só lembro de pensar: o que estou fazendo aqui? Vir de tão longe para passar essas dores? Eu olhava para a doula e pedia ajuda, hoje não consigo lembrar de muitos momentos. Então a doula pediu para que eu saísse do chuveiro e tentasse deitar para descansar, foi então que senti uma força que movia meu corpo, o chamado puxo, algo que eu não controlava. A médica examinou, a bebê já estava descendo pela pelve, as contrações já não estavam mais espaçadas, eu continuava não tendo vontade de falar. Após um curto espaço de tempo, ela nasceu em um lindo parto humanizado, sem as luzes acesas, veio direto para o meu colo, foi uma sensação incrível combinada com um cansaço, o corpo todo tremia, era uma mistura de sentimentos.

Puerpério

O que posso dizer do pós-parto? Após voltar para casa, senti um misto de sentimentos, desespero, impotência, sem saber quem eu era realmente ou o que fazer com aquele ser que dependia somente de mim. Na maternidade, tive pequenos machucados no início da amamentação, algo que foi suportável apesar de não entender o que estava errado, pois, como dizem, a vida real na maternidade não é como as pessoas demonstram, muitas vezes de modo romantizado, o que faz nos sentir péssimas como mães. Foi assim que me sentia diante das dificuldades que vieram depois, e vi que o parto era algo simples diante de tudo que viria depois dele.

O tempo passou e, quando desceu o leite, as mamas estavam cheias, novamente surgiram machucados. Além disso, eu era tomada por uma tristeza imensa que não sabia de onde vinha ou como melhorar. E vinham as perguntas: será que sou uma boa mãe? O que isso poderá impactar no desenvolvimento da minha filha? Buscava conversar com algumas pessoas que me acompanharam nesse processo, chorava muito, e ao mesmo tempo queria só ficar com a Antonella, como se somente eu soubesse cuidar dela, e sabia. Para mim, o primeiro mês foi o mais longo, muito desafiador, pensava comigo que nunca mais queria ter outro filho e sempre vinha o pensamento: como as outras mães dão conta?

Tive algumas consultoras de amamentação, mas, infelizmente, os machucados já estavam grandes, não resolvia muito, já havia utilizado diversas pomadas, que quase não davam resultados. Elas diziam que eu precisava esgotar para oferecer para ela depois, mas eu não conseguia, parece que o leite não saía. Claro que, enquanto eu estivesse tensa e com dor, ele não sairia mesmo. Somente com um mês resolvi fazer a laserterapia, que me ajudou muito. Enfim, após seis sessões, meus machucados estavam cicatrizados. Eu imaginava que aquilo nunca passaria, mas ao mesmo tempo não queria parar de amamentar no seio. As pessoas me perguntavam: como você consegue? Mas eu não sei de onde tirava forças para aguentar a dor. Eu só tinha a certeza de que não queria parar de amamentar.

O tempo passou, a cicatrização completa aconteceu quando minha filha fez três meses. Eu não acreditava que aquela realidade que eu vivi poderia ter sido diferente. Quando olhava para outras mulheres, eu achava tão fácil, acreditava que era instintivo. Depois de tudo que passei, percebi a necessidade de auxiliar outras mulheres nesse processo, porque muitas sofrem caladas e, por não possuírem rede de apoio, acabam desistindo. Quando Antonella estava com 7 dias na primeira consulta com o pediatra, ele perguntou como eu estava. Comecei a chorar, porque a quantidade de pessoas que davam palpite estava me deixando maluca. Ele disse que o que eu estava sentindo era normal, mas que me daria um remédio que me auxiliaria. Eu saí da consulta perplexa porque não imaginava que eu, que estudei tanto, teria de tomar um medicamento para voltar a ficar no centro e no controle da situação. Eu já tinha ouvido falar naquele medicamento e sabia que um dos seus efeitos colaterais era o aumento do leite, coisa que eu não estava precisando, a oferta já estava grande. Então, comecei a estudar sobre o pós-parto, o chamado *baby blues*, e entendi o que estava acontecendo com o meu organismo. Essa carga de hormônios que vem depois do parto e traz diversos sentimentos, medos, inseguranças, cansaços, como se não fosse dar conta daquela nova vida, e tendo consciência de que ela depende exclusivamente de você. Com o tempo, essas sensações são aliviadas. Apesar de entender a importância do remédio, não tomei. Claro que teve dias que estava com vontade, mas pensava "não, está tudo bem". Conversei com uma colega psicóloga que também havia tido bebê, ela também disse que se sentia assim e que depois do primeiro mês passou. A maternidade traz à tona diversas situações que muitas vezes deixamos embaixo do tapete. Costumamos viver no automático, e um filho nos traz para o momento presente, sendo que não tem como fugir, pois é somente você, ele depende quase que exclusivamente de você.

23

AUTISMO NA PRIMEIRA INFÂNCIA

Este capítulo trará os primeiros sinais do Transtorno do Espectro Autista, que podem ser identificados ainda na primeira infância. Também abordará sobre como esses sinais podem ser percebidos pelos pais o mais cedo possível, as estratégias e profissionais que devem ser procurados nesse momento. Estimular os filhos logo após o nascimento significa sempre potencializar seu desenvolvimento.

LARISSA LEMGRUBER

Larissa Lemgruber

Além de mãe da Beatriz, sua principal função, que a inspira todos os dias na descoberta do mundo infantil, é psicóloga e neuropsicóloga com atuação clínica desde 2014 e foco principal no público infantojuvenil. Especialista em Intervenções Cognitivas e Comportamentais em Crianças, tem formação em ABA (*Applied Behavior Analysis*) e no Sistema de Comunicação por Troca de Figuras (PECs). É cofundadora do Instituto Vínculo, em Brasília, onde trabalha com avaliação neuropsicológica, reabilitação cognitiva, orientação de pais e psicoterapia infantil. É apaixonada pelo que faz e realizada no caminho profissional que escolheu. Acredita que aprende sempre um pouco mais com a singularidade de cada uma das crianças com quem convive e atua profissionalmente.

Contatos
lari.lemgruber@gmail.com
Instagram: @larissalemgruber.neuropsi
61 98177-7817

> *O caleidoscópio precisa de todos os pedaços que o compõem. Quando se retiram pedaços dele, o desenho se torna menos complexo, menos rico. As crianças se desenvolvem, aprendem e evoluem melhor em um ambiente rico e variado.*
> MARSHA FOREST

Desde o momento da descoberta da gravidez, diversas expectativas são criadas em nossas mentes, baseadas no mundo que conhecemos. A maior parte, quiçá praticamente todas, fogem do nosso controle, especialmente quando envolvem o neurodesenvolvimento.

O nome pode parecer complexo, mas se intencionamos gerar seres felizes, precisamos arregaçar as mangas e trabalhar duro, buscar entender o universo da mente e conhecer a criança com tudo o que ela tem a oferecer, com suas habilidades e dificuldades, para que assim não percamos o principal tempo da maturação cognitiva.

Todas as crianças precisam de atenção e estimulação constante e, quando lidamos com crianças com desenvolvimento neurológico atípico (neuroatípico), esse processo precisa ser ainda mais intenso. Nesse contexto, são inúmeros os transtornos que podem aparecer logo nos anos iniciais da vida e aqui conheceremos um pouco do intrigante universo do Transtorno do Espectro Autista, em que a criança parece viver em um mundo só seu.

Esse transtorno tem muitas facetas. Constatamos que vários sinais já podem ser percebidos nos primeiros meses de vida, pelos próprios pais, e que o importante é procurar auxílio com especialistas o mais cedo possível.

O Transtorno do Espectro Autista (TEA) é caracterizado por déficits na comunicação e interações sociais, e por padrões restritos e repetitivos de comportamento, interesses ou atividades (Diagnostic and Statistical Manual of Mental Disorders, fifth edition – DSM-V).

O que isso significa?

Primeiramente, que há comprometimento no compartilhamento recíproco de informações e experiências sociais entre a criança com TEA e seus pares.

Em segundo lugar, que existem gestos, expressões e movimentos que são feitos ininterruptamente, às vezes por horas, de forma repetitiva. Ações incessantes e sem funcionalidade, como balançar as mãos, girar o corpo sem parar ou girar os objetos.

Sem funcionalidade significa dizer que a criança pega, por exemplo, um carrinho, mas não brinca com ele lhe dando a função de um carro; em vez disso, pode ficar rodando o objeto sobre seu próprio eixo, não faz o barulho do carro, não sobe e desce como se estivesse na estrada.

Por último, no comprometimento da comunicação, não se observa a utilização de expressões pré-linguísticas, que correspondem, inclusive, ao balbuciar das primeiras sílabas e fonemas. Além disso, a criança demonstra dificuldade em compreender expressões verbais.

Como o próprio nome diz, trata-se de um espectro e, dentro dele, existem diversos níveis de dificuldades, habilidades e, consequentemente, de autonomia. Há desde aqueles que apresentam comprometimento na comunicação verbal e não a fazem nem por meio de gestos, até pessoas com bom nível funcional, que conseguem atuar de forma satisfatória nas diversas etapas da vida, constituindo família e carreira profissional, muitas vezes sem sequer suspeitar que possuem algum transtorno.

O TEA é um transtorno complexo, de diagnóstico clínico e multiprofissional, visto que não existem exames médicos, de imagem ou laboratoriais que sejam capazes de diagnosticá-lo. Sua causa é multifatorial e ainda não se tem um consenso a respeito de qual possa ser a sua origem. Logo, o diagnóstico é feito a partir da história de desenvolvimento do indivíduo aliada às habilidades, dificuldades e comportamentos apresentados até um dado momento.

É imprescindível o acompanhamento clínico de um médico responsável, que contará, também, com exames e relatórios de outros profissionais que acompanham a criança, como a avaliação neuropsicológica e fonoaudiológica, que trarão dados e resultados confiáveis para embasar ou descartar a hipótese diagnóstica a partir da compreensão do seu funcionamento cognitivo.

Mas, com tanta informação a respeito do tema, acabamos nos perguntando: por que antigamente quase não se ouvia falar de pessoas com autismo?

Nos últimos anos, vimos uma crescente na documentação do surgimento de novos casos. Segundo dados atuais do Centro de Controle e Prevenção de Doenças (CDC) do Departamento de Saúde e Serviços Humanos dos Estados Unidos, entre os anos 2000 e 2016, o número de casos saltou de uma em cada 150 crianças para uma em cada 54.

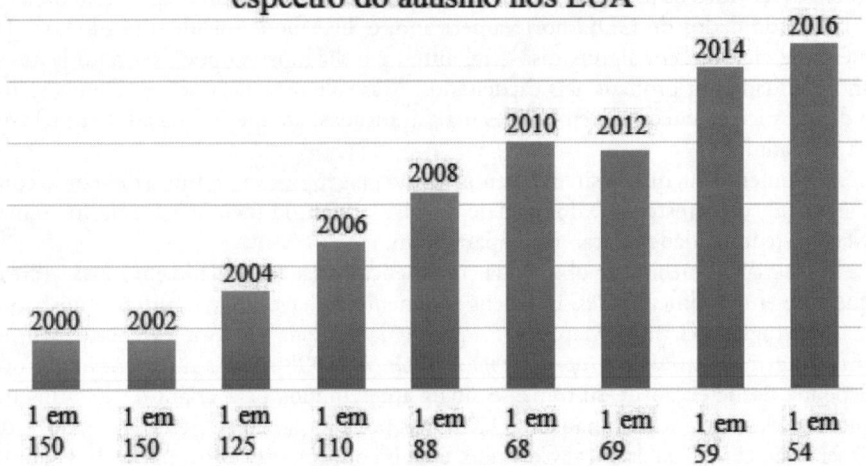

Prevalência identificada de transtorno do espectro do autismo nos EUA

2000	2002	2004	2006	2008	2010	2012	2014	2016
1 em 150	1 em 150	1 em 125	1 em 110	1 em 88	1 em 68	1 em 69	1 em 59	1 em 54

Fonte: Centers for Disease Control and Prevention (CDC) – EUA.

Com essa explosão de casos em todo o mundo, necessitamos estudar mais e compreender melhor o que é esse universo do espectro autista. E quanto mais se estuda, mais dúvidas surgem: o que devo observar? Com o que devo me preocupar? Como posso estimular meu filho em casa? Quais os primeiros sinais de autismo na criança? Quando pode ser feito o diagnóstico? Essas são algumas das perguntas que não param de chegar no consultório. E é essencial que cada vez mais os pais percebam a importância de obter respostas enquanto os filhos são ainda pequenos.

O momento da primeira infância é extremamente importante, porque há um maior potencial de plasticidade cerebral, ou neuroplasticidade. Essa é a capacidade que o sistema nervoso apresenta, em resposta aos estímulos externos, para alterar sua estrutura e suas funções, permitindo que os neurônios se regenerem e desenvolvam novas conexões sinápticas, gerando novos aprendizados.

É essa plasticidade que nos proporciona tantas possibilidades de atuação no funcionamento cognitivo infantil. Nesse período, o cérebro ainda está em formação e, assim, sofre maior influência do meio externo.

Exatamente por esse poder especial, precisamos prestar bastante atenção no desenvolvimento da criança, pois os estímulos aqui recebidos são tão benéficos para o cérebro infantil quanto a falta deles pode ser prejudicial.

Durante o período da primeira infância, que se inicia no nascimento, a criança sai da dependência total, passa pela aquisição da linguagem, controle dos esfíncteres, aumento da percepção visual, inicia o processo de caminhada e tantas outras aprendizagens em tão pouco tempo. Isso deixa claro como o cérebro infantil se molda e se desenvolve mais do que em qualquer outra fase da vida.

Fica fácil perceber que, em relação ao TEA – assim como em qualquer transtorno –, o momento ideal para iniciar uma intervenção é o mais cedo possível, ou seja, logo que forem percebidos os primeiros sinais, independente de se ter um diagnóstico ou não.

Segundo dados do CDC norte-americano, o TEA pode ser identificado com 18 meses de vida ou, em alguns casos, até antes, e o diagnóstico pode ser feito já aos 2 anos de idade por profissionais capacitados. Mas vale ressaltar que, em alguns casos, o diagnóstico só é fechado em idades mais avançadas, até mesmo na adolescência ou na vida adulta.

O momento em que os sinais de autismo são percebidos varia muito de acordo com a gravidade do transtorno e do nível de desenvolvimento funcional que ele apresenta. Não existe uma idade padrão para aparecerem.

Toda criança precisa ser observada com atenção e ser estimulada em todas as áreas que apresentem dificuldades, independentemente de haver ou não um diagnóstico.

A portuguesa Cristina Marques, Psiquiatra da Infância e da Adolescência, analisou em seu texto *Intervenção terapêutica na 1ª infância* (1998) que "a intervenção precoce depende da detecção de sintomas e sinais apresentados pela criança. No primeiro ano de vida o diagnóstico não é tão fácil, mas pode ter auxílio de vídeos caseiros e da observação clínica da criança. Contudo, é mais comumente feito a partir do segundo ou terceiro ano de vida".

Aí temos uma dica preciosa. Todas as vezes que estranharmos um comportamento frequente da criança, podemos gravar e guardar com a privacidade adequada, para futuramente ser instrumento valioso na avaliação de um profissional.

Verificamos com frequência que o primeiro indício percebido pela maioria das famílias é o atraso na fala, porém um profissional especializado já consegue observar se as crianças menores de 1 ano estão com alguma dificuldade nas etapas pré-linguísticas.

Outros marcos merecem atenção, ainda que não façam parte dos critérios para diagnóstico do TEA, pois indicam a necessidade de se receber estímulo: não manter contato visual, não atender quando é chamado pelo nome, isolar-se ou não iniciar contato com outras crianças, alinhar objetos, possuir baixa flexibilidade com relação à quebra de rotina – ou seja, dificuldade de adaptação a momentos e lugares inéditos –, utilização não funcional dos brinquedos e objetos, movimentos repetitivos sem função aparente, dificuldade na comunicação verbal, apresentar ecolalias – que é a repetição de palavras ou frases de forma descontextualizada –, girar objetos, apresentar interesse restrito ou hiperfoco, dificuldade com imitação, dificuldade de abstração do raciocínio (faz de conta), exibição limitada do idioma com a aquisição de menos palavras ou dificuldade em seu uso.

Uma equipe de pesquisadores fez, em 2014, um estudo com 32 crianças pré-escolares e revelou que os comprometimentos na socialização foram os mais precocemente identificados, apesar de aqueles na aquisição da linguagem serem os sintomas mais observados. Os autores da pesquisa também trazem que a idade média em que os sintomas apareceram nas crianças é de 15 meses (ZANON; BACKES; BOSA, 2014).

Diante disso, antes mesmo de se pensar na investigação clínica, é essencial que os pais estejam atentos aos sinais que os filhos apresentam desde o nascimento e acompanhem de perto o seu desenvolvimento, para, assim, não perderem essa fase tão importante de intenso crescimento cognitivo.

Percebendo a angústia dos pais, especialmente os de primeira viagem, compartilho aqui alguns marcos esperados para cada faixa etária do desenvolvimento até o primeiro ano de vida. Já entendemos que há uma variação natural de criança para criança, mas existem alguns comportamentos que devemos observar com atenção em nossos pequenos.

O que podemos esperar em cada fase dos nossos filhos?

- Até os 3 meses: começa a se interessar pelos objetos ao redor, tem modos de chorar diferentes para cada necessidade, demonstra serenidade e felicidade ao ouvir a voz das pessoas, olha para as pessoas e para quem o amamenta, acompanha sons com a cabeça e presta atenção no rosto das pessoas;
- Até os 6 meses: sons inesperados são percebidos e expressa susto ou alegria, reage de forma diferente a tudo que emite som, presta atenção quando falam com ele e parece responder, balbucia alguns sons (da, ah ou outros) e usa a voz para expressar sentimentos e chamar atenção;
- Até os 9 meses: aumenta o número de sons que usa, une sílabas, emite sons como se estivesse conversando, imita os sons que ouve, reconhece quando falam o seu nome, já segue alguns comandos que façam parte do seu dia a dia e olha para tudo e todos quando ouve seus nomes;
- Até os 12 meses: acompanha quando apontamos ou olhamos algo com interesse, começa a usar "mama" e "papa" para mamãe e papai (nota-se que não é só o balbuciar, mas utiliza de forma correta, demonstrando que sabe que está chamando), procura imitar as pessoas falando, mesmo que só com balbucio, entende quando não deve fazer algo, entende e executa comandos pequenos e simples como "abra isto" ou "saia daí".

A partir do momento em que algum déficit é identificado no desenvolvimento da criança, independente de se ter uma hipótese diagnóstica ou não, é importante que os pais e/ou cuidadores iniciem a estimulação em casa e procurem os serviços de saúde responsáveis, para que seja iniciada a intervenção apropriada.

Em muitos casos, logo nota-se que os comportamentos se tornaram funcionais e a criança continua se desenvolvendo sem a necessidade de manter o acompanhamento tão frequente.

Observamos que o mais importante é que os pais procurem realmente conhecer seus filhos, para propiciar a eles cada vez mais estímulos, a fim de que interajam e cresçam de forma saudável. Para isso, passear, tomar sol, ouvir música, "conversar" com quem cuida dele, ver objetos lúdicos e poder tocar e brincar com eles são um ótimo início.

A criança com TEA necessitará de vários profissionais envolvidos e comprometidos com o seu desenvolvimento. É de extrema importância que todos, profissionais da saúde, família ou escola, estejam atentos às suas necessidades e que consigam fornecer experiências interativas à criança, que permitam a ela se identificar como um ser capaz de estabelecer vínculos afetivos, sem nunca forçar o seu limite e buscando sempre entrar em seu mundo, por meio de seus próprios gostos e interesses, dando-lhes sentido.

O autismo é um mundo inteiro que ainda precisa ser descoberto e, principalmente, que tem muito a nos ensinar, se conseguirmos nos despir de medos e preconceitos que, muitas vezes, acabam enviesando nosso olhar e nos paralisando. Ser diferente não significa ser pior. Acima de qualquer diagnóstico, precisamos compreender, cuidar e incluir sempre.

Ninguém é igual a ninguém. Todo ser humano é um estranho ímpar.
CARLOS DRUMMOND DE ANDRADE

Referências

AMERICAN PSYCHIATRIC ASSOCIATION. *Diagnostic and Statistical Manual of Mental Disorders, Fifth Edition (DSM-V)*. Arlington: American Psychiatric Association, 2013.

CDC Center for Disease Control and Prevention. Date & Statistics on Autism Spectrum Disorder, 2020. Disponível em: <https://www.cdc.gov/ncbddd/autism/data.html>. Acesso em: 27 ago. de 2021.

MARQUES, C. Autismo: intervenção terapêutica na 1ª infância. *Análise Psicológica*, Lisboa, v. 16, n. 1, 1998.

SALLES, J. F. de; HAASE, V. G.; MALLOY-DINIZ, L. F. (orgs.) *Neuropsicologia do desenvolvimento: infância e adolescência*. Porto Alegre: Artmed, 2016.

ZANON, R. B., BACKES, B.; BOSA, C. A. Identificação dos primeiros sintomas do autismo pelos pais. *Psic. Teor. e Pesq.* Brasília, v. 30, n. 1, jan./mar. 2014.

24

NOVAS ABORDAGENS DA INTRODUÇÃO ALIMENTAR

A introdução alimentar ganhou um novo olhar. O que antes era apenas mais uma etapa a ser vencida na jornada do crescer, agora é foco de estudos e oportunidade para grandes conquistas. Neste capítulo buscaremos abordar alguns pontos-chave para um melhor proveito da introdução alimentar, conhecer as novas abordagens, além de entender como o respeito ao bebê pode ajudar positivamente nesse processo.

LARISSA TRENTINI

Larissa Trentini

Nutricionista graduada pela Cesumar (2009), *Chef du Cuisine* e *restaurateur* pelo Centro Europeu (2010), pós-graduada em vigilância sanitária aplicada à produção de alimentos pela PUCPR (2011) e pós-graduanda em nutrição materno-infantil pela A Plenitude (2021). Entre suas experiências profissionais, destacam-se: professora do curso técnico em Nutrição no TecPuc-PR (2011 – 2013), professora na graduação de Nutrição no Cescage (2013), participação na coleta de dados para o Estudo de Riscos Cardiovasculares em Adolescente (ERICA) pela UFRJ (2013). A partir da primeira maternidade, em 2014, iniciou os estudos em Introdução Alimentar. Hoje, após muito estudo e prática com seus 3 filhos, atua como Nutricionista Infantil, auxiliando várias famílias a construir hábitos alimentares duradouros.

Contatos
Instagram: @larissatrentininutri
Facebook: larissatrentininutri
42 99800 5735

Ese por um instante parássemos para lembrar o "sabor" da infância? O que lhe viria à cabeça? Quem sabe um despertar com aroma de café recém-passado, para beber com leite, acompanhado de uma fatia de pão caseiro com manteiga? Ou, então, a família toda reunida em uma refeição de domingo, em que cada ente querido preparava sua melhor especialidade para compartilhar à mesa?

Como é bom relembrar a infância e sentir o aconchego que a alimentação nos traz.

Toda a alimentação é cercada de emoções, afeto e prazeres. Não envolve apenas nutrição. É também um ato social, quando optamos, por exemplo, a que restaurante vamos ou nossas escolhas de alimentos em um supermercado.

Apesar de todo esse envolvimento emocional com a alimentação, que foi bem construído na nossa infância, crescemos em um período histórico em que encontramos, de um lado, os avanços em estudos científicos que conseguem mapear e quantificar cada macro e micro nutriente dos alimentos, do outro, a informação que chega a todos com extrema velocidade.

Então, começamos a "ver" mais do que simples alimentos. Nossas escolhas alimentares, agora, não são apenas escolhas baseadas em memórias afetivas ou a mera vontade de comer, mas sim enquadradas em cálculos calóricos e quantidade de proteínas, carboidratos e lipídios que esse alimento pode oferecer.

Quando pensamos na introdução alimentar, o instante em que o bebê começa sua alimentação, como podemos conduzir esse momento para que o bebê tenha boas memórias alimentares, com a responsabilidade de construir hábitos saudáveis para toda a vida? Parece uma tarefa desafiadora. Ainda mais quando colocamos na "balança" a atual oferta de produtos industrializados, com forte publicidade focada ao mundo infantil.

Esse é o atual grande desafio para as famílias.

Vamos abordar alguns pontos-chave da introdução alimentar e conhecer as novas abordagens que têm auxiliado a construção de hábitos saudáveis.

O que é a introdução alimentar?

Introdução alimentar é o termo usado para designar o momento em que o bebê passa a receber outros alimentos, além da amamentação.

Vida intrauterina

A alimentação da gestante tem grande papel na introdução alimentar do bebê. Ainda na vida intrauterina, o feto tem suas preferências alimentares estimuladas por nuances de sabor proveniente das escolhas alimentares da mãe. Os primeiros receptores olfativos tornam-se funcionais por volta da 24ª semana de gestação, e as células gustativas, por volta da 12ª semana gestacional. Portanto, a vida intrauterina constitui o contato mais precoce com a formação de paladar. A gestante que mantém uma alimentação saudável durante a gravidez está contribuindo positivamente para a aceitação desses mesmos alimentos na introdução alimentar do bebê.

Amamentação

A amamentação continuada é aliada ao processo de introdução alimentar.

Impossível falar em introdução alimentar e não falar do melhor alimento para um bebê: o aleitamento materno. O leite materno é um alimento vivo, espécie-específico, adaptativo às necessidades do bebê e rico em nutrientes e anticorpos. O leite materno é padrão-ouro para recém-nascidos, recomendado de forma exclusiva até o sexto mês de vida e complementado até os dois anos de idade.

São inúmeros os benefícios da amamentação exclusiva. Não só para o bebê, que estará recebendo correta nutrição, com grande desdobramento na proteção e promoção de sua saúde, mas também para a mãe, promovendo vínculo afetivo, menor perda de sangue no pós-parto, redução de risco para o desenvolvimento de câncer mamário, à medida que se aumenta o tempo de duração do aleitamento materno, e vantagem econômica, já que o leite materno tem custo zero.

Os benefícios do aleitamento materno não se resumem apenas a esses citados, são incontáveis e maravilhosos benefícios. Se eu puder deixar uma mensagem agora seria: amamente, apoie quem amamenta e promova a amamentação. Você nunca se arrependerá disso. No processo de introdução alimentar, a amamentação tem papel de destaque. Ele estará garantindo a nutrição adequada ao bebê, enquanto ele aprende a comer. Sim, a alimentação é um processo, e o bebê não conseguirá obter todos os nutrientes necessários para a nutrição em sua primeira refeição. É o leite materno que garantirá o suporte nutricional, complementando a alimentação do bebê, dos 6 aos 12 meses de vida.

Quando iniciar a introdução alimentar

Conforme recomendação da Organização Mundial da Saúde e do Ministério da Saúde, a introdução alimentar deve iniciar no sexto mês de vida. A partir dos 6 meses de vida, de maneira geral, o bebê já terá adequado desenvolvimento digestivo e imunológico para iniciar o consumo de outros alimentos, além do aleitamento.

Porém, nem todo bebê estará "pronto" para a introdução alimentar aos 6 meses de vida.

Temos que também avaliar seus sinais de prontidão: se o bebê sustenta tronco e pescoço, se consegue se sentar com pouca ou nenhuma ajuda, se pega coisas e as leva à boca, esses são alguns dos sinais de prontidão que corroboram com o início da introdução alimentar.

Modelos de introdução alimentar

Então é chegada a hora de ofertar os primeiros alimentos ao bebê. Até pouco tempo atrás, a maneira orientada pelos profissionais para a introdução alimentar era a abordagem tradicional: alimentos ofertados em papinhas amassadas. Lembro-me de estudar na faculdade sobre as sopas para bebês, contendo todos os grupos alimentares, muito bem cozidas e que deveria ser amassada antes de oferecer as colheradas ao bebê. Esse modelo de introdução alimentar ainda é seguido por muitos profissionais e famílias.

Em 2008, a partir da publicação do livro *Baby-led Weaning: helping your baby to love good food,* pela britânica Gill Rapley, o mundo conheceu a abordagem BLW (*baby-led weaning* ou desmame guiado pelo bebê). Nessa abordagem, a introdução alimentar ganha um novo direcionamento, e as papinhas não são mais ofertadas. Na realidade no BLW não há papinhas, quem conduz o alimento até a boca é o próprio bebê. Essa "nova" abordagem de introdução alimentar, na realidade, não é nova. Explico: em seu livro, a enfermeira social Gill Rapley diz que essa abordagem é um relato de famílias, especialmente aquelas com mais de dois filhos, que descobriram, quase que por acaso, que deixar seu bebê guiar a alimentação deixa a vida mais fácil e divertida para todos.

Após descrever essa abordagem e publicar, outras famílias, no Brasil e em todo o mundo, se identificaram e adotaram o BLW para a introdução alimentar dos seus filhos. Alguns profissionais da saúde também simpatizaram com a abordagem e passaram a estudar e recomendar.

Em 2017, o livro foi traduzido e publicado no Brasil. E tivemos ainda mais profissionais orientando o BLW como abordagem de introdução alimentar. De maneira geral, no BLW, os alimentos são ofertados em sua forma natural, apenas adaptado em corte e textura, para que o bebê tenha a própria experiência com o alimento. O ato de comer não é o principal, mas sim a interação com o alimento e o respeito ao bebê.

Apesar da grande popularidade do BLW, em 2017, a Sociedade Brasileira de Pediatria (SBP) emitiu um Guia Prático de Atualização para nortear os profissionais quanto a essa abordagem, reconhecendo a popularidade do BLW, porém questionando se teria impacto sobre crescimento e desenvolvimento, se haveria ingesta adequada de micronutrientes e se esse era um método de introdução alimentar viável para os pais, entre outras questões. Nesse mesmo guia, a SBP citou uma nova abordagem de introdução alimentar denominada BLISS (*Baby-Led Introduction to SolidS*). O BLISS, que em tradução livre significa "introdução aos sólidos guiada pelo bebê", foi criado por um grupo de estudiosos neozelandeses, em 2016.

No BLISS, os estudiosos tentaram adaptar a abordagem BLW e criar estratégias para garantir melhor ingesta calórica e maior segurança na introdução alimentar, com relação a possíveis engasgos. Alguns pontos colocados no BLISS:

- Ofertar um alimento rico em calorias em cada refeição;
- Ofertar alimentos preparados de forma que reduza o risco de engasgos;
- Garantir a oferta de alimento rico em ferro em cada refeição.

Surgiram também, aqui no Brasil, algumas famílias com a introdução alimentar participativa. Por volta de 2015, algumas famílias tentaram praticar o BLW, mas também usavam em alguns momentos a introdução alimentar tradicional, assim surgiu a introdução alimentar participativa, que é uma mistura das duas abordagens. Ora a família deixava o bebê livre para fazer a alimentação, ora a família ofertava o alimento a colheradas. E assim transcorria a introdução alimentar.

A escolha da abordagem a se seguir (tradicional, BLW, Bliss ou participativa) vai depender do que o profissional que está assistindo a família recomendar. Muitas famílias acabam conhecendo essas abordagens e preferindo uma ou outra.

A introdução alimentar ganhou um novo olhar. O que antes era apenas mais uma etapa a ser vencida na jornada do crescer, agora é foco de estudos e oportunidade para grandes conquistas.

Você conheceu alguns pontos-chave que envolvem a introdução alimentar e pode estar se perguntando: qual o melhor caminho a escolher? Qual garantirá boas memórias afetivas com o alimento e escolhas alimentares seguras na vida adulta?

Dentro da minha prática clínica e familiar, posso dizer que os maiores e mais duradouros progressos com a alimentação do bebê dependerá, sim, da reunião de todos esses fatores já descritos, mas também, e muito, do respeito ao bebê.

E o que seria esse respeito?

Um bebê que foi estimulado ainda na vida intrauterina, com boas escolhas alimentares pela mãe, que foi amamentado por no mínimo 6 meses, que teve seus sinais de prontidão observados e respeitados para o início da introdução alimentar já é um bebê respeitado.

Quando uma família observa a própria rotina alimentar e entende que a alimentação do bebê, independente da abordagem ser BLW, tradicional ou outra, será reflexo da alimentação da família, ela passa a fazer boas escolhas alimentares. Isso é sinônimo de respeito ao bebê.

Uma família que oportuniza o aprendizado alimentar, expondo esse bebê a um ambiente de refeição tranquilo e prazeroso, respeitando os sinais de fome/saciedade, permitindo que o bebê interaja com os alimentos, sempre com segurança e supervisão, é uma família que respeita seu bebê. E esse é o melhor caminho para a construção de hábitos saudáveis duradouros.

Se você, família de bebê em fase de introdução alimentar, se sente inseguro sobre como conduzir essa etapa do crescimento de seu filho, busque um nutricionista infantil.

Referências

COSTA, M.; VIGÁRIO, A. *Formação precoce das preferências alimentares da criança – conhecimentos da grávida*. Tese de Mestrado em Nutrição Clínica. Universidade de Porto – Faculdade de Ciências da Nutrição e Alimentação da cidade do Porto. Porto, 2014. Disponível em: <https://core.ac.uk/reader/302957850>. Acesso em: 04 out. de 2021.

DERAN, S. *O peso das dietas: faça as pazes com a comida dizendo não às dietas*. Rio de Janeiro: Sextante, 2018.

RAPLEY, G.; MURKETTI, I. *BLW: o desmame guiado pelo bebê*. São Paulo: Timo, 2017.

WEFFORT, V.; LAMOUSSIER, J. *Nutrição em pediatria: da neonatologia à adolescência*. 2. ed. Barueri: Manole, 2017.

25

O SONO NA PRIMEIRA INFÂNCIA

É importante o conhecimento das características do sono na primeira infância e dos eventos relacionados a ele, já que pode afetar a qualidade de vida dos pais e de toda uma família, além de interferir de forma negativa para o desenvolvimento físico e psicossocial da criança.

LEILA BATISTA MARTINS

Leila Batista Martins

Residência médica em Pediatria pela UFPB. Especialista em Auditoria em Sistemas de Saúde pela Universidade Estácio de Sá. Mestranda em Ciências da Saúde na FMABC. Médica pediatra na unidade neonatal do Instituto Cândida Vargas, no Hospital Materno Infantil João Marsicano e no Hospital Geral da Hapvida da Paraíba. Atuação em sala de parto, unidade de cuidados semi-intensivos neonatais e puericultura. Experiência em pronto atendimento infantil.

Contatos
leilamartinspediatra@gmail.com
Instagram: @leilamartinspediatra
83 99600 0239

O que é o sono? Para que serve? O que acontece na privação do sono?

O sono é uma necessidade fisiológica do ser humano, essencial para manutenção da saúde física e mental e, também, da qualidade de vida.

Bebês, crianças e adolescentes podem ter seu desenvolvimento físico, psíquico, cognitivo, comportamental e social comprometidos, no caso de haver privação ou distúrbios do sono. O crescimento pode ser afetado, bem como a memória, a atenção, o humor, a coordenação motora e a resistência imunológica, podendo ocorrer ganho de peso e obesidade infantil.

Fisiologia e hormônios envolvidos no sono

A produção de urina e a atividade do sistema digestório são reduzidas durante o sono, e a temperatura corporal cai. No sono inicial, a pressão arterial sanguínea diminui e a frequência cardíaca também. Alguns hormônios também são afetados dependendo da qualidade do sono:

- GH – hormônio do crescimento, tem cerca de 90% de sua produção durante o sono. Um sono restrito leva à redução desse hormônio e prejudica o crescimento;
- TSH – hormônio tireoestimulante, a privação do sono aumenta os níveis sanguíneos de TSH em cerca de 200%, ocasionando desregulação tireoidiana;
- Cortisol – o nível baixo de cortisol predispõe ao sono, e o alto faz o indivíduo acordar. Quanto mais tarde é o adormecer, mais o pico do cortisol – que normalmente seria pela manhã – é adiado para a tarde. Consequentemente, seu declínio também é adiado, promovendo o adormecer mais tardiamente no dia seguinte, tornando um ciclo vicioso. O estresse eleva o cortisol e dificulta o sono;
- Adrenalina – sua liberação é aumentada quando há deficiência de sono;
- Melatonina – é um hormônio produzido pela glândula pineal. A ausência de luz induz à produção de melatonina, que favorece o sono. Os recém-nascidos apresentam uma produção irregular. O cérebro deles não conhece a diferença entre claro e escuro. Para isso, desde o nascimento, é importante que durante o dia o bebê fique no claro, que se abram as cortinas para que a luz natural entre, e, à noite, é preciso que ele permaneça no escuro. Assim, por volta do terceiro mês, a produção de melatonina estará mais regular e o ritmo circadiano também.

O que é ritmo circadiano?

Ritmo circadiano é o nosso relógio biológico, que corresponde a um ciclo de 24 horas, composto por fases de claro e escuro. No claro, o metabolismo do organismo é maior, porque mais energia é necessária nesse período. E no escuro, acontece o contrário.

Necessidade de sono por idade até os 2 anos

Idade	Sono à noite	Sonecas	Total
1 mês	1 a 4h dormindo / 1 a 2h acordado		16-20h
3 meses	6-9h	5-9h/ divididas em 3 a 4 sonecas	15h
6 meses	9-11h	2-3h / divididas em 2 a 3 sonecas	14h
1 ano	9-10h	2,5-3h / divididas em 2 sonecas *	13h
2 anos	10,5h	1,5-2h / 1 soneca à tarde	12,5h

*Uma soneca pela manhã e uma à tarde.
Fonte: Sociedade Brasileira de Pediatria.

Por volta dos 3 anos de vida, a soneca da tarde tende a diminuir sua duração, para 1 a 1,5 hora. A quantidade de sono durante a noite é de cerca de 10,5 horas.

Em torno dos 4 aos 6 anos, não há mais sonecas durante o dia, as crianças podem dormir de 10 a 11 horas por noite.

Sono dos bebês × sono dos adultos

O padrão de sono dos bebês e crianças é bem diferente do padrão dos adultos. O ciclo do sono em todos os indivíduos é composto por dois períodos: sono REM (*Rapid Eye Movement*) e não REM. Cada ciclo completo dura em média de 40 a 50 minutos.

O REM é o sono ativo do bebê, em que acontecem os sonhos e o movimento rápido dos olhos. É o sono quieto. Nessa fase é mais fácil de acordar o bebê. Ocorre por volta da segunda metade da noite. Nos adultos, esse é o período no qual se dorme profundamente.

O não REM é o sono passivo, é a fase tranquila do sono, na qual é mais difícil de acordar. Ocorre na primeira metade da noite. Já nos adultos, corresponde ao sono superficial, em que é mais fácil de acordar.

As crianças passam mais tempo no sono REM que os adultos. O sono REM nos bebês e nas crianças até 5 anos corresponde a cerca de 80% e 50% do sono, respectivamente, enquanto que nas crianças mais velhas e adultos, corresponde a cerca de 25%.

Os despertares fisiológicos breves ocorrem quando há mudança de um ciclo para outro. E eles são mais significativos a cada dois ou três ciclos. Por isso, os lactentes que não aprenderam ainda a voltar a dormir sozinhos podem despertar a cada 2 ou 3 horas e necessitar da ajuda dos pais para dormir.

Outros fatores causais para os despertares noturnos

Fome, fraldas sujas, cansaço (efeito vulcânico) por não ter feito as sonecas diurnas adequadamente, dor (cólica, erupção dentária, reações vacinais, entre outras), doenças que causem algum desconforto, como obstrução nasal, frio ou calor, picos de crescimento e saltos de desenvolvimento, distúrbios do sono, barulhos e luminosidade.

Por que o bebê e a criança "brigam" com o sono? O que é o efeito vulcânico?

O efeito vulcânico ocorre porque a criança ficou cansada por não ter tido as sonecas adequadamente em quantidade e/ou qualidade, ou por ter apresentado sinais de sono e não ter conseguido adormecer. Então, começa a chorar e se irrita, o que libera cortisol (hormônio do estresse), que deixa o bebê ainda mais acordado. O cortisol anula o efeito da serotonina e melatonina, hormônios que favorecem o sono. Assim, inicia-se o ciclo do vulcão em erupção, com mais irritação, choro e dificuldade para dormir.

Dessa forma, é importante observar os sinais de sono – como esfregar mãos nos olhos ou no rosto, bocejar, irritabilidade, puxar cabelos, falta de interesse em brincar, olhos vermelhos e lacrimejamento – e, nesse momento, iniciar o ritual para dormir. Lembrando que algumas doenças podem ocasionar privação do sono e o ciclo vulcânico.

Higiene do sono

Recomendações para uma boa noite de sono:

- Desde os primeiros meses de vida, colocar a criança já sonolenta no berço, no intuito de que ela aprenda a dormir sem a necessidade dos pais ou cuidadores para o início do sono. Após o sexto mês, o pai e/ou a mãe podem colocar a criança no local em que vai dormir, mesmo estando acordada, e ir distanciando-se gradualmente;
- É importante ter horários regulares para dormir e acordar, ou seja, tentar estabelecer limites. Mesmo que a criança vá dormir mais tarde algum dia, tentar acordá-la sempre no mesmo horário todos os dias, inclusive nos fins de semana. No máximo até 1 hora depois do usual, quando acontecer de ir dormir em um horário mais tardio, no dia anterior;
- Não criar associações negativas para induzir o sono, como assistir à televisão, amamentar ou andar de carro. Se amamenta antes de dormir, retirar o bebê do seio quando perceber que já está sonolento;
- Usar objetos de transição, como naninhas ou bichinhos macios de tecido, sobretudo após o sexto mês, quando se está chegando perto do período da ansiedade da separação – em que a criança sente falta da principal figura de apego que, na maioria das vezes, é a mãe;
- Ter um ritual de sono ou uma sequência de afazeres antes de dormir, como dar banho, colocar o pijama, ir para um ambiente tranquilo e sem ruídos, com pouquíssima ou nenhuma luminosidade e ao som de músicas suaves. Essa rotina pode ir se modificando com o tempo, mas é importante que seja mudada gradativamente, de acordo com as necessidades de cada idade. Introduzir o contar histórias para as crianças mais velhas, por exemplo. Esse ritual acalma a criança por causa da previsibilidade do que acontecerá;
- A criança deve adormecer no local onde acordará, pois nos despertares breves noturnos poderá estranhar o local e isso fragmentar ainda mais seu sono, prejudicando seu novo adormecer;

- Evitar alimentar a criança na madrugada, sobretudo depois do sexto mês de vida, após já ter iniciado a fase de introdução alimentar. Nesse período, tentar começar a alimentar mais durante o dia. Não se deve deixar o bebê dormir com fome, então, dar a última dieta da noite antes da meia-noite, podendo também amamentar ou oferecer o leite artificial;
- Estimular a prática de exercícios físicos e atividades lúdicas motoras durante o dia, pois favorecem o adormecer e o sono profundo, tranquilo e estável à noite. Evitar atividades a partir de 2 a 3 horas antes de dormir;
- Se a criança ingere bebidas ou alimentos que contém cafeína, como chocolate, chás, refrigerantes, café à tarde ou no início da noite, o tempo de duração do efeito dessa substância no organismo perfaz um total de 3 a 5 horas, podendo chegar até a 12 horas, tendendo a prejudicar o sono. Portanto, preferir que a criança tenha dieta ausente de cafeína;
- Na época em que há apenas 1 soneca por dia, tentar fazer a mesma após o almoço. Acordar a criança antes das 16h, se for o caso, para que não haja prejuízo do sono noturno. As sonecas não podem ser muito extensas em duração para a idade, porque, dessa forma, também podem dificultar a dormida à noite;
- Evitar refeições pesadas ou em grande quantidade à noite. Preferir lanches leves com carboidratos e frutas;
- Evitar telas antes de dormir, pois a luz azul bloqueia a melatonina.

Como prevenir a síndrome da morte súbita do lactente (SMSL):

- Preferir a posição de dormir em decúbito dorsal;
- O lactente pode dormir próximo da cama dos pais, no próprio berço, em um colchão bem ajustado, duro e firme, sem mantas ou muitos objetos, com apenas uma naninha ou com o objeto de transição. Evitar almofadas. O lençol deve ficar bem preso sob o colchão. Preferir os de elástico. Evitar a cama compartilhada;
- Evitar superaquecer o bebê com roupas inadequadas para o ambiente, mas controlar para que não tenha frio;
- Evitar que no ambiente haja fumaça. Essa é uma observação importante para os pais que fumam.

O que são distúrbios do sono (parassonias)?

Terror noturno, pesadelo, despertar confusional, epilepsia do lobo frontal, sonilóquio, sonambulismo, enurese noturna e bruxismo são alguns exemplos de distúrbios do sono.

Tecer comentários sobre tais transtornos e seus possíveis tratamentos renderia outro capítulo. Vamos focar, portanto, nos mais comuns na primeira infância.

Terror noturno e pesadelo

Em ambos, o bebê ou a criança apresenta choro, gritos, angústia, aflição durante a noite e pode apresentar até sudorese e taquicardia, como em um ataque de pânico.

O terror noturno acontece na fase não REM. A criança não acorda, pode até abrir os olhos, mas não estará consciente e não se lembrará de nada depois. Ocorre por imaturidade do sistema nervoso central e está relacionado com sonambulismo e sonilóquio (falar durante o sono).

Já com relação ao pesadelo, acontece na fase REM. Fase na qual é mais fácil de despertar. A criança acorda, lembra-se do sonho e de como se sentiu, estará consciente.

O importante é manter a calma, nos dois casos. Não acordar o bebê na vigência do episódio de terror noturno, esperar que a crise passe e colocá-lo novamente para dormir, porque o evento dura apenas alguns minutos. Com relação ao pesadelo, explicar à criança que foi um sonho apenas, que não é real, e não há por que ter medo. Por fim, tentar fazê-la voltar a dormir.

Em ambos os casos, há componente genético importante, mas o ambiente influencia para o surgimento dos dois distúrbios. Viver em um ambiente agitado, não ter descanso suficiente durante o dia, passar por situações estressantes, sofrer a ausência dos pais ou ter hiperestimulação por meio de telas são fatores relevantes para o desencadeamento dessas parassonias.

É importante procurar ajuda médica e psicológica quando o terror noturno e/ou o pesadelo forem constantes ou demorarem além da idade prevista, em torno dos 5 anos de idade, e estiverem comprometendo o descanso adequado, tanto dos pais quanto do(a) filho(a). Na maioria das vezes, são transtornos benignos, que tendem a desaparecer com o tempo, mas há técnicas comportamentais para utilizarmos em quadros assim.

Todo bebê tem o mesmo padrão de sono?

Não. Existem padrões para as idades, mas cada bebê é único. Até porque todo ser humano é único. Vale lembrar que a genética e o histórico familiar influenciam muito nessa questão.

Nos recém-nascidos (até 28 dias de vida), o sono tem um padrão bem irregular e pode perdurar assim até os 3 ou 4 meses, já que não há maturidade do sistema nervoso ainda para diferenciação entre dia e noite. Então, acordam bastante à noite e pela madrugada, bem como dormem muito durante o dia.

Alguns começam a dormir a noite toda após os 3 meses de vida, quando se inicia a distinção entre dia e noite, mas outros não. Não há uma fórmula mágica instantânea para isso. Há, sim, as orientações para que se consiga isso gradativamente, quando não acontecer naturalmente. Estudos indicam que a maioria conseguirá dormir uma noite inteira, cerca de 8 a 9 horas ininterruptas, entre os 8 e os 12 meses de idade.

Papais, mamães, família e cuidadores, desejo bom sono e bons sonhos! Espero ter contribuído para que isso aconteça! Abraço a todos.

Referências

ALVES, R. S. C.; PEREIRA JR, J. C.; PESSOA, J. H. de L. *Distúrbios do sono na criança e no adolescente*: uma abordagem para pediatras. 2. ed. São Paulo: Atheneu, 2015. pp. 1 e 70.

ENCICLOPÉDIA sobre o desenvolvimento na primeira infância, 2012. Disponível em: <http://www.enciclopedia-crianca.com/sites/default/files/dossiers-complets/pt-pt/sono.pdf>. Acesso em: abr. de 2021.

SBP. *Quantas horas por dia o bebê deve dormir?* Disponível em: <https://www.sbp.com.br/filiada/goias/noticias/noticia/nid/quantas-horas-por-dia-o-bebe-deve-dormir-1/>. Acesso em: 29 ago. de 2021.

A INFÂNCIA DOS PAIS COMO INSTRUMENTO NO PROCESSO DE EDUCAÇÃO DOS FILHOS

Neste capítulo, os pais conseguirão entrar em contato com algumas lembranças da própria infância. Relembrar a criança que foram é o primeiro passo para entender muitos dos sentimentos e comportamentos com relação aos seus filhos. Esse processo auxilia os pais a terem mais empatia nos comportamentos desafiadores do dia a dia, a compreenderem a criança do ponto de vista dela e contribui também para o aumento do vínculo entre ambos.

LUANA FERRAZ ZANATTA

Luana Ferraz Zanatta

Graduada em Psicologia na Faculdade de Ciências Sociais de Florianópolis – Cesusc. Formação em Compreensão Sistêmica da Dinâmica Familiar (Familiare Instituto Sistêmico). Formação em Clínica Infantojuvenil (Instituto Granzotto). Educadora Parental (*Positive Discipline Association*). Curso dos Diferentes Tipos de Traumas na Infância e Como Diagnosticá-los: Neurofisiologia do Trauma e Técnicas Preventivas (Synapsy). Criadora de conteúdo e apresentadora do programa Infância em *Foco*, com a Psico Lu, na rádio Cultura A.M 1.110. É consultora do quadro *Quero Saber Filhos* do Jornal do Almoço na NSC TV (afiliada da Rede Globo). Idealizadora do curso *online* Amor em Ação, voltado para educação parental. Mentora de pais.

Contatos
www.psicolu.com.br
contato@cursoamoremacao.com.br
Instagram @psicoluferraz
48 99952 2191

É indiscutível que educar uma criança requer esforço, dedicação, paciência e muito amor, para que ela consiga se desenvolver de maneira plena a nível cognitivo, físico e emocional. Além do importante papel que os pais e/ou cuidadores desempenham, o ambiente em que a criança está inserida também exerce importante influência, já que as vivências na primeira infância têm impacto prolongado na estrutura do cérebro ainda em formação.

Apesar de muitos pais já terem consciência de que são as principais referências de amor, cuidado e respeito para suas crianças, no dia a dia ainda é muito difícil lidar com os comportamentos dos filhos quando eles não correspondem às expectativas.

Como psicóloga com foco no atendimento infantil, atendo também as famílias das crianças e, apesar dos diferentes sintomas que cada uma que chega ao consultório costuma apresentar (elevado grau de ansiedade, fobias etc.), a dificuldade em lidar com os comportamentos das crianças é uma queixa frequente.

Algumas famílias estão divididas entre uma educação autoritária e, algumas vezes, até punitiva e outras que se tornaram permissivas porque não querem repetir a criação que tiveram.

Os pais que levam a criação baseando-se em um estilo autoritário, em que existe a punição (física e/ou verbal) com castigos, gritos e ameaças, muitas vezes, estão reproduzindo a criação que tiveram. Escuto muitas falas do tipo: "Ah, Luana! Mas a minha mãe criou quatro filhos batendo de vara, e eu e meus irmãos somos 'pessoas de bem'! Sobrevivemos." E o meu questionamento para essas falas é: por que sobreviveu acha aceitável essa violência? Não deveríamos precisar usar a palavra "sobreviver" em nenhuma fase da vida, principalmente na infância.

Se pararmos para refletir, em nome do "bem", tratamos a criança mal e esperamos que ela nos escute e coopere mesmo quando agimos com desrespeito. Quando digo "mal", me refiro às punições e a tudo que fere a dignidade da criança. De acordo com Miller (2006, p.11), "não é possível atingir a paciência e a generosidade pela compreensão racional. É preciso ter clareza das faltas da própria infância; caso contrário, continuaremos a disseminá-la."

Acredito que precisamos parar de romantizar a violência e começar a refletir o que está por trás da fala "apanhei e não morri!". Só assim vamos começar a entender o real sentido por trás desse discurso, até mesmo, orgulhoso e perceber que essa pode ser, por exemplo, uma defesa para a nossa vulnerabilidade.

Recebo várias mensagens por semana nas redes sociais de pais perguntando o que fazer em vez de colocar de castigo ou ameaçar a criança, o que mostra que, na verdade, muitas pessoas não sabem como fazer de outra forma.

As dúvidas sobre a criação dos filhos são constantes, por exemplo: é certo tirar o brinquedo preferido quando ele bate no irmão mais novo? Como conseguir educar com respeito quando o sangue ferve? Considero que esse interesse em saber o que fazer no momento do mau comportamento é o início de uma reflexão importante para repensar a forma tradicional de educar.

Se fizermos uma breve retrospectiva histórica, vamos recordar que uma das funções sociais da família era educar as novas gerações seguindo seus hábitos, repetindo os mesmos padrões de criação e, muitas vezes, sem refletir sobre as formas de educar.

Então, o que fazer diante dessas questões, uma vez que "filhos não vêm com manual de instruções"? Eu gostaria muito de escrever neste capítulo uma fórmula mágica parecida com aquelas que costumo ler para as crianças no *setting* terapêutico, mas elas não existem aqui fora.

Na minha experiência com as famílias, tenho observado que trabalhar questões da própria infância e buscar orientação é um caminho que tem trazido muitos benefícios para os pais que se propõem a elaborar os sentimentos, as interações e os vínculos estabelecidos quando criança. Essa experiência explica diversas atitudes na relação com nossos filhos, principalmente aquelas reações desproporcionais que podem ter a ver com situações negativas e/ou questões pendentes. Todo sistema familiar traz vivências tanto positivas quanto negativas, e cabe a nós identificá-las, acolhê-las e reproduzir apenas as desejáveis.

Segundo Gutman (2020, p.10), "não se pode começar pela frase 'como ser uma boa mãe'. Primeiro, temos de investigar o que aconteceu em nossa infância".

Quando nos permitimos entrar em contato com as emoções da infância, normalmente aparecem desconfortos, tristezas, faltas, sensação de não pertencimento etc. Esse caminho de conexão com a criança interior nem sempre é fácil, algumas vezes será necessário materná-la e oferecer para ela o seu amor.

Trabalhar a própria infância é o ponto de partida para conseguir responder a muitas das dificuldades do responsável com relação à criação dos filhos. Reconhecer as necessidades da própria infância ajuda a reconhecer também as das crianças, permitindo olhar o mundo pelas lentes dela.

"Não podemos restringir a parentalidade à gestação e ao nascimento de um filho, já que as identificações feitas na infância influenciam e determinam a forma como cada um de nós poderá exercitar a parentalidade" (ZORNIG, 2010, pp. 456 e 457).

No curso *Amor em Ação*, criei uma ferramenta chamada "Lembranças", que é dividida em dois momentos: o primeiro é ajudar os pais a recordarem a infância para, em seguida, acolher a criança interior.

No primeiro momento da ferramenta, trabalhamos os seguintes tópicos:

- Qual era minha brincadeira preferida? _____
- Preferia brincar sozinho ou acompanhado? _____
- Era mais retraído ou extrovertido? _____
- Qual sabor preferido de sorvete? _____
- Comida preferida: _____
- Cor preferida: _____
- Um momento maravilhoso: _____

- Um momento desafiador: _____
- Uma frustração: _____
- Uma vergonha: _____
- Um sonho: _____
- Um medo: _____
- Sentia-se triste quando: _____
- Sentia-se feliz quando: _____
- Um presente preferido: _____
- Tinha animal de estimação? Qual o nome? _____
- Profissão que sonhava em ser quando crescer? _____
- Nome de 3 amigos da infância: _____
- Algo que sua família fazia que você adorava: _____
- Férias preferida: _____
- Uma característica sua na época da escola: _____
- Matéria preferida da escola: _____
- Nome de uma professora: _____

No segundo momento, após trazer as memórias da infância, é hora de acolher a sua criança interior escrevendo uma carta terapêutica para ela. Para essa atividade, separe a sua foto favorita da infância, de preferência uma em que esteja sozinho(a). Escolha um lugar tranquilo, onde não será incomodado durante a atividade. Olhe para a sua foto, procure conectar-se com aquela criança, com aquele momento, e acolha-a escrevendo todos os sentimentos que provavelmente aparecerão. Você pode usar essa oportunidade para agradecer os bons momentos que a sua criança interior viveu e, mesmo aqueles que não foram tão positivos assim, será hora de acolhê-los, oferecendo o seu melhor para "ela", o seu amor, o seu respeito e, se for preciso, o seu perdão. Independentemente da idade que temos, a criança que um dia fomos ainda vive e influencia a nossa vida, quanto mais amor e atenção nossa criança interior receber, mais saudável emocionalmente seremos.

Carta terapêutica para minha criança interior:

_____
_____
_____
_____
_____
_____
_____
_____
_____
_____

De acordo com Groisman (2012, p. 33), "as relações que estabelecemos com a família na qual nascemos são as mais importantes da nossa vida e vão representar a base de nosso comportamento futuro" (*apud* Martini, 2016, p. 6).

Depois de relembrar sua infância e acolher a sua criança interior, é hora de falar sobre as pessoas que fizeram parte da sua história de vida, os seus pais ou cuidadores. O objetivo dessa ferramenta é ajudar a perceber, por meio das recordações, como muitas das atitudes que nós temos com os nossos filhos vêm do tipo de criação que tivemos com nossos pais, e com isso começar a pensar em possibilidades de fazer diferente, se esse for o caso.

Sobre nossos pais:

- Quem era minha mãe na minha infância?
- Quem era meu pai na minha infância?
- Como meus pais expressavam afeto?
- Como meus pais expressavam raiva?
- Como meus pais expressavam tristeza?
- Quem era mais presente nas brincadeiras?
- Um aspecto positivo e negativo que minha mãe me influenciou.
- Um aspecto positivo e negativo que meu pai me influenciou.
- Uma atitude que minha mãe tenha tomado que hoje, como adulto, considero equivocada.
- Uma atitude que meu pai tenha tomado que hoje, como adulto, considero equivocada.
- Qual foi o maior ensinamento que meu pai me deu?
- Qual foi o maior ensinamento que minha mãe me deu?

Em seguida, é hora de identificar os sentimentos que ficaram da sua infância. O objetivo é tornar consciente os padrões de criação e os tipos de conexões que você vivenciou quando criança e dessa forma auxiliar no exercício da parentalidade. De acordo com Siegel e Hartzell (2020, p. 14), compreender os acontecimentos no começo da nossa vida melhora a nossa comunicação e contribui para maior segurança nas relações com os filhos. Por isso, gostaria de propor essa última ferramenta, para terminarmos este capítulo tendo maior conhecimento sobre as relações referenciais da infância.

Termômetro da conexão familiar

- Que tipo de relacionamento eu tinha com a minha mãe?

( ) Respeitoso, afetuoso, com muito diálogo e com limites seguros que não machucam, sem violência. (3 pontos)

( ) Permissivo e afetuoso, mas sem muito diálogo nem limites. Sensação de que podia fazer o que quisesse. (2 pontos)

( ) Rígida, quase não tinha diálogo, relação controladora e com poucos momentos de afeto. (1 ponto)

- Que tipo de relacionamento eu tinha com o meu pai?

( ) Respeitoso, afetuoso, com muito diálogo e com limites seguros que não machucam, sem violência. (3 pontos)
( ) Permissivo e afetuoso, mas sem muito diálogo nem limites. Sensação de que podia fazer o que quisesse. (2 pontos)
( ) Rígida, quase não tinha diálogo, relação controladora e com poucos momentos de afeto. (1 ponto)

- Você tinha um relacionamento de confiança com sua mãe?

( ) Mais ou menos (2 pontos)
( ) Sim (3 pontos)
( ) Não (1 ponto)

- Você tinha um relacionamento de confiança com seu pai?

( ) Mais ou menos (2 pontos)
( ) Sim (3 pontos)
( ) Não (1 ponto)

- Sentia-se seguro para tomar decisões baseadas no apoio dos seus pais?

( ) Nunca (1 ponto)
( ) Poucas vezes (2 pontos)
( ) Grande parte das vezes (3 pontos)

- Nos momentos de medo e tristeza procurava por seus pais?

( ) Grande parte das vezes (3 pontos)
( ) Poucas vezes (2 pontos)
( ) Nunca (1 ponto)

- Recebia consolo nas situações desafiadoras?

( ) Nunca (1 ponto)
( ) Poucas vezes (2 pontos)
( ) Grande parte das vezes (3 pontos)

- Como era a condução dos limites dados a você?

( ) Com conversa e exemplos (3 pontos)
( ) Com palmadas (1 ponto)
( ) Com gritos (1 ponto)
Total ( )

Confira o resultado a seguir:

• Abaixo de 16 pontos: gostaria que os pais tivessem passado mais segurança, vivenciou muitas situações de conflitos e se viu sem opção de escolhas algumas vezes, gostaria de ter sido mais respeitado.

- Entre 17 e 20 pontos: apesar da relação agradável que estabeleceu com a família, gostaria que alguns momentos tivessem sido diferentes, devido à inconsistência na forma de educar, existia afeto, mas pouca orientação.
- A partir de 20 pontos: grande parte das vezes vivenciou uma relação positiva, provavelmente cresceu se sentindo seguro, respeitado e acolhido.

Todos nós vivemos situações boas, ruins e algumas mais desafiadoras do que outras quando criança. O importante é saber que, ao ter clareza delas, podemos ressignificá-las, quebrar o ciclo da "sobrevivência", do desamparo e até mesmo da permissividade e começar a construir relações mais profundas e respeitosas com as crianças.

Aproveite para pensar nas lembranças que gostaria de deixar para o(s) seu(s) filho(s).

Referências

GUTMAN, L. *O que acontece na infância e o que fizemos com isso*. 5. ed. Rio de Janeiro: Best-Seller, 2020.

MARTINI, G. Quando a minha criança interior ferida encontra a sua... Revisitar a infância para compreender os relacionamentos. *Temas em Educação e Saúde (Themes in Education and Health)*, Araraquara, v. 12, 2016. DOI: 10.26673/tes.v12i0.9811. Disponível em: <https://periodicos.fclar.unesp.br/tes/article/view/9811>. Acesso em: 22 abr. de 2021.

MILLER, A. *No princípio era a educação*. São Paulo: Martins Fontes, 2006.

SIEGEL, D. J.; HARTZELL, M. *Parentalidade consciente*: como o autoconhecimento nos ajuda a criar nossos filhos. São Paulo: nVersos, 2020.

ZORNIG, S. M. A. Tornar-se pai, tornar-se mãe: o processo de construção da parentalidade. *Tempo psicanal.*, Rio de Janeiro, v. 42, n. 2, pp. 453-470, jun. 2010. Disponível em <http://pepsic.bvsalud.org/scielo.php?script=sci_arttext&pid=S0101-48382010000200010&lng=pt&nrm=iso>. Acesso em: 20 abr. de 2021.

27

PUNIÇÃO X DISCIPLINA

Definir um limite entre castigo e abuso é difícil. O suposto caráter educativo pode dar lugar à agressão e os possíveis efeitos colaterais não valem à pena. Existem estratégias adequadas que estimulam a autonomia da criança com segurança. É necessário buscar equilíbrio nas atitudes educativas, encorajar o diálogo e valorizar a criança. Se informar é fundamental.

LUCIA POLITI

Lucia Politi

Graduada em Psicologia pela Universidade Estadual de Londrina (2009 - 2013). Mestra em Análise do Comportamento pela Universidade Estadual de Londrina (2014 - 2016), com pesquisa sobre punição e a Lei no 13.010 de 26 de Junho de 2014, popularmente conhecida como Lei da Palmada ou Lei Menino Bernardo. Especialista em Psicologia Forense e Jurídica (2016 - 2017). Psicóloga clínica.

Contato
luciapoliti.psi@gmail.com

Costuma ser difícil questionarmos a eficácia da palmada ou dos castigos de forma geral, porque são reconhecidos em nossa cultura como formas de educar legítimas e aplicadas há incontáveis gerações.

A Organização Mundial de Saúde (OMS) define a violência como o uso de força ou poder, em forma de ato ou ameaça, contra si, outra pessoa ou grupo, que resulte ou possa resultar em prejuízo, morte, danos psicológicos, problemas no desenvolvimento ou privação (WHO, 2002). As punições educativas mais comuns (palmadas, beliscões, gritos) são, portanto, formas de violência, ainda que possam ser brandas.

Definir um limite claro entre o que é castigo físico e o que é abuso é bastante difícil. O nível de estresse dos pais, por exemplo, é um fator de risco para utilizarem castigos mais intensos contra a criança, mesmo que para punir pequenas infrações. Nesses casos, o suposto caráter educativo do castigo físico desaparece, dando lugar à falta de autocontrole e à agressão (WEBER *et al.*, 2004). A violência é um *continuum* de práticas de punição física e/ou psicológica, o que coloca o castigo e o abuso em pontos diferentes de uma mesma escala (SIMMONS *et al.*, 1991).

Disciplinar não é punir, mas corrigir os comportamentos inadequados, ensinar os adequados, estabelecer limites e ajudar a criança a desenvolver autocontrole, autoestima e autonomia (SIMMONS *et al.*, 1991). Para isso, é interessante entender minimamente como o comportamento humano funciona.

Uma das coisas mais importantes que regem o comportamento são as regras. Temos o comportamento aprendido pela experiência (não coloco a mão no fogo porque já o fiz uma vez e me queimei) e aquele aprendido por meio de regras, ensinadas por outras pessoas, o que permite nos beneficiar das experiências das outras pessoas e não repetir os mesmos erros.

A regra coloca uma condição: "se x, então y". Se colocar sua mão no fogo, você se queimará. As regras para a criança devem ser claras, coerentes e não excessivamente rígidas. Dê opções dentro de uma regra que não pode ser evitada ou adiada, como: "você quer tomar banho de chuveiro ou de bacia?". Dessa forma, há um estímulo à autonomia, além de poder tornar o momento mais prazeroso. Ademais, quando a criança "compreende o motivo" de uma regra, ela tende a ser mais cooperativa.

Quando as regras são desobedecidas, existem consequências, geralmente punições. A punição é a forma mais comum de controle do comportamento utilizada na vida moderna (SKINNER, 2003), com o intuito de reduzir a tendência dos indivíduos punidos (e dos que presenciam a punição) de voltarem a se comportar da maneira indesejada.

Seu primeiro efeito é imediato: diminuir ou interromper o comportamento que está ocorrendo no momento. No entanto, estudos diversos já demonstraram que no longo prazo a punição não serve para **eliminar** o comportamento inadequado e seus efeitos temporários trazem custos altos no bem-estar geral do indivíduo punido (SKINNER, 2003). O que acontece, na verdade, é que a pessoa deixa de se comportar de determinada maneira para "evitar a punição". Viver sob o medo de ser punido é muito desgastante. Outro ponto é que a pessoa punida pode parar de se comportar dessa forma **somente** na presença daquele que a pune.

Outros achados científicos incluem: a) quando se evita a punição muito repetidamente, o comportamento de evitar a punição acaba perdendo força e o comportamento punido ressurge; b) na melhor das hipóteses, a punição ensina apenas o que *não* fazer; c) podem ocorrer episódios de agressão induzida por punição, mesmo que não cause dor física, além de depressão, inflexibilidade intelectual e/ou emocional, comportamentos autodestrutivos, medo, ansiedade, raiva, frustração, maior risco de baixo desempenho escolar, abuso de drogas, sexo inseguro, tentativas de suicídio, desenvolvimento de personalidade hostil, conduta infracional ou antissocial, comportamento desafiador, envolver-se em *bullying* como vítima ou vítima-agressora.

Sidman (1995), estudioso do tema, diz que "a punição é o método mais sem sentido, indesejável e mais fundamentalmente destrutivo de controle da conduta". Seu uso costuma ocorrer em ciclos repetitivos, com grande probabilidade de aumento da intensidade e/ou surgimento de novas formas de agressão.

No que tange à punição enquanto técnica educativa, também precisamos refletir sobre o possível conflito moral gerado na criança (WEBER *et al.*, 2004). Se ensinamos que ela não pode bater e gritar, por que nós podemos bater nela e gritar com ela? Segundo Weber *et al.* (2004), o uso de punição corporal não só é repreensível cientifica, como também eticamente. Se agredir outro adulto ou mesmo um animal é crime, por que é aceitável que um adulto agrida uma criança? Nós somos responsáveis pela proteção **integral** de nossas crianças e adolescentes.

Pais (ou cuidadores) podem ser autoritários, permissivos ou autoritativos (BAUMRIND, 1971). Os autoritários tendem a controlar o comportamento da criança, seguindo um conjunto mais rígido de regras de conduta e valorizando a obediência e o respeito pela autoridade, frequentemente com medidas punitivas mais fortes e desincentivo ao diálogo. Os permissivos são os que acabam acatando os desejos e impulsos da criança, sem exigir muita responsabilidade. Os autoritativos, por sua vez, são aqueles que tentam encontrar equilíbrio e costumam direcionar as atividades da criança de forma mais racional e objetiva, além de encorajar o diálogo e a autonomia. Explicam aos filhos os motivos de poderem ou não agir de certa forma, valorizam as qualidades da criança, estabelecem padrões esperados para o comportamento futuro e exercem controle firme, mas sem exageros.

Estabelecendo alguns **pilares** poderemos reduzir o uso de punições como práticas educativas:

- Disciplina positiva: precisamos reforçar o comportamento adequado (o que não significa dar recompensas). O reconhecimento e reforço dos comportamentos adequados da criança devem ocorrer de forma sistemática, frequente e consistente;
- Estabelecimento de regras e limites: a criança precisa ter conhecimento do que é esperado dela. As regras devem ser lógicas e consistentes, explícitas e explicadas à

criança. Também relembradas quando necessário. É mais fácil respeitar aquilo que faz sentido para a gente do que algo que parece absurdo;
• Supervisão: crianças precisam de supervisão constante e isso é inquestionável. Precisamos supervisionar para garantir o desenvolvimento e a segurança da criança, mas sem sufocar, respeitando e estimulando sua autonomia e autoestima;
• Modelos: não dá mais para usar a política do "faça o que eu digo, não faça o que eu faço". Como posso exigir que meu filho resolva seus problemas pacificamente, se eu resolvo os meus com gritos e agressões físicas ou verbais? Crianças aprendem muito apenas por observação e imitação;
• Interrupção de comportamentos inadequados e/ou arriscados: quando a criança der tapas, socos, arremessar objetos no chão ou em alguém e outras atitudes desse tipo, precisamos interromper para que ninguém se machuque, primeiramente. Em segundo lugar, a idade da criança é um fator importante, porque crianças muito pequenas ainda não conseguem entender conceitos de causar dor ou tristeza ao outro, estragar objetos etc. Então, **adeque as expectativas à realidade**. Repita quantas vezes precisar: "ele não entende, não faz para machucar, eu sou o adulto aqui". Interrompa o comportamento, explique e ensine por que é inadequado e redirecione para o que é adequado. Por exemplo: "bater não, porque faz dodói, com a mão a gente faz carinho" (e mostra como). "Morder não, com a boca a gente manda beijinho"; "Assim pode quebrar e se quebrar não teremos mais o brinquedo, pegue com cuidado, assim...";
• Desenvolvimento da empatia: a empatia depende do amadurecimento da criança, mas desde muito cedo é importante estimular seu desenvolvimento. Quando a criança bate em um coleguinha, mostre quais consequências isso teve no outro. Se chorou, machucou, doeu. Explique que não é legal e pergunte a ela como se sentiria se fosse o contrário. Pode utilizar algum evento recente em que a criança tenha se machucado ou sentido dor para ilustrar. Incentivar a reparação do erro (cuidar do amiguinho, ajudar com o dodói) é uma ótima forma não apenas de estimular a empatia e a reflexão sobre os próprios atos, mas é um belo e mais apropriado substituto aos castigos que comumente não têm a menor relação lógica com o comportamento punido;
• Reconhecimento e aceitação dos sentimentos da criança: acolher a criança nos seus momentos de tristeza e raiva é importante, tanto para que ela aprenda a conhecer e nomear suas emoções quanto para que aprenda a lidar com elas. Isso não é "mimar", e sim validar o sentimento alheio. Não significa deixar fazer o que quer porque está com raiva. Por exemplo, perguntar como a criança está se sentindo ou dizer: "Você parece bravo, está com raiva? Tudo bem, eu também fico com raiva às vezes, mas bater faz dodói. Vamos tentar nos acalmar de outra forma?". Vale sugerir bater em uma almofada, morder um bichinho de pelúcia, procurar uma distração que mude o foco, ir a algum lugar da casa onde se sinta melhor. Interrompa o comportamento inadequado no momento e ofereça soluções adequadas para que a criança se acalme. Depois, com ela calma e em momento oportuno, converse sobre o ocorrido, explique o que for necessário, diga que quando ela estiver brava ou triste pode pedir a ajuda de um adulto em quem confia. No entanto cuidado

para não fazer um estardalhaço e dar mais atenção do que o necessário à situação e evite explicações muito longas. Sem sermão, humilhação, castigo ou revides;
• Rotina: existir uma rotina relativamente previsível é fundamental para que a criança se sinta segura, confortável e capaz de atingir às expectativas dos adultos para com ela. Deixe claro o que é possível flexibilizar (e como) e o que não é. Ofereça a oportunidade de escolhas (limitadas), como: "você quer tomar banho de chuveiro ou de bacia?", "quer que eu te ajude ou só acompanhe?". Avise com antecedência, sempre que possível, por exemplo: se a criança deverá parar de brincar no horário *x*, busque avisar algumas vezes que o tempo está acabando. Não a surpreenda com a interrupção repentina. Também avise com antecedência sobre as atividades que a criança não gosta, mas precisará participar;
• Ludicidade: as crianças tendem a ser mais cooperativas quando tornamos as atividades mais divertidas. Quando for possível, tente incluir ludicidade na rotina;
• Informação: existe muito conhecimento de qualidade gratuito ou a preços acessíveis. Leia, participe de minicursos, assista a palestras. E não se esqueça de sempre verificar a fonte de onde vem a informação.

Ninguém é perfeito nem consegue colocar essas estratégias em prática o tempo todo. É um treino contínuo, mas que vale a pena. E sempre, sempre, esforce-se para lembrar que, na educação de crianças, as palavras de ordem são **paciência**, **persistência**, **consistência** e **equilíbrio**.

Referências

BAUMRIND, D. Current patterns of parental authority. *Developmental Psychology Monograph*, v. 4, n. 1, 1971, part 2.

CARVALHO, M. C. N.; GOMIDE, P. I. C. Práticas educativas parentais em famílias de adolescentes em conflito com a lei. *Estudos de Psicologia*, v. 22, n. 3, 2005.

ESTES, W. K. An experimental study of punishment. *Psychological Monographs*, v. 57, n. 3 (263), 1994.

FELITTI, V. J. *et al.* Relationship of childhood abuse and household dysfunction to many of the leading causes of death in adults: the adverse childhood experiences (ACE) Study. *American Journal of Preventive Medicine*, v. 14, n. 4, 1998.

GALLO, A. E.; WILLIAMS, L. C. A. Adolescentes em conflito com a lei: uma revisão dos fatores de risco para a conduta infracional. *Psicologia: Teoria e Prática*, v. 7, n. 1, 2005.

PADOVANI, R. C.; WILLIAMS, L. C. A. Histórico de violência intrafamiliar em pacientes psiquiátricos. *Psicologia, Ciência e Profissão*, v. 28, n. 3, 2008.

PINHEIRO, F. M. F.; WILLIAMS, L. C. A. Violência intrafamiliar e intimidação entre colegas no ensino fundamental. *Cadernos de Pesquisa*, v. 39, n. 138, 2009.

SALVO, C. G.; SILVARES, E. F. M.; TONI, P. M. Práticas educativas como forma de predição de problemas de comportamento e competência social. *Estudos de Psicologia*, v. 22, n. 2, 2005.

SIDMAN, M. *Coerção e suas implicações*. São Paulo: Editorial Psy, 1995.

SIMONS, R. L. *et al*. Intergenerational transmition of harsh parenting. *Development Psychology*, v. 27, n. 1, 1991.

SKINNER, B. F. *Ciência e comportamento humano*. 11. ed. São Paulo: Martins Fontes, 2003.

WEBER, L. N. D. *et al*. Identificação de estilos parentais: o ponto de vista dos pais e dos filhos. *Psicologia: reflexão e crítica*, v. 17, n. 3, 2004.

WEBER, L. N. D.; VIEZZER, A. P.; BRANDENBURG, O. J. *Estudos de psicologia*, v. 9, n. 2, p. 227-237.

WHO – World Health Organization. World report on violence and health. Geneva, 2002. Disponível em: <https://apps.who.int/iris/bitstream/handle/10665/42495/9241545615_eng.pdf?sequence=1>. Acesso em: abr. de 2021.

28

A NECESSIDADE DA ROTINA NA INFÂNCIA

Neste capítulo abordaremos os benefícios que a tabela de rotina proporciona para a infância, como trazer mais segurança na vida das crianças e melhorar o relacionamento entre pais e filhos. São inúmeras as vantagens e os resultados são notáveis desde a primeira semana de realização.

MARIANA BECHARA XIMENES

Mariana Bechara Ximenes

Graduada em Pedagogia, com pós-graduação em Psicopedagogia e Psicologia Infantil, Mariana também é especializada em soluções referentes aos casos de *bullying* e neurociência da adolescência. Atua na área da educação há mais de 10 anos e, atualmente, realiza diagnósticos e intervenções psicopedagógicas e psicológicas de crianças e adolescentes com dificuldades emocionais e distúrbios de aprendizagem. Com o objetivo de melhorar a relação entre pais e filhos, divulga seus conhecimentos e experiências por meio de vídeos para o YouTube, em que comenta temas como depressão infantil, a idade certa de colocar os filhos na escola, a importância das amizades, entre outros.

Contatos
psicomarianabx.com.br
psicomarianabx@gmail.com
Facebook: psicomarianabx
Instagram: psicomarianabx
YouTube: Educação, saber e saúde mental
11 98133 7798

Muitas vezes, quando estamos lidando com a infância, é comum escutarmos afirmações como: "As crianças pequenas não precisam necessariamente de uma rotina ou de regras nessa idade", certo?

Errado. Por incrível que pareça, a rotina é muito importante para o desenvolvimento da criança, do adolescente e até mesmo do adulto.

Manter uma rotina deixa a criança menos ansiosa e mais organizada, além de trazer segurança e autonomia para a sua vida. Os pequenos melhoram a capacidade de desenvolver o aprendizado e se tornam mais calmos ao saberem a próxima atividade do seu dia.

Imagine só, em uma segunda-feira qualquer, você se levanta e começa os preparativos para o seu dia. Um tempo depois, se dá conta de que a criança ainda não saiu da cama ou está brincando no quarto. Você, então, começa a se atrasar e a hora de sair de casa vira uma bagunça.

A partir daí, o dia já ficou confuso: crianças atrasadas para escola, refeições em horários desordenados, banho fora de hora, sono desregulado e, quando você menos percebe, tudo está um caos. Os pais se sentem frustrados e cansados, e as crianças se tornam mais manhosas e choronas, buscando atenção a todo momento. A energia da casa fica sobrecarregada e o sentimento de impotência cresce a cada dia. Mas calma, nem tudo está perdido.

Para ajudar a família a lidar com essa situação e melhorar a qualidade de vida de cada um, é necessário organizar os horários e fazer alguns combinados para que a convivência familiar se torne mais leve e prazerosa.

É importante lembrar que, mesmo com a rotina, os pais precisam supervisionar e orientar as atividades das crianças. Se estiverem trabalhando a autonomia, por exemplo, a criança poderá escolher a roupa que vestirá no seu dia, porém caberá aos pais dizerem se a roupa está adequada ao tempo e ao ambiente. Afinal, trabalhar a autonomia é muito importante e necessário, mas a base estrutural da criança se fundamenta a partir dos pais ou responsáveis, que têm a função de moldar a concepção dela sobre o mundo dia após dia.

Tarefas domésticas por idade

Para criar uma rotina infantil, é necessário planejar. Devemos lembrar que a rotina muda de acordo com a idade, então, o primeiro passo é entender quais atividades a criança já pode realizar.

Seguem algumas dicas por idade:

- Crianças de 2 a 3 anos: guardar os seus brinquedos, tirar o prato da mesa após as refeições e colocar as roupas sujas no cesto;
- Crianças de 4 a 6 anos: arrumar a própria cama, regar as plantas e alimentar os *pets*;
- Crianças de 7 a 10 anos: recolher as roupas do varal, colocar a mesa das refeições e passar o aspirador de pó;
- Crianças a partir de 11 anos: trocar roupa de cama, preparar lanches rápidos e ajudar a cuidar de irmãos mais novos (com supervisão).

Mesmo que as atividades feitas pelos pequenos não sejam realizadas com perfeição, deve-se sempre elogiá-los e engrandecer o ato realizado, demonstrando que aquilo que eles fizeram é muito importante dentro do contexto familiar colaborativo.

A partir da incorporação dessas tarefas, a criança começa a conhecer a dinâmica familiar, organizar melhor seu tempo e espaço, desenvolver habilidades motoras e cognitivas, além de diminuir sentimentos como ansiedade, solidão e estresse.

Após entender quais atividades domésticas a criança pode realizar de acordo com cada idade, é importante entender os benefícios dos horários fixos.

Sono

Ter horários fixos para acordar e para dormir ajuda a regular as emoções, melhora a aprendizagem e auxilia o crescimento. Quando a criança não segue esses horários à risca, ela apresenta alterações de humor, como irritação e agressividade, além de perder o foco facilmente por não conseguir se concentrar.

Alimentação

O estabelecimento de horários fixos para as refeições das crianças ajuda no metabolismo e proporciona momentos em família que serão fundamentais para o seu desenvolvimento. Quando os horários estão desregulados, a criança começa a se alimentar na hora errada e acaba incorporando à sua dieta produtos industrializados e gordurosos, que podem gerar sobrepeso e diminuir o rendimento escolar.

Estudo

Criar uma rotina de estudos auxilia no desenvolvimento do sistema cerebral da criança. O corpo tem seu relógio biológico e o cérebro associa que, naquele momento específico, há uma grande necessidade de concentração. Além disso, a rotina ajudará a criança a entender em qual matéria ela tem mais facilidade, melhorar a organização e desenvolver a autonomia.

Brincar

É importante destacar o quão construtivo e fundamental é o ato de brincar. A brincadeira ajuda a criança na socialização, a entender melhor os seus sentimentos, a ter mais coragem de explorar lugares novos, a aprender a ter cuidado consigo e com os outros, bem como resolver pequenos problemas sozinha. É a partir da diversão que a criança começa a compreender o mundo à sua volta, aprender regras e praticar atividades físicas. Demonstram por meios lúdicos os seus medos e até mesmo as situações vivenciadas nos últimos dias. Uma criança que brinca de faz de conta, por exemplo, revela em suas brincadeiras atitudes vivenciadas em casa, na escola e com os colegas. Além disso, brincar é um direito garantido das crianças pela Constituição Federal e pelo Estatuto da Criança e do Adolescente (ECA), sendo um momento essencial na rotina das crianças. Se a criança é privada de brincar, ela não cria, não socializa e não aprende, por isso é importante incluir as brincadeiras na rotina da família.

Momento de leitura

Se uma criança ler ou ouvir uma história todos os dias antes de dormir, ela se sente mais relaxada e tem um sono mais tranquilo. A leitura estimula a criatividade e ajuda a criança na construção do pensar, falar, aprender e se relacionar. Quando a criança não tem livros, revistas ou gibis como entretenimento, acaba dando preferência para *tablets*, celulares e computadores, emissores de luz azul, bastante prejudicial no período noturno.

Momento de não fazer nada

Sim, esse momento existe e é de grande importância para as crianças. A falta desse momento é um dos principais motivos do crescimento do índice de ansiedade infantil nos últimos tempos. Hoje, as crianças estão acostumadas a não saber esperar, elas têm sempre muitas atividades, como futebol, balé, natação, inglês, artes marciais, reforço escolar, entre outras. Sendo assim, é necessário que a criança aprenda a canalizar a ansiedade em si mesma, sem o apoio de objetos como *tablet*, celular, televisão, brinquedos etc.

A rotina escolar como complemento da rotina familiar

A rotina escolar também é importante, pois complementa a rotina familiar e vice-versa. É indicado procurar escolas que priorizem a incorporação de uma rotina na educação infantil, com divisão do tempo entre atividades lúdicas, tarefas, alimentação e recreação.

As escolas que priorizam essa rotina conseguem trabalhar de maneira conjunta com os pais, que também participam dessa rotina e permitem aos professores perceberem com mais clareza mudanças de comportamento das crianças, que podem indicar algum problema de saúde e/ou psicológico.

A criança se adapta aos horários e entende qual atividade pode ou não ser realizada em um momento específico. Automaticamente, elas organizam os seus pensamentos e desenvolvem tarefas importantes, aproveitando o tempo da melhor forma possível.

Criação da tabela de rotina

Após entender sobre a importância da rotina, chegou a hora de organizar uma tabela para os pequenos. A tabela de rotina é um elemento visual que guia as crianças no dia a dia.

Quando a criança ainda é muito pequena, é necessário que os pais imprimam figuras de atividades para a criança colorir (Exemplo I). Se a criança for maior, ela poderá cortar quadradinhos de papel sulfite e desenhar a si mesma realizando as atividades diárias (Exemplo II).

Exemplo I

| Acordar | Tomar café da manhã | Escovar os dentes | Brincar |

Fonte: shutterstock.com

Exemplo II

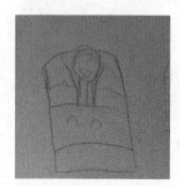

| Acordar | Tomar café da manhã | Escovar os dentes | Brincar |

Fonte: Fotos cedidas pela Escola de Educação Infantil Cantinho do Saber, Osasco.

Após a impressão e/ou realização do desenho e da pintura, é importante colocar os horários de cada atividade. Esses horários não se aplicam exclusivamente à criança, pois devem ser sincronizados com os horários dos pais ou responsáveis, para que supervisionem e auxiliem na realização das atividades. Sendo assim, se o horário da criança jantar é às 20h, por exemplo, os pais precisam estar em casa para ajudá-la e supervisioná-la. Sem eles, essa tarefa provavelmente não poderá ser cumprida.

Além disso, é necessário que os pais ou responsáveis montem essa tabela com as crianças, pois a tabela deve ficar com o jeito dos pequenos, da cor e do formato que eles quiserem, proporcionando um incentivo extra para a realização das atividades.

Materiais necessários

- Cartolina ou E.V.A.;
- Lápis de cor;
- Caneta hidrográfica;
- Cola;
- Tesoura;
- Fita dupla face;
- Papel sulfite;
- Impressora (se necessário).

Montagem

A tabela pode ser montada de várias formas, assim, a criança, junto aos pais, pode usar a imaginação na hora de criá-la. Deve ser fixada em um local da casa de fácil visualização da criança. Seguem exemplos:

Fonte: Fotos cedidas pelo Consultório de Psicopedagogia e Psicologia Infantil, Mariana Bechara Ximenes - Osasco

Premiação: reforço positivo ou material

O reforço positivo é usado por pais, professores e profissionais da área da educação, com o objetivo de estimular um ou mais comportamentos da criança.

Apesar de existirem opiniões muito variadas sobre o assunto, quando usado corretamente, traz benefícios para a criança e seu aprendizado.

Precisamos entender que existem dois tipos de reforço: o positivo e o material.

O reforço positivo é a recompensa emocional que os pais dão para as crianças em forma de beijos, abraços e sorrisos. Também pode vir em forma de atividades que a família realiza junto, por meio de jogos, brincadeiras, culinária, criação de brinquedos novos com material reciclado etc. Esse tipo de recompensa pode ser usado na tabela de rotina e traz resultados positivos para a criança.

O reforço material é a recompensa material pelas atividades realizadas, premiando cada resultado positivo com um brinquedo ou um presente. Apesar de funcionar em um primeiro momento, no longo prazo pode trazer resultados negativos na conduta da criança, pois corre-se o risco de a criança valorizar o presente em si e não as atividades realizadas. Além disso, a criança poderá usar de chantagem no momento de uma atividade, só a realizando se ganhar algo em troca.

Muitas vezes esses dois reforços se confundem e acabam desviando o foco sobre o objetivo principal da rotina.

As recompensas materiais se tornam menos gratificantes para a criança no longo prazo, já as recompensas afetivas (o reforço positivo) são mais eficazes no desenvolvimento de suas habilidades e, principalmente, no seu emocional. Sendo assim, é indicado o uso da recompensa emocional para incentivar a criança na realização da tabela de rotina, à medida que auxilia a criança na prática de atitudes positivas, incentiva a autoestima e melhora a relação entre pais e filhos.

29

MANHAS, BIRRAS E ATAQUES DE NERVOSISMO: COMO LIDAR?

Crises de raiva na hora de ir para cama ou para a escola e ataques de choro antes de comer ou para sair do parquinho deixam os pais exaustos e estressados. Vamos explorar o motivo pelo qual esse comportamento acontece e como podemos minimizar os impactos, ensinando às crianças como lidar com os momentos de descontrole emocional, usando a abordagem da Disciplina Positiva.

MARIANA LIMA

Mariana Lima

Psicóloga graduada na FUMEC/MG, em 2004, com MBA em Gestão Estratégica de Pessoas na mesma instituição, em 2012. Certificação internacional em *Professional & Self Coach* pelo IBC, em 2018; *Practioner* PNL pelo Instituto Tera, em 2020; formação em *Kid Coach* pelo Instituto de Crescimento Infantojuvenil (ICIJ), em 2020; certificada como Educadora Parental, Disciplina Positiva na Escola e na Sala de Aula pela PDA (*Positive Discipline Association* – USA). Cursando Especialização em Neurociências, Educação e Desenvolvimento Infantil na PUC/RS. Mentora e *Coach* Parental, ministra cursos de Educação Parental e Como Lidar com as Birras. Tem 10 *e-books* escritos sobre Educação Consciente e lançou o Caderno de Atividades das Emoções para crianças na Literare Kids, em 2021.

Contatos
www.educarconsciente.com.br
contato@educarconsciente.com.br
Instagram: @educarconscienteoficial
31 98859 5740

Primeiramente, é importante ressaltar que a birra faz parte do desenvolvimento da criança.

Muitas mães e pais me procuram preocupados com seu filho de 1 ano que bate no pai e joga os brinquedos no chão. Isso, na visão deles, é uma afronta.

Segue uma novidade para você: não é. Nessa fase, é completamente normal e esperado que a criança teste os limites e arremesse brinquedos. Não existe uma criança que não passará por essa fase de aprendizado. O cérebro da criança está fazendo milhares de conexões a cada minuto e se desenvolve muito rápido. Porém o cérebro ainda é imaturo e, até os 12 anos, as crianças não são capazes de se controlar emocionalmente.

Quando as birras começam

As birras começam quando a criança testa os limites. Elas querem ter autonomia e não entendem por que não podem ter o que querem na hora em que querem.

Os pais, muitas vezes, já sufocados com demandas profissionais, de casa e da criança, se irritam e tentam medir poder ou controlar a criança a agirem da forma como eles querem. Aí começa a grande batalha, pois a criança não obedece. Então, começa a disputa de "vamos ver quem grita mais alto" ou "você vai me obedecer".

Em outros casos, os pais estão tão esgotados que acabam cedendo rapidamente aos gritos dos pequenos.

O que ensina à criança que, com teimosia, ela consegue o que quer.

Um sentimento chamado raiva

Todos nós temos muitos sentimentos que expressamos diariamente. Um deles é a raiva.

As crianças também experimentam a irritação, a raiva e o medo. E na birra a raiva é intensificada, pois o pequeno não conseguiu o que queria e não sabe se controlar emocionalmente sozinho.

Como lidar com a birra e com a raiva?

Interessante que se aprendermos a nos autocontrolar quando crianças, no futuro saberemos lidar melhor quando a raiva se instalar. Nesse caso, o adulto já terá aprendido a ter autocontrole e pode utilizar técnicas que minimizem o impacto interno desse sentimento.

Por outro lado, quando as crianças não aprendem a se autocontrolar, suprimem a raiva porque os pais não as escutam ou são autoritários e calam seus sentimentos.

Imagine a cena: uma criança de 2 anos gritando porque quer comer chocolate e a mãe puxando o chocolate de sua mão, gritando também em alto e bom som: "você não vai comer este chocolate agora. E vai se arrepender caso tente de novo!".

Nesse caso, a criança não teve nenhum aprendizado, somente obedeceu por medo. Instalou-se uma desconexão entre a mãe e o filho. E, com certeza, essa criança ficará com mais raiva e irritada, assim como esse é também o sentimento da sua mãe.

Você sabe o que acontece com o cérebro quando a criança está fazendo birra ou tendo um ataque de raiva?

Vamos falar sobre isso.

O que acontece no cérebro durante a birra

Durante a birra, o cérebro entra em seu chamado "estado primitivo". O hemisfério direito, responsável pelas emoções, assume todo o controle.

Esse estado primitivo faz com que o corpo receba a mensagem "corra ou fuja". Por isso, a criança tem comportamentos irritantes na birra: chora, grita, esperneia, corre etc. Ela está tomada pela raiva e a adrenalina não a deixa ver ou ouvir nada além dessa sensação interna.

Por esse motivo, o momento da birra não é adequado para ensinar ou dar lição de moral, já que o descontrole tomou o lugar. Muitos pais acabam entrando também no "cérebro primitivo" e se descontrolam. Nessas horas, não sabemos quem está com maior descontrole: os pais ou a criança.

É preciso entender que o adulto tem a capacidade de se autocontrolar. A criança não. Ela ainda precisa de muito amadurecimento cerebral para isso.

Conexão antes da correção

Durante uma crise de birra, abrace e acolha seu filho. Dê a ele conforto e o acalme. Deixe que o estresse passe. Diga que está ao seu lado e que o ama.

No momento em que a criança se acalmar, seu cérebro já conectou os dois hemisférios, e a lógica se instalou. Portanto, esse é o momento de ensinar como deve agir em outra situação parecida com a que causou a birra.

Fale com calma, cuide do tom de voz, fique na altura da criança, olhe nos olhos e explique que você sabe como ela se sente, pois já se sentiu assim também. Pode contar uma história em que você teve raiva.

Agindo dessa forma, estará validando seus sentimentos e a criança entenderá que está tudo bem sentir raiva às vezes, porque até a mamãe ou o papai sente.

Quanto mais você se conectar com seu filho, mais ele se sentirá à vontade para te falar como se sente.

Quando a criança cresce aprendendo como lidar com os próprios sentimentos, usará a empatia em seus relacionamentos futuros.

Os sentimentos sempre existirão, só precisamos aprender como reagir a eles.

Usando o reforço positivo como ferramenta

O reforço positivo é uma ferramenta muito poderosa para ensinar os filhos a ter mais segurança e autocontrole. Para isso, é preciso trabalhar os seguintes pontos:

- Foco no que a criança fez e não no que deixou de fazer;
- Encorajamento para que aquele comportamento se repita;
- Reconhecer cada passo dado;
- Moldar o comportamento da criança, enfatizando coisas boas;
- Direcionar para o caminho a ser seguido e visar extrair sempre o melhor.

O mau comportamento indica uma falta de conexão. Conecte-se com a criança durante a birra e verá aprendizados maiores no longo prazo.

Referências

FILLIOZAT, I.; DUBOIS, A. *Já tentei de tudo: birras, manhas e ataques de raiva: como lidar com crianças de 1 a 5 anos*. 2. ed. São Paulo: Sextante, 2018.

NELSEN, J. *Disciplina positiva: o guia clássico para pais e professores que desejam ajudar as crianças a desenvolver autodisciplina, responsabilidade, cooperação e habilidades para resolver problemas*. 3. ed. Barueri: Manole, 2015.

SIEGEL, D.; BRYSON, T. *O cérebro da criança: 12 estratégias revolucionárias para nutrir a mente em desenvolvimento do seu filho e ajudar sua família a prosperar*. São Paulo: nVersos, 2015.

SIEGEL, D.; BRYSON, T. *Disciplina sem drama: guia prático para ajudar na educação, desenvolvimento e comportamento de seus filhos*. São Paulo: nVersos, 2016.

30

PORTAIS DA PRIMEIRA INFÂNCIA

Neste capítulo buscamos entregar exercícios práticos para os portais que atravessamos na primeira infância, no intuito de fortalecer os vínculos de amor e afeto por meio dos cinco sentidos do ser humano, objetivando para o futuro a formação de adultos com autoestima e relações melhores.

MARIELE MARTINI DE LIMA BOEIRA

Mariele Martini de Lima Boeira

Graduada em Serviço Social. Especialização em Família: representações sociais e práticas profissionais. Fundadora da marca Allpa, empresa de cosméticos e produtos naturais. Formação em Programação Neurolinguística. Curso de Aromaterapia. Curso de Shantala. Atuou por nove anos no poder público entre os cargos de assistente social e gestora da Secretaria Municipal de Assistência Social e, após sair de um quadro de depressão, num ato de coragem, deixou a estabilidade para empreender, levando em consideração as ferramentas que a apoiaram, autoconhecimento, autocuidado, aromaterapia e meditação, criando assim uma linha de aromatizantes de ambiente, produzidos com óleos essenciais e uma meditação associada a cada produto. Também ministra cursos on-line voltado para famílias.

Contatos
www.allpanatural.com.br
marielemboeira@gmail.com
allpanatural@gmail.com
Instagram: @mariele.boeira / @allpanatural
Facebook: mariele.boeira / allpanatural
55 99716 0606

> *Quando você convida uma alma para entrar em sua vida ao conceber um bebê, você está assumindo uma responsabilidade sagrada de amar e nutrir um impulso divino se manifestando sob forma de humanidade. Todos nós somos expressões desse mesmo campo unificado de existência, do modo que criar uma criança é, em última instância, criar outra manifestação de nós mesmos.*
> CHOPRA *et al.*, 2006.

Portais da vida

Muito se fala sobre a primeira infância nos primeiros anos de vida, mas em que momento realmente ela se inicia?

Chopra e Simon dizem que os aprendizados da vida de um bebê se iniciam muito antes do nascimento. O bebê ainda no ventre já responde a sons, sensações, cheiros e sabores, aprende a associar as experiências com sentimentos e emoções, interpretando-as como sensações de prazer ou desconforto. "A intuição e a pesquisa nos mostram claramente que muito antes que o bebê faça a travessia de expulsão pelo canal descendente do útero para o mundo, ele já começou a explorar sua natureza de pessoa". (CHOPRA *et al.*, 2006).

Nesse sentido, é importante trazermos para a consciência que, antes do bebê existir, existem os adultos com suas histórias de vida. Quando falamos em vida, é essencial observar o mundo e a sociedade em que vivemos, como ela está e qual a qualidade construída nos relacionamentos entre pessoas e a própria natureza, pois os adultos de hoje já foram crianças e a educação, os valores, as crenças, os estímulos e o afeto que receberam na infância ou a carência deles refletem nos comportamentos atuais.

São esses adultos que vão guiar o bebê pelo portal da gestação e do nascimento aos primeiros meses de vida, pois tudo o que a criança viver nesse momento será registrado na memória subconsciente e terá impacto direto para toda a vida.

Uma criança é um livro em branco, e as primeiras páginas dessa nova história serão escritas e influenciadas pelas pessoas do seu núcleo familiar. Esses primeiros estímulos são fundamentais para que o bebê se desenvolva de forma saudável.

Na relação com o bebê, podemos manifestar diversos sentimentos e reações. Se vivemos em um ambiente de brigas, sem organização, com cobranças excessivas ou se não recebemos amor, atenção e afeto, provavelmente seremos adultos inseguros, depressivos, imaturos e com dificuldade de expressar e receber amor.

A primeira infância é um momento sagrado, não conseguimos definir a grandiosidade desse período na formação da pessoa. Podemos aproveitar o momento para a reflexão, autoconhecimento e crescimento, tratando com leveza e aceitação essa missão que gera responsabilidade, por isso o foco dessa reflexão é a relação como um todo, os adultos e o novo Ser.

É importante observar como fomos criados, no que acreditamos e como reagimos a tudo isso, pois como dito, essas referências do passado influenciam nossos comportamentos e a forma que manifestamos o amor. Não podemos mudar a história, mas podemos olhar para o que aconteceu e ressignificar, transformando o modo de observar o passado e construindo novas bases para o futuro, assim, teremos maior sabedoria para conduzir o pequeno Ser.

Esses são portais da vida, e somos convidados a passar por eles. O caminho é individual e a cada um será revelado algo inesperado, lindo e enriquecedor, essa é a magia.

A chave

Uma criança é um pequeno mestre, ela vai nos ensinar, desafiar, desapontar, alegrar, amar, enfim, será um caminho de autoconhecimento incrível.

Pode parecer complexo pensar em sermos os responsáveis pelas experiências no desenvolvimento de um bebê, mas basta pensar que somos seres da natureza e deixar tudo fluir conforme seu tempo, sem exigências ou expectativas que somente pressionam e trazem frustração.

Apenas devemos confiar e saber que a chave para atravessar os portais da vida é a presença. Exercitar a presença é a primeira coisa a ser feita desde o momento que temos a confirmação que um bebê está a caminho.

Observar, respirar e escutar o nosso coração, desse modo conseguiremos perceber o ambiente e nos conectarmos com as nossas necessidades e as do bebê, bem como ampliar nossa consciência e fazer melhores escolhas.

Nesse processo podemos despertar memórias de dor, por isso a presença é importante para que possamos identificar. Quando não recebemos amor, dedicação e carinho na infância, podemos ter dificuldades, nos sentir incapazes e culpados por não conseguir se entregar na relação ou até se revoltar por não ter recebido esse afeto. Mas lembre-se: nossos pais ou cuidadores também tiveram infância e também carregaram seus sentimentos, com certeza entregaram o melhor com a consciência que tinham no momento. Exercite a presença e acolha, sem julgamentos.

Podemos nos deparar com dores muito profundas e não seremos capazes de ressignificar os padrões negativos sozinhos, o indicado é buscar a orientação de um profissional qualificado para terapia.

Herdamos a educação daqueles que vieram antes de nós e, nesse novo ciclo, podemos escolher o que transmitir para a próxima geração.

Como seres naturais que somos, possuímos cinco sentidos que, por meio dos nossos olhos, ouvidos, mãos, boca e nariz, interpretamos tudo o que vivemos, do ambiente aos relacionamentos. Como adultos conscientes da nossa própria história, temos a oportunidade de criar âncoras positivas com o bebê, para que seja uma linda jornada de autoconhecimento e amadurecimento.

O maior presente que podemos dar a alguém é o nosso tempo. O tempo que dedicamos é o que fortalece os vínculos e criam laços de afeto que serão lembrados para sempre.

O portal da gestação

Chopra e Simon citam, de forma poética, que "o amor, carinho e cuidados que damos aos nossos filhos são uma extensão da nutrição e sustento que damos a nós mesmos. Se objetivamos criar um mundo não violento, devemos começar com amor e nutrição no ventre".

Como toda a jornada que iniciamos, vivemos novas experiências, e o portal da gestação é um convite para uma conexão profunda com o nosso coração, uma viagem linda de descoberta de novas sensações e emoções. Somos seres naturais e intuitivos e, se estivermos presentes, saberemos como fazer e como explorar os nossos sentidos para nos nutrir.

É um convite para um despertar que acontece individualmente, tanto para a mãe como para o pai e para o casal. Encontrar um espaço de acolhimento, apoio emocional e nutrição terá um poder inimaginável que pode nos levar a outra dimensão do Ser.

Nesse portal, a travessia do bebê e da mãe acontece junto, tudo o que será vivido pela mãe é matéria-prima para a formação do bebê, toda a química de bem-estar, ou não, produzida pela mãe nesse período será recebida e interpretada pelo bebê no ventre. O pai tem papel fundamental na manutenção de um ambiente tranquilo e confortável para que esse portal seja atravessado com as mais lindas experiências.

Não existe uma fórmula mágica, cada pessoa é única para se expressar e encontrar o seu espaço de conexão. Mesmo assim, podemos citar aqui algumas práticas para explorar os nossos sentidos que se conectam entre si e criar rituais de autocuidado e nutrição para vivermos experiências de autoconhecimento e fortalecimento dos vínculos afetivos.

Por meio do toque, podemos fazer uma massagem na barriga ou no corpo inteiro, podemos aproveitar o momento para relaxar, nos dar carinho e deixar fluir o sentimento do momento. O pai também é convidado para participar, pode oferecer uma massagem para a mulher, expressando amor, carinho e afeto, com a intenção de se conectar com o bebê que está a caminho.

Podemos escutar mantras, meditações e músicas que tragam sensações de bem-estar, nos conectar mais profundamente com nosso corpo, fechando os olhos e ficar escutando a frequência das batidas do coração, percebendo se há ansiedade ou tranquilidade.

Os óleos essenciais são ótima opção. Além de aromáticos, possuem muitos benefícios, como calmante, antidepressivo e ansiolítico, que promovem autoconfiança e amor-próprio. Podem ser associados a práticas de respiração, banhos, meditação, aromatização do ambiente e massagens com óleos vegetais. Nesse caso, devemos sempre nos orientar com um aromaterapeuta que saberá quais os melhores óleos essenciais para cada caso.

Podemos estimular o sentido da visão com boas leituras e passeios em lugares bonitos, que tragam sensação de bem-estar. A conexão com natureza é também muito importante.

Como casal, podemos fazer um exercício sentando-se um de frente para o outro e conectando-se pelo olhar, apenas sentindo, deixando as emoções aflorarem. Pode evoluir para choro, toques, sorrisos e abraços. Todas essas expressões de emoções serão importantes para a conexão entre o casal e o bebê.

Nesse mesmo exercício podemos aplicar a comunicação positiva, exaltando qualidades do companheiro, lembrando momentos felizes, conversando com o bebê e dizendo o quanto ele já é amado, sabendo que a boca, além de nos nutrir com alimentos, também é o instrumento de nutrição pelas palavras.

Não queremos romantizar o momento, pois podemos viver experiências que nos trazem sentimentos negativos, mas, com certeza, se estivermos mais presentes e nos observando, poderemos minimizar e trazer muitos instantes de conforto e bem-estar para essa jornada do portal da gestação.

O portal do nascimento e os primeiros meses de vida

A jornada que antes foi vivida em um mesmo corpo agora passa pelo portal do nascimento. É o momento que tudo se intensifica, é a expressão do Universo em expansão trazendo um sentimento de pertencimento do todo. É a vida recriando a si mesma.

Explorarmos os nossos sentidos agora se torna mais fácil e perceptível. O sentimento e a emoção à flor da pele, os primeiros contatos, o toque, o colo, o cheiro, o olhar, as palavras, e a nutrição vão fortalecendo o vínculo que iniciamos no ventre.

O som das batidas do coração da mãe é familiar para o bebê, já que ele o ouviu durante toda a gestação.

O contato pele a pele é muito importante, e deitar o bebê no peito dará a ele a sensação de conforto e nutrição de afeto e amor. Ele também reconhece o cheiro da mãe e do pai, e esse contato é necessário para o desenvolvimento do sentimento de segurança e pertencimento.

Mesmo mulheres que não passaram pelo processo da gestação em seu ventre, passaram por um portal de espera, cuidado e preparação para receber um bebê que também será muito amado e poderá experienciar todos esses estímulos.

Podemos também associar as massagens, essa conexão do toque será uma troca de afeto, amor e apoiará o desenvolvimento físico e emocional do bebê. "A pele é o maior órgão sensorial do corpo, e dúzias de estudos já demonstraram que os bebês que são tocados carinhosamente têm sistemas nervosos mais estáveis e melhor função dos sistemas imunológico e digestivo" (CHOPRA *et al.*, 2006).

Uma técnica muito antiga é a massagem shantala, que pode ser associada a óleos vegetais puros que vão cuidar da pele e óleos essenciais com efeitos benéficos para acalmar as cólicas, aumentar a imunidade ou trazer tranquilidade para o bebê. Vale lembrar que a orientação de um aromaterapeuta é sempre indicada.

O bebê é capaz de sentir a sensação de tranquilidade ao escutar a vibração das músicas e meditações ouvidas na gestação, também vai reconhecer a voz dos pais. Então, conversar e estimular a comunicação com mudanças no tom da voz é importante para estabelecer uma comunicação que será aprofundada ao longo da vida.

A visão do bebê não é clara nessa fase, mas se conectar no olhar é como encontrar a conexão com a alma, cria-se um vínculo de confiança. O momento da amamentação é uma oportunidade para se nutrir dessa energia de puro amor.

Somos únicos e livres para criar esse espaço de afeto, amor e nutrição por meio de rituais e rotinas explorando os sentidos. O importante é aproveitar a fase para construir vínculos que estarão impressos em cada célula do bebê, assim, o colo, o tempo, o olhar, o carinho, o toque, os sons, o cheiro, tudo é muito importante para que ele se sinta amado, protegido e se expresse para o mundo com autoestima e estabelecendo melhores relações.

E nesse movimento de dar e receber amor, acreditamos que se abra um portal de cura e autoconhecimento para os adultos que, na qualidade de pais presentes e conscientes de suas habilidades e limitações, consigam construir vínculos fortalecidos com seus filhos e manifestar atitudes mais positivas para o mundo.

Se quisermos um mundo diferente, sem manifestação de tanta violência, em harmonia com a natureza, com relações melhores e pessoas mais felizes, devemos dedicar atenção a cada um dos portais da primeira infância.

Referência

CHOPRA, D.; SIMON, D.; ABRAMS, V. *Origens mágicas, vidas encantadas: um guia holístico para a gravidez e o nascimento.* Tradução Ana Deiró. Rio de Janeiro: Rocco, 2006.

31

A IMPORTÂNCIA DO ANIMAL DE ESTIMAÇÃO NA INFÂNCIA

Qual a importância de animais de estimação na infância? Neste capítulo, os pais entenderão por que os filhos estão sempre pedindo um animal de estimação e por que os bichos sempre fazem tanto sucesso com as crianças. Qual será a mágica dessa relação primitiva e universal e qual será o segredo na comunicação não verbal que se estabelece entre as crianças e os animais de estimação pelos tempos? O capítulo mostra que a presença do animal de estimação na infância ajuda a criança a desenvolver maior inteligência emocional, senso de responsabilidade, empatia e uma capacidade superior de resolução de problemas.

MARILISA VIDUEDO FRAGA

Marilisa Viduedo Fraga

Psicóloga graduada pela Faculdade Metropolitana Unidas (1995), Psicanalista formada no curso de formação em Psicanálise pelo instituto Sedes Sapientiae (2007), Especialista Clínica infantil (2008), Equoterapeuta pela Fundação Rancho GG (2009), Terapeuta assistida por animais e mestranda em formação pela FMU em Veterinária, no curso de Bem-estar e saúde animal (2018). Especialista em clínica infantil com 25 anos de experiência na área da psicologia. Realiza psicodiagnósticos e intervenção psicológica ludoterápica em crianças e adolescentes com dificuldades emocionais na idade escolar. Possui como diferencial a capacidade de utilizar o raciocínio clínico psicanalítico, trazendo as contribuições da terapia assistida por animais para o desenvolvimento da esfera emocional afetiva infantil.

Contatos
www.marilisafraga.com.br/
Facebook: marilisafraga
Instagram: @consultoriomarilisafraga
YouTube: Educação, saber e saúde mental
11 99492 8474

É inegável que a maioria das crianças possua certa fascinação natural por animais de estimação.

Durante minha experiência clínica, construída ao longo de 25 anos como psicóloga e psicanalista de crianças, percebi que animais de estimação são excelentes referências afetivas e ótimos terapeutas para os pequenos.

Gatos, cavalos, tartarugas, calopsitas, peixes dourados, em geral são típicos, mas, basicamente, vamos nos ater aos cães, pois claramente são os mais comuns nos lares.

Alimentar e oferecer o alimento ao animal é, para a criança, dar um presente e fazer um convite de boas-vindas que conduz à construção do laço afetivo. Ao aceitar o alimento, por sua vez, o cão demonstra estar de acordo e relaxado com a presença da criança, mostrando que a aceita e inclui. Escovar o animal, sentir o calor de seu corpo, aguçar o tato pelo toque macio dos pelos entre os dedos, sentir o pulsar do coração, a respiração próxima ao rosto quando a criança pega o animal no colo, tudo isso traz emoções muito positivas e alterações benéficas no estado de humor. Na minha experiência com terapia assistida por animais (TAA) em pacientes com câncer, o animal tem o poder de um ansiolítico, antidepressivo e até analgésico, pois há a melhora dos estados de humor, diminuição dos níveis do hormônio do estresse, o cortisol e, consequentemente, aumento da imunidade. Mas, nesse caso, estamos falando de cães de trabalho, não sobre cães de estimação (*pets*), pois é necessária a escolha do animal específico, que passa por um treinamento rigoroso desde filhote até chegar ao *status* de cão terapeuta ou cão-guia, este no caso de pessoas de baixa visão.

Aspectos da comunicação e linguagem

Retomando o tema da fascinação das crianças pelos animais de estimação, talvez isso se deva pela identificação de outro que também não faça uso da comunicação por meio da linguagem e da fala. Crianças de 0 a 3 anos de idade desenvolvem o movimento corporal e gestual para obterem o que desejam, comida, água ou abrigo do frio e do calor. De um lado, existe o recurso de latir ou abanar o rabo. De outro, ferramentas como o choro, gritos, entre outras tentativas frustradas de satisfação dos seus desejos. Essa comunicação primitiva e extremamente eficiente, que se estabelece do contato e da proximidade afetiva diária, há muito tempo conhecida pelo ser humano, é bem semelhante à maneira que os bebês utilizam para se comunicar com a mãe nos primeiros anos de vida. Esta pode ser a base fundamental de conexão positiva entre crianças e cães.

Aspectos fisiológicos e amadurecimento

Fisiologicamente, o cachorro amadurece antes que a criança. Em contrapartida, envelhece menos que a criança no que concerne ao desenvolvimento da personalidade. Portanto, o cão tem a oportunidade de participar da vida dos pequenos em momentos e de maneiras diferentes, o que é um enorme benefício. Em determinado momento prematuro da vida da criança, o cão é visto como mais velho. Quando essa criança passa para uma próxima fase de seu desenvolvimento, percebe o cão como se fosse mais jovem do que ela. O animal desperta simultaneamente sentimentos de proteção e alegria. Essas duas forças poderosas atuam na memória afetiva das crianças e fixam o desejo de manutenção dessa sensação. O cão é capaz de cuidar e ter mais responsabilidade e atenção quando ele está bem inserido em um contexto familiar saudável, tornando-se capaz de manter-se jovem e brincalhão no espírito. Ele conserva a grande mágica de ser jovem, viril, ter capacidade de estar sempre pronto para brincar e constrói o vínculo afetivo de proximidade e cumplicidade anterior. O cão sob esse ângulo que apresentei estará a todo momento pronto para uma malandragem e uma boa travessura com os pequenos.

Luto

Em contrapartida, quando temos um animal de estimação, há de se pensar também que é muito provável que ele vá partir antes da criança. Isso costuma ser uma experiência muito difícil não só para a criança, mas também a todos os membros da família, que se sentem impotentes e incapazes de lidar com a morte. Vivenciar o luto e a perda da presença diária do animal na casa é sempre dramático, pois diz respeito à capacidade de frustração e, nesse caso, a impossibilidade de negar uma realidade emocional. Vivenciar a perda do animal de estimação é uma das formas mais honestas de elaboração do amor. É essa capacidade de lidar com as frustrações e com a ordem natural da vida, desenvolvida em um lar adequado, que ficará registrada na memória da criança, a lembrança de que a vida é breve e finita. A natureza tem um ciclo perfeito: nascer, crescer, florescer, dar frutos e morrer. A experiência sofrida com a perda do animal de estimação em uma casa saudável e amorosa, muitas vezes, é a chance de ensinar aos pequenos que eles precisam ter sempre em mente a necessidade de manter uma atitude positiva para com a vida e, principalmente, aprender ao longo do tempo a estabelecer uma relação saudável de respeito com os sentimentos nobres e profundos, pois só aprendemos de verdade com aquilo que nos emociona. A memória afetiva vai dar sempre esse colorido na vida, e os animais são peritos nessa paleta de cores.

Aspectos sensoriais e perceptivos

Talvez essa atração natural entre as crianças e os animais esteja relacionada também ao aspecto sensorial e perceptivo. Os cães são invencíveis em dois dos cinco sentidos que temos inatos, a audição e o olfato. Quem tem um cão sabe que suas orelhas se levantam mesmo que seu dono esteja a 3 quarteirões de distância. E se você chegar em casa após fazer contato com outros animais, será submetido ao "*scanner* de farejadas". A atenção e o foco dos cães fazem com que fiquem sempre alerta, e isso nos traz segurança, fazendo com que nos sintamos importantes e sejamos cuidados com aquele sentido extra que chamamos de "instinto protetor" do animal, especialmente com as crianças pequenas. A capacidade superior de seu faro aguçado é tão grande que parece um superpoder, algo até mesmo espiritual quando supomos que aquilo que ele fareja não nos fará bem, sendo capaz de nos avisar sobre perigo iminente e prever um acontecimento que nos salvaria a vida, sem que a gente se dê conta.

Aspectos da esfera emocional

Outro elo de ligação entre animais domésticos e crianças pequenas acontece certamente na esfera emocional. Penso que aqui reside a principal conexão entre eles. Os vínculos afetivos e o acesso a sentimentos mais primitivos se dão justamente por ambos terem a liberdade de projetar livremente os afetos e as emoções sem filtro. Essa cumplicidade possibilita desenvolver a linguagem universal que se chama amor, em uma relação recíproca e honesta. É importante ressaltar que o animal de estimação tem características específicas para que essa relação afetiva aconteça sem interferências e facilite as projeções afetivas das crianças. Eles não possuem em si desenvolvida a capacidade do rancor, da vingança, da mentira nem do desprezo e, talvez, esse seja o ponto principal de estabelecimento de laços de confiança e intimidade entre as crianças ao longo da vida. Inevitavelmente as crianças vão crescer e entrarão em contato com tais sentimentos na socialização com outras crianças. E, nesse caso, o animal de estimação em uma casa saudável é capaz de perceber essas delicadezas, pode se tornar um terapeuta à disposição, 24 horas por dia, 7 dias por semana.

Todos esses fatores são importantes e fazem sentido, em um balanço final da questão sobre o benefício de ter um animal de estimação durante a infância. Poder ter essa "caixa de primeiros socorros terapêuticos" ou um "curativo" à disposição, gera precocemente a possibilidade de construção de um psiquismo mais equilibrado nas crianças. Esse é o principal motivo e a ideia de fio condutor ao qual este breve texto se propõe a traçar.

Prós × contras

"– Ahhh mãe... eu queria taaanto!!!" Quem nunca? Que atire a primeira bolinha quem nunca se rendeu a essa sedução e se arrependeu amargamente. Não quer dizer que só porque é importante e faz bem, ou porque seu filho quer "muito, muito, muito mesmo", que se deve sair com este livro embaixo do braço e correr para a adoção de um animal de estimação. Existem milhões de questões envolvidas nesse momento crucial da vida da família.

Aspectos financeiros

O momento de ter um animal de estimação deve ser muito bem avaliado pela família. Ter animais de estimação é uma decisão séria e que perdura por vários anos. É um período de muitas novidades e deve-se levar em conta isso na hora de trazer um novo integrante para casa. Se é uma família que viaja com frequência, deve-se pensar onde pretende deixar o animal nesse período. Já vi hospedagem para animais em períodos de férias e festas de fim de ano mais caras do que as próprias diárias do hotel onde a família se hospedaria, e brigas de família, por conta desse dilema. Custos com vacinas, vermifugação, antipulgas e idas ao veterinário regulares também podem ir muito além das despesas de alimentação do animal de estimação.

Isso sem dizer qualquer outro contratempo que aconteça, desde uma doença típica de filhote ou alguma cirurgia de emergência por algum objeto engolido inapropriadamente. Apesar de já existir convênio médico para animais de estimação, normalmente os custos são elevados e a família não imagina isso quando acredita que apenas ração e uma cama confortável compreende o *kit* do filhote em casa.

Aspectos emocionais

Um animal de estimação é um ser dependente. Ele exige atenção, passeios diários, rotina e muita paciência.

Não podemos deixar de levar em consideração também que animais têm instintos primitivos e que, portanto, podem morder sem nenhuma razão aparente, funcionam em matilha, têm a necessidade de eleger um líder e demarcar território. Isso tudo acrescentado ao fato de que ser novo na casa poderá gerar sérios problemas para a família. Ao pensar que teve um benefício com a chegada de um parceiro para o filho, não considera que trouxe um concorrente para casa que disputará as atenções o tempo todo.

Existe também a fantasia de que as crianças vão adquirir senso de responsabilidade ao ficarem encarregadas do cuidado do cão e essa seria uma das vantagens, mas nem sempre isso acontece, o que acaba sendo uma frustração para todos.

Mas o principal benefício a ser incluso nessa balança de prós e contras é o fato de que o animal de estimação, em sua relação com as crianças, terá sempre a incapacidade de desenvolver o rancor, a vingança e o julgamento. Partindo da premissa que foram levados em conta todos os aspectos destacados anteriormente, se a casa estiver saudável e apta para receber o "terapeuta de plantão", a criança terá imensos benefícios permanentes e a longo prazo em sua vida. Acredito que, em lares equilibrados e saudáveis emocionalmente, o cão possa ser um absorvente das emoções mais intensas e um catalisador dos afetos, para que no futuro possamos ter um adulto saudável, funcional, com maior capacidade de relativizar as situações de risco para si próprio, de poder fazer escolhas mais assertivas de amigos e companheiros na vida, que adquira maior capacidade de resoluções de problemas e tenha maior facilidade em ponderar a balança entre razão e emoção.

Segundo a psicologia e a psicanálise qual a importância do animal de estimação na vida da criança?

Na somatória dos fatores, a criança que tem contato com animais de estimação possui mais chances de se tornar afetiva, desenvolver inteligência emocional, ter maior autoconfiança e autoestima e ser mais empática na vida adulta. Essa conclusão eu posso afirmar a partir das observações que fiz durante 25 anos de experiência com crianças, com TAA e equoterapia.

A CURA DA CRIANÇA INTERIOR PARA TER UMA MATERNIDADE SAUDÁVEL

Quem já se perguntou: será que estou preparada para ter um filho? A verdade é que não estamos preparadas para algo que nunca vivemos, mas vamos nos preparando no decorrer de cada fase, de cada etapa que nosso filho passa, nos entendemos como mães, deixando de lado o papel apenas de filha, para amadurecer sentimentos e preparar um ser para o mundo. Neste capítulo, proponho uma reflexão sobre a importância da cura da criança interior como etapa fundamental para tornar a maternidade saudável. O momento em que você consegue resgatar dores da sua infância e ressignificá-las, para que consiga trilhar uma relação afetiva com seu filho.

MARINA RIGOBELLO

Marina Rigobello

Formada pelo curso da Márcia Belmiro, *Kids Coaching*. Psicanalista e hipnóloga. Profissional da parentalidade e perinatalidade pela Escola da Parentalidade. Tem como missão ajudar mulheres a viverem de forma leve em sintonia com seu propósito de vida, seja na carreira, na maternidade ou pelo bem-estar pessoal, mesmo em meio a tantas atribuições.

Contatos
rigobellomarina@gmail.com
Instagram: @marinarigobello
19 98401 7888

A nossa criança interior é responsável por manter a chama da vida acesa. É por meio dela que mantemos o espírito de aventura, o entusiasmo, o bom humor diante das atribuições cotidianas e, principalmente, a resiliência para lidar com as situações que nos são impostas.

No entanto, se na infância passamos por algum tipo de trauma, abandono ou rejeição, crescemos com a criança interior retraída, com medo e com outros sentimentos que, de alguma forma, prejudicam a vida adulta.

As dores da nossa criança interior limitam o pensamento sobre nós mesmas. São falas ouvidas ainda na infância que são capazes de distorcer a autoimagem.

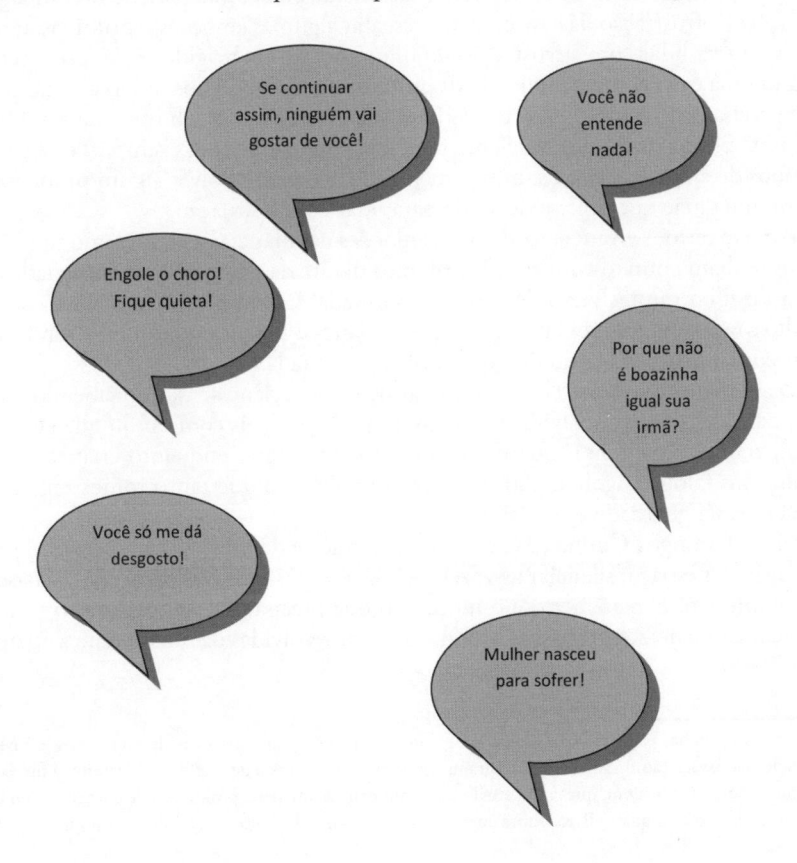

- Se continuar assim, ninguém vai gostar de você!
- Você não entende nada!
- Engole o choro! Fique quieta!
- Por que não é boazinha igual sua irmã?
- Você só me dá desgosto!
- Mulher nasceu para sofrer!

Então, por que é importante resgatar nossa criança interior para ter a maternidade que queremos? Para assumirmos o papel de mãe, precisamos não carregar mais as dores da nossa criança. Só assim estaremos prontas para lidar com as situações sem nos frustrarmos diante da maternidade que estamos exercendo.

Diante da maternidade, sentimos um pedido de ajuda que vem do nosso eu mais profundo: "cuide de mim primeiro antes de cuidar do seu filho". Só nesse momento nos damos conta de que nosso inconsciente guardou emoções que não foram elaboradas na infância que, na maternidade, vêm à tona.

Enquanto não acolhemos, ressignificamos e honramos a própria história, olhando para nossa criança, agora como adultos, sem os julgamentos que recebemos na infância ferida, ela continuará reagindo a tudo que remete às suas dores e que não são, necessariamente, as dores dos nossos filhos.

A relação é estabelecida quando olhamos para nossos filhos. É como se enxergássemos nossa criança fora de nós, tendo reações tão parecidas com as nossas e que, de alguma forma, foram retraídas. A maternidade toca em pontos da nossa emoção e tem o poder de nos descontrolar.

É comum uma mãe que perde a cabeça em uma birra do filho, por exemplo, e ali ficam duas pessoas sem controle, com atitudes reptilianas. O que não podemos esquecer é que o filho, nesse caso, não tem maturidade emocional para lidar com algumas situações de frustração. Já a mãe, se não resgatar algumas emoções reprimidas, também não vai saber lidar com a frustração do filho por não ter reagido como ela esperava.

Em uma cena como a mencionada anteriormente, podemos observar duas pessoas que precisam de acolhimento e orientação. De um lado, o filho precisa ser educado por uma pessoa madura o suficiente para lhe demonstrar com exemplos que não precisamos de agressões verbais, muito menos físicas, para resolver algum problema. De outro, uma mãe que precisa de ajuda para lidar com a situação.

Por não termos vivenciado algumas emoções na infância, não queremos que nossos filhos tenham contato com elas. E reagimos diante da frustração, da ansiedade ou da raiva do filho muitas vezes de forma precipitada. Colocamo-nos no nosso papel de adulto e não conseguimos entender o que a criança está sentindo e, menos ainda, como lidar com a situação conflitante que nos é apresentada.

O choro de uma criança às vezes nos faz perder a paciência, mesmo sabendo que, em algumas fases do desenvolvimento, o choro pode ser mais comum do que em outras. Não paramos para pensar quantas vezes quisemos chorar enquanto crianças e algum adulto nos falou "engole o choro!", por exemplo. E o que tanto fomos engolindo e que hoje está guardado em nós?

Para Domingos Cunha[1], "você só cura o que pode sentir". Para sentir, é preciso permitir, dar espaço, silenciar as vozes de julgamentos externos e internos, dar-se colo e acolhimento. É exatamente no momento que precisamos ser maduras o suficiente para cuidar de nossos filhos que as situações mal-resolvidas da nossa criança aparecem.

---

1 Domingos Cunha, padre da Comunidade Shalom, ensina eneagrama há mais de vinte anos e é Membro Fundador da Associação Brasileira de Eneagrama, onde exerceu o serviço de Presidente. Inspirou a fundação do Instituto Eneagrama Shalom, que conta atualmente com mais de quarenta professores de eneagrama no Brasil e em Portugal. Publicou quatro livros sobre eneagrama e um sobre Meditação, pela Editora Paulus.

Acredite! Esse também é o momento mais importante da nossa cura. É o sinal para revermos que exemplo queremos passar aos nossos filhos: a mãe que entendeu seus conflitos internos e agora quer lidar de forma diferente daquela que foi criada, ou a mãe que vai manter o padrão tóxico de criação e, assim, mantendo seu interior ferido, automaticamente, criando também filhos emocionalmente feridos. Você pode escolher quebrar esse ciclo.

Acompanhando a infância dos nossos filhos, sentimentos e emoções que talvez não nos recordemos mais virão à tona. Vale a pena ressaltar que nem sempre o que feriu a nossa criança interior foi um acontecimento grave, mas sim como o interpretamos naquele momento com os recursos emocionais da idade.

O que nos cabe agora, como adultos, é dar espaço para olharmos com maturidade para esse cenário e não nos vitimizarmos pelos acontecimentos de nossa infância. Hoje, como mães, podemos observar as situações e compreender que nem sempre as coisas são fáceis como imaginávamos.

Por mais que queiramos fazer o melhor para nossos filhos, falhas acontecerão. Você não aprende a ser mãe antes do filho nascer, não existe preparação para ser mãe. Realmente nos tornamos mães quando os filhos estão em nossos braços.

A partir desse momento, aprendemos a lidar com um mundo completamente novo. É importante considerarmos nossos desejos e os desejos dos nossos filhos sem esquecer que, antes de sermos mães, somos seres humanos com todas as nossas fragilidades e não super-heroínas capazes de aguentar tudo sem nos abalarmos.

Não devemos replicar a forma de educação que tivemos para continuar tendo validação dos nossos pais na criação dos nossos filhos. Já fomos crianças, nossas mães já nos educaram e, nesse ponto, o papel delas foi cumprido. Agora chegou a vez de fazer a maternidade da forma como desejamos, adequando a realidade dos nossos filhos ao momento em que vivemos agora, com as necessidades reais que eles têm, sem uma concepção de educação de épocas passadas, mas sim na educação que queremos oferecer a eles. É comum avós falarem "eu fiz assim com você e deu certo, você não morreu". E com a insegurança de nunca ter passado por uma situação semelhante, vamos repetindo atitudes de nossos pais que, na verdade, não queremos replicar aos nossos filhos.

Mas se dermos espaço para a cura, acolhendo e resgatando nossa criança interior, perdoando momentos da nossa infância, nos fortalecemos para sermos mães capazes de olhar para nossos filhos e enxergar a necessidade deles enquanto crianças.

A mãe que primeiro se acolheu consegue acolher o filho. Só assim conseguirá estabelecer um relacionamento de cumplicidade, aprendizado e amor. Sem esquecer que o filho precisa ter o espaço dele, as vontades dele e o aprendizado em cada situação que ele vivenciar.

A maternidade representa um momento de realização para muitas mulheres, mas precisamos parar de romantizar tanto essa fase, porque é natural que os conflitos surjam e temos a necessidade de entender os vários "eus" diante da nova realidade que nos é apresentada com o nascimento dos filhos. Cada fase é única e, por mais que você se sinta pronta, a verdade é que não sabemos como será.

E quando começa o grito da nossa criança interior? Assim que pegamos nossos filhos no colo. Na fase mais intensa, mais profunda e associada aos hormônios do nascimento da criança, o tão famoso puerpério. E é sobre ele que precisamos falar quando o assunto é a cura da sua criança interior.

Você possivelmente já ouviu falar que "o bebê chora o que a mãe chora" ou "o bebê chora o que a mãe cala". No pós-parto, o bebê manifesta tudo o que a mãe sente. Sentimentos e pensamentos do seu subconsciente, aquilo que chamamos de **sombra**. Nesse momento, temos que lidar com nossas dores e as do bebê, compreendendo as nossas angústias e as dele. Precisamos entender nossos avessos ao olharmos para o bebê nos braços e percebermos que necessitamos tanto de colo quanto ele.

Como a maternidade desperta nossa sombra, a ideia de que a maternidade é a mais sublime realização da mulher confronta-se com o período pós-parto, momento em que os conflitos femininos emergem e a realidade vivida com o bebê não se torna tão prazerosa como deveria ser pela nossa idealização, gerando a sensação de culpa.

O termo "sombra", usado por Carl Yang[2], refere-se a qualquer parte que não queremos enxergar em nós, do nosso psíquico e espiritual. Sendo assim, sem dúvida, a maternidade traz o lado de nós mesmas que não queremos enxergar, as sombras que estão ali guardadas.

Além dos hormônios que vêm à tona no pós-parto, que afetam bastante as emoções, a simbiose mãe-bebê mescla sentimentos não somente da mãe, mas também da criança, o que torna-se um elemento complicador nessa relação, porque faz emergir a sensação de medo, por ser difícil olhar para os sentimentos que desconhecemos ou não estamos prontas para enfrentá-los.

De acordo com Laura Gutman[3], esse mergulho emocional em nossa própria sombra pode durar em torno de dois anos, e isso não é visto durante a gravidez, fase em que estamos em meio à preparação para o nascimento, chá de bebê, escolha do nome, lista do enxoval e planejamento do parto. Começamos a sentir uma "poeirinha" de inquietação, mas vamos varrendo para debaixo do tapete inconsciente, pois não queremos lidar com a dor nesse momento especial.

Escolhendo não enxergar nossos medos, o puerpério pode vir ainda mais intenso, fazendo com que a criança interior que não foi vista chore com o bebê. Por isso, a conexão profunda com a gestação deve ser vivida ao máximo.

Quando o bebê nasce, acontece a separação física. Dentro da barriga existia a fusão completa do respirar, sentir, nutrir; fora da barriga, a fusão emocional também acontece, a partir do parto, os corpos se separam, mas o bebê continua sentindo as emoções da mãe.

Portanto, se o bebê chora muito e a parte fisiológica dele está normal, existe a necessidade de olhar também para a mãe. O que ela está sentindo naquele momento? O que foi resgatado dentro da *psique* dela com o nascimento do filho e que está precisando curar, para se tornar uma mãe emocionalmente saudável para seu filho?

Estudos apontam que a mãe pode viver em estado alterado de consciência por esses dois campos emocionais. De um lado, os seus conflitos emocionais que a atormentam; de outro, a cobrança dela mesma em não estar plenamente feliz pelo fato de ter o filho em seus braços.

---

[2] Carl Gustav Jung (1875-1961) foi um psiquiatra suíço, fundador da escola da Psicologia Analítica. Desenvolveu os conceitos da personalidade extrovertida e introvertida, de arquétipos e do inconsciente coletivo.

[3] Laura Gutman é argentina, tem graduação em Paris, em Psicopedagogia Clínica e se especializou em temas de família. De orientação junguiana, formou-se com a renomada psicanalista Francoise Dolto.

É necessário ampliar o aspecto do puerpério, além dos 40 dias após o parto. Os 40 dias após o parto são apenas um resguardo para cicatrização do corpo físico. As mulheres que sofrem emocionalmente no pós-parto ficam na expectativa que, após esse período, tudo melhore. No entanto, o tempo passa e as questões ainda estão vindo à tona.

É essencial olhar para a fusão emocional entre mãe e filho por volta dos 2 anos. Nessa idade, a criança para de falar de si mesma na terceira pessoa, por exemplo: "o Gabriel quer água", e passa a usar a primeira pessoa: "eu quero água", reconhecendo-se como um ser separado de sua mãe. É um processo lento, que deve ser respeitado. O mergulho na maternidade nada mais é também do que um mergulho dentro de si mesma.

Então, como posso canalizar as manifestações da maternidade para meu crescimento? Quais são as questões do papel de mãe? Muitas vezes as respostas a essas questões não são tão evidentes. É necessário se reconhecer primeiro como mulher, depois como mãe. Não se deve ter em mente a ideia de "mãe ideal", mas de uma mulher que sabe lidar com os seus conflitos sem medo de reconhecê-los para lidar com os conflitos do filho, respeitando sua individualidade.

Por experiência própria, posso dizer que a maternidade é o momento que nos colocamos diante de nossa sombra, da insegurança, do "e agora?". Pode ser muito doloroso, mas também maravilhoso, se permitirmos viver a cura de nossa história de vida e entendermos que a filha agora se tornou mãe.

Compreenda que a história que vivenciamos com nossos pais influenciará a que teremos com nossos filhos. Então, esse é o momento de fazermos o resgate da nossa criança interior, dos nossos relacionamentos, do autoconhecimento, para que consigamos conduzir a vida materna de forma saudável. Erros sempre estarão presentes, o que importa é que, no momento, oferecermos o que temos de melhor.

Com o tempo, ao olharmos para o passado, podemos até pensar: "nossa, eu não deveria ter feito daquela forma!". A maternidade é cheia desses momentos que são de amadurecimento e aprendizado. Diante da situação, é importante que tenhamos consciência de que vivenciamos a experiência diante de uma situação nova entregando o que tínhamos de melhor.

No livro *A maternidade e o encontro com a própria sombra*, a autora Laura Gutman menciona uma frase que admiro muito: "nós temos a obrigação de ser cada vez mais conscientes, para manter o vínculo de respeito mútuo e criar filhos em um sistema mais amoroso, porque, no final das contas, tudo o que nos acontece é por amor".

Eu desejo a você, mãe, que a jornada com seu filho seja de muito amor e que, juntos, aprendam muito trilhando o caminho da vida.

Referências

ALMEIDA, A. *Cuidando da sua criança interior*. Porto Alegre: Jardim das Oliveiras, 2019.

GUTMAN, L. *A maternidade e o encontro com a própria sombra*. São Paulo: BestSeller, 2016.

PHILLIPS, C. *Desperte a criança interior e seja feliz*. Porto Alegre: Citadel, 2019.

33

QUANDO DECIDI ESTUDAR PARA MATERNAR

A maternidade me levou ao encontro das minhas luzes e sombras, assim como muitas mães descrevem. Mas o mais incrível nisso tudo foi tomar a decisão que não queria que meu filho sentisse medo de mim, algo ainda muito comum nas maternagens e paternagens por aí.
Então, tomei a decisão que creio piamente ser a mais acertada da minha vida: estudar para maternar. Tudo muda quando se tem as informações para mudar a maneira de agir com um objetivo claro: fazer da infância do meu filho um caminho leve e respeitoso, para que ele não precise se curar dela como muitos de nós precisamos.

MARISA VILEM

Marisa Vilem

Pedagoga, Educadora Parental certificada em Disciplina Positiva pela PDA-USA. Pós-graduanda em Neuropsicopedagogia e mãe do Vicente, de 5 anos.

Contatos
Instagram: @estudarparamaternar
14 99723 8020

Olá! Que bom que você está aqui! Obrigada por comprar este livro e parabéns por se preocupar com a primeira infância de uma criança. Vamos lá: eu sou Marisa Vilem, tenho 37 anos, sou casada com o Fábio há 12 anos e temos um filho lindo (que mãe não falaria isso! rs), o Vicente, de 5 anos, que foi o grande responsável por toda a minha mudança de vida. Aí você pode pensar: "Ah, todo filho muda nossa vida!". Sim, de fato, mas a minha foi uma mudança extrema, porque mudei também de profissão e descobri minha missão, meu propósito de vida, que é disseminar a Disciplina Positiva por aí!

Sou pedagoga, educadora parental certificada em Disciplina Positiva pela PDA (USA) e, no momento, estou cursando pós-graduação em Neuropsicopedagogia. Sem titubear, o diploma de Educadora Parental é o que mais me dá orgulho, é o que mais me transformou na vida.

Agora que já me apresentei, quero contar como me apaixonei pela educação respeitosa e pela Disciplina Positiva. Desde a adolescência, sempre me imaginei mãe, mas devido à criação autoritária que recebi dos meus pais, achava que seria uma mãe brava, que meu filho me obedeceria somente com um olhar meu, como meu pai fazia comigo. Já adulta, antes da maternidade, eu pensava que o que tinha por ele era respeito. Mas hoje, sendo mãe, sei que era medo.

O meu discurso, quando via uma criança "desobediente" (entre aspas porque mudei totalmente meu conceito sobre obediência, e hoje isso nem é uma característica que admiro numa criança), era: precisa impor respeito, nem que a criança morra de medo, porque depois medo vira respeito. Quanta ignorância a minha! Ignorância no literal sentido da palavra, pois eu ignorava o que dizia respeito à maternidade e à educação de filhos.

Em janeiro de 2016, as coisas começaram a mudar. Vicente nasceu, e meu mergulho num mundo até então desconhecido começou. Na verdade, enquanto ele era um bebê, as coisas até estavam sob controle, pois vivíamos o que já era previsto: noites sem dormir, cólica, uma nova vida. O puerpério até que foi tranquilo, incluindo muito choro, mas tudo dentro do esperado, já que eu havia lido bastante a respeito e parecia que tudo estava acontecendo conforme deveria ser.

Chegou o primeiro ano, fizemos uma festa linda e mágica, afinal todos sobrevivemos àquele primeiro ano e tínhamos muito a comemorar. Todo o desenvolvimento do Vicente ia bem, e meu coração era e é até hoje tomado por gratidão quando me lembro e revejo nas fotos (aliás, na minha família sou conhecida como a doida das fotos). Tenho álbuns e fotos reveladas de todas as fases e acontecimentos da nossa vida pós-Vicente.

Sempre achei Vicente um menino de personalidade forte. Quando ele ainda era bebê, era fácil "engambelar", as coisas até fluíam, mas quando ele tinha um ano e meio, esse "gênio forte" se mostrou mais forte ainda e foi aí que resolvi pesquisar na internet a respeito. Escrevi "meu filho de um ano e meio é muito bravo" e, apertando o *enter*, um mundo novo se abriu para mim: *terrible twos*, temperamentos, disciplina positiva e fases de desenvolvimento foram os resultados.

Li muito, assisti a vídeos e ali descobri algo assustador: eu não sabia praticamente nada sobre o papel mais importante que estava desempenhando na minha vida – SER MÃE.

Percebi-me sem base, sem ferramentas para lidar com os desafios de comportamento que já começavam a aparecer. E ali caiu por terra todos os meus discursos anteriores, pois agora, além de todas as informações que eu havia acabado de descobrir, também havia uma coisa que quando eu discursava ainda não existia: o meu filho. Uma relação de amor que jamais imaginei viver. E não, definitivamente, eu não queria que ele sentisse medo de mim.

Não tinha muitas certezas, aliás, estava cheia de dúvidas, mas uma coisa era certa: eu queria criar uma relação com meu filho, baseada em amor, conexão e respeito, jamais medo.

Quando descobri por meio de estudos o que o grito, o castigo, a humilhação, o cantinho do pensamento faziam com o cérebro e o emocional das crianças, decidi que jamais bateria, gritaria, humilharia e castigaria meu filho. Confesso que não é tão simples assim. Se fosse, eu já estaria no meu peso ideal porque várias vezes decidi iniciar uma dieta e minha vida é uma eterna luta com a balança, mas diferentemente da dieta, os resultados negativos não seriam colhidos só por mim, aliás estou colhendo nesse efeito sanfona que vivo. Gosto muito dessa analogia, pois não é fácil, mas é preciso para se ter um bom resultado.

No entanto, numa educação tradicional, baseada em punição ou recompensa, humilhação e castigos, os resultados atingiriam diretamente a pessoa que mais quero proteger neste mundo, a quem mais desejo demonstrar meu amor maior – meu filho. Descobri que estudar para maternar seria o meu caminho a partir de então.

Você deve estar se perguntando: "Mas você nunca bateu no seu filho? Nunca gritou com ele? Nunca o colocou de castigo?".

Bati nele uma única vez, foi um tapa que só me trouxe a certeza de que nunca mais quero me descontrolar e ver o medo estampado nos olhos do Vicente. E sou eu quem preciso me controlar num momento de estresse, porque sei que o cérebro dele não é maduro o suficiente para controlar seus impulsos, já que está em desenvolvimento, e a parte responsável por isso e tantas outras coisas que a gente, enquanto cultura e sociedade, erroneamente exige que as crianças saibam, só terá seu amadurecimento completo no final da adolescência, portanto após os 20 anos. Então, o fato de eu bater nele não aceleraria esse processo, mas o faria internalizar que a violência resolve problemas, que o mais fraco fisicamente deve se submeter ao mais forte, e isso poderia custar problemas futuros à autoestima dele.

Infelizmente, ainda grito algumas vezes com meu filho, confesso. Sou humana e, portanto, sou falha, mas sou feliz porque gritos não fazem parte da nossa maneira de educar. Quando me descontrolo e grito, faço uma coisa que julgo necessária e muito importante, e que na nossa cultura infelizmente é incomum: eu peço perdão, me desculpo por ter me descontrolado a ponto de gritar. Sei que o grito ativa, no cérebro da criança, as mesmas áreas ativadas quando ela é agredida fisicamente, liberando cortisol (hormônio do estresse), o que impede seu pleno desenvolvimento, deixando a criança irritada, agressiva, atrapalhando seu sono e podendo até desenvolver o já nomeado pela pediatria como estresse tóxico precoce.

Sabendo de tudo isso, meu marido e eu (ele é muito parceiro nessa educação positiva) decidimos educar o Vicente baseado em respeito mútuo, e a Disciplina Positiva tem sido, desde então, nossa grande aliada.

As mais de 50 ferramentas que a Dra. Jane Nelsen desenvolveu nos ajudam a lidar com os desafios de comportamento do Vicente no dia a dia, e mais que isso, nos faz ver que o nosso propósito de educação é a longo prazo, nosso foco é sempre pensando no adulto que nosso Vicente se tornará. As ferramentas da Disciplina Positiva nos ajudam a lidar da melhor forma com os desafios de comportamento que Vicente nos traz, e olha que não são poucos, visto que ele é um menino de temperamento e vontade fortes – o que eu aprendi até a apreciar, afinal, a teimosia de hoje é a determinação de amanhã, não é mesmo?

Por que será que temos tanta dificuldade de lidar com comportamentos agora na infância? E se pararmos para pensar que tudo o que nos dá "trabalho" hoje serão ótimas qualidades na vida adulta dos nossos filhos? E o que queremos extinguir a qualquer custo são coisas que não admiramos num adulto, por exemplo, a obediência não é uma característica admirável num homem de 30 anos, não é mesmo?

Passamos por diversos desafios, muitas vezes precisamos nos controlar, porque a nossa natureza, a forma como fomos educados, a nossa sociedade, tudo parece nos induzir a dar uns tapas na criança, se não parece que ela não está sendo educada, não é?

Creio que se você chegou até aqui, comprou e está lendo este livro é porque já está tentando fazer diferente. E eu te parabenizo por isso! Sinto no meu coração que faço parte da turma da disseminação, meu trabalho é espalhar a filosofia de uma educação respeitosa, na qual adultos não batem, não humilham, não aprisionam emocionalmente seus filhos. É um longo caminho, eu sei, mas se eu conseguir tocar o coração de algumas famílias, pouco a pouco, já sinto que minha missão de vida está se cumprindo. Te peço, se isso também tocar seu coração, me ajude, vamos levar essa filosofia de educação tão respeitosa para o maior número de pessoas possível.

Acredito que nenhuma mãe e pai bate, grita, põe seu filho de castigo porque queira, porque acorde de manhã e diga:" Hoje vou bater nele três vezes e gritar outras cinco...". Isso é algo que acontece porque os adultos não têm outras ferramentas, não sabem fazer de outro jeito e, mais que isso, creio que um pai escolhe ser autoritário porque acha que a outra alternativa seria apenas a permissividade, e entre os dois escolhe o autoritarismo, pois não quer um filho doido e sem limites.

Mas e se eu te disser que a Disciplina Positiva é o caminho do meio? É dar limite de forma respeitosa e amorosa, e não humilhante, simplesmente porque você é mãe ou pai e precisa ser obedecido cegamente, mas sim porque está ensinando de maneira amorosa e respeitosa sobre valores para seu filho.

Jane Nelsen diz que as crianças fazem melhor quando se sentem melhor. E eu sinto isso aqui em casa, gosto muito da criança que Vicente é, e do ser humano que ele está se tornando.

Vou contar um caso em que ele teve uma alteração nos exames e precisamos de orientação da pediatra para fazer algumas mudanças na alimentação dele. O Vicente gostava muito de Yakult e tomava vários ao longo do dia, mas era necessário passar a tomar somente um por dia. Como sempre, lá fui eu para uma conversa sincera com ele, que tinha uns 3 ou 4 anos na época. Expliquei o porquê de ele tomar apenas um por dia. Ele chorou e eu estava ali, acolhendo o choro e dizendo:"Imagino que deva ser difícil, pois sei o quanto gosta, mas é importante fazer o certo para o seu bem e pela sua saúde".

A partir daí, foram alguns dias de choro e resmungos querendo mais Yakult, mas eu sempre acolhi ao sentir dele e dizia que era um só mesmo (percebe que para ensinar, mostrar o que é o certo, não precisa ser na base da humilhação e gritos?).

Pois bem, um belo dia o Vicente foi na casa da minha irmã passar umas horas e ela havia comparado Yakult para ele, mas ele disse que não poderia tomar porque só podia um por dia e já tinha tomado em casa de manhã. Minha irmã ficou surpresa e disse: "Mas só hoje pode, a tia comprou para você e é sábado!" E ele respondeu: "Não pode, tia. Só posso tomar um por dia e hoje eu já tomei!"

Pense no meu orgulho quando a minha irmã me contou isso.

Eu tenho certeza absoluta de que isso é resultado da nossa educação baseada em respeito, amor e diálogo.

Se o Vicente fosse só "obediente", obedeceria à tia que disse para ele beber o Yakult naquele momento. Mas ele sabia por que não devia tomar e estava respeitando um combinado feito comigo para o bem dele.

Isso é só um pequeno exemplo de uma situação do cotidiano, isso é no micro, mas um dia ele será adolescente e adulto e isso será no macro. E ele poderá fazer o que é certo, independentemente do que estiverem dizendo para ele.

Quem educa pelo medo e quer filhos obedientes creio que esteja cometendo um grande equívoco, pois as crianças educadas assim aproveitam qualquer oportunidade "longe dos olhos de vigilância" dos pais para fazer tudo que não podem.

E sabemos que nossos filhos não estarão sempre sob os nossos olhos.

Precisamos educar para a autodisciplina. Fazer o que é certo independentemente de quem estiver olhando.

A educação respeitosa, não se engane, é muito trabalhosa, aliás, é uma escolha de um adulto consciente que decide percorrer o caminho mais difícil por saber que é o melhor, apesar de dar mais trabalho.

Por muitas vezes me vejo em situações em que seria bem mais fácil ter um filho obediente, que me obedecesse cegamente, ah como seria bom! Mas pensando no ser humano que desejo que ele seja, acredito que todo esse esforço e estudo valerão a pena.

Nesse mergulho nos estudos, descobri que não é sobre mim, é sobre ele. Sobre a pessoa que ele é, sobre o que ele veio fazer neste mundo, seu propósito, sua missão, e eu sou a pessoa que irei ajudá-lo a descobrir tudo isso. Ele não veio para este mundo para me satisfazer, ele veio para ser feliz e ser livre. E isso é algo que trabalho forte em mim, pois vejo à minha volta pessoas infelizes porque vivem uma vida para agradar aos outros e passam por cima dos próprios desejos.

Vejo o Vicente como uma semente, que já veio para ser algo – pode ser um girassol, ou qualquer outro tipo de planta; e eu preciso ser solo fértil, adubo de qualidade, sombra, sol e água na quantidade certa para ele desabrochar, florir e crescer cheio de vida. Se eu ficar tentando mudar o que essa semente é, posso afogá-la com água em excesso ou deixá-la morrer por falta de sol (percebeu que curto uma analogia, né?).

Eu serei suporte. Calma. Paz e colo sempre! Toda criança é uma semente.

O caminho é longo, mas não precisa ser de sofrimento. Precisamos nos preparar, estudar para maternar, esse é meu lema. O que você não sabe pode, sim, influenciar no futuro do seu filho.

Estudamos para muitas coisas nessa vida, temos que nos preparar para uma profissão e sempre nos atualizarmos. Quando se trata do papel mais importante de nossas vidas, a gente vai contar só com o instinto materno? Não é certo nem justo com nossos filhos não darmos o nosso melhor. A gente pode usar a correria do dia a dia como desculpa e ela é, sim, uma ótima desculpa, mas não deixa de ser desculpa. Todos temos 24 horas por dia, e se escolho ficar nas redes sociais vendo bobeiras enquanto posso ver bons conteúdos sobre como ser uma mãe melhor para meu filho, eu estou fazendo uma escolha.

Eu mudei minha vida depois que descobri a Disciplina Positiva e a Educação Respeitosa. Hoje estudo não só para educar o Vicente como também para trabalhar e ajudar o máximo de famílias que eu puder. Você pode decidir fazer isso pelo seu filho, melhor motivo não há.

Você pode pensar: "Mas eu apanhei e não morri."; "Fui criado com autoritarismo e 'dei certo'". Se a gente analisar bem, não somos uma geração que deu tão certo assim. Eu vou fazer 38 anos e estamos em 2021. Li ontem uma matéria falando que a depressão é a doença do século, que nunca houve tanta procura por medicina alternativa. Já ouviu falar em acupuntura, radiestesia, microfisioterapia e aromaterapia? Somos uma geração emocionalmente doente e nada me tira da cabeça que é por conta de tanto choro engolido e tanto desrespeito vindo dos adultos quando éramos crianças. Mas estamos aqui para mudar isso. Como disse Charles Raison, "uma geração de pais completamente amorosos mudaria o cérebro da próxima geração e, com isso, o mundo".

É mais fácil criar crianças fortes do que consertar adultos quebrados. A infância é um terreno no qual pisaremos a vida toda. Não podemos esperar. A hora é agora! Educação emocional já, em casa, no dia a dia, nas escolas.

Quando você briga, grita, humilha e bate, está ensinando para seu filho que ele não é importante, não é digno de amor e, o pior, que amor e agressão andam juntos. Eu sei, tenho absoluta certeza de que não é isso que quer ensinar para ele, não estou dizendo que é fácil, mas sim que vale a pena. Aliás, é o que mais valerá na sua vida.

Pensar a longo parazo é uma coisa que me ajuda muito quando o bicho pega aqui em casa – e temos muitos momentos difíceis. Mas hoje sei que todos os desafios que tenho com o Vicente são oportunidades de ensinar habilidades da vida. É na infância que as crianças treinam as habilidades para vida toda.

Busque conhecer mais sobre a Disciplina Positiva e a educação respeitosa. Em um primeiro momento pode parecer impossível, mas garanto que não é. Que vai valer toda dedicação e esforço quando você ver seu filho se tornando um ser humano admirável e que vai te orgulhar, mas, mais importante e especial, é que ele se admire, se orgulhe da pessoa que é, que seja livre e feliz. Sei que é isso que toda mãe e pai sonham para o filho.

A Disciplina Positiva é um caminho lindo! Seja bem-vinda(o) a uma maternidade ou paternidade mais leve e feliz. Te encontro logo ali no futuro, para a gente babar juntos pelos filhos incríveis que criamos para esse mundão!

Siga-me nas redes sociais!
@estudarparamaternar

34

DORMIR NA CAMA DOS PAIS – UMA DENÚNCIA!

Este capítulo tem como objetivo trazer uma reflexão acerca do modo como pais e filhos se relacionam desde o início da vida. Sobretudo, no que tange à maneira como a família se adapta à criança ao longo dos primeiros anos, além de algumas das possíveis interferências em seu desenvolvimento emocional e relacional. A partir desse entrelace, é possível refletir sobre o que denuncia a criança que dorme na cama com os pais.

MONICA DONETTO GUEDES

Monica Donetto Guedes

Psicanalista, membro titular da Formação Freudiana no Rio de Janeiro, e membro Diretivo da Clínica Apprendere. Graduada em Pedagogia pela USU, pós-graduada em Psicopedagogia pelo CEPERJ e pelo Espacio Psicopedagógico de Buenos Aires, pós-graduada em Teoria Psicanalítica e Prática Clínico-institucional pela UVA. Autora do livro *Em nome do pai, da mãe e do filho: reflexões sobre a relação entre adultos e crianças*, 2010.

Contatos:
www.monicadonettoguedes.com.br/
contato@monicadonettoguedes.com
monicadonettoguedes@gmail.com
Instagram: @mdgpsicanalista

Para entendermos as "dificuldades" da criança, precisamos compreender que a mesma está inserida em um contexto familiar que precisa adaptar-se a ela no que se refere ao modo de estabelecer contato. Sendo os pais os adultos da relação, não podemos fugir do conceito de que, consciente ou inconscientemente, as suas ações terão um profundo impacto no destino da criança.

Cada indivíduo é permeado pela sua história e pré-história, marcando profundamente o modo como está estruturado psiquicamente. Sendo assim, a criança ao ser concebida já está inscrita em determinado lugar no ambiente da família.

A chegada de um filho provoca mudanças mais profundas do que as previstas. A experiência do nascimento desperta nos pais muitas emoções. Experimentam, muitas vezes, sensações que não conseguem nomear porque são referentes a aspectos da própria infância não lembrada.

Se pretendemos cuidar da saúde emocional da criança, será preciso compreendermos a necessidade de reconhecer que uma parcela de nossa experiência junto a ela poderá contribuir ou não para o seu desenvolvimento saudável.

O nascimento produz transformações significativas, não apenas na forma como os pais estão organizados, como também no que concerne aos aspectos psicológicos de cada um deles. Gostaria de destacar as fantasias que são criadas em torno do nascimento do bebê.

Todos os pais idealizam seus filhos. Antes mesmo do nascimento, promovem uma série de fantasias com relação a eles: se será menino ou menina, o porquê da escolha do nome ou a creche que frequentará. Os pais também idealizam como será a relação com a criança. E são essas fantasias que poderão se tornar persecutórias para ela. O que há por trás delas? Não têm origem nos próprios progenitores visando criar uma edição atualizada? E o que buscam quando pensam a respeito de ideal de relação?

Alguns pais depositam na maternidade ou na paternidade a possibilidade de reelaborar questões não resolvidas da própria infância. Sendo assim, é possível transferir ao filho a esperança de ser o que ele não foi e ter o que não teve. "Cuida-se" tanto dessa criança que ela acaba por adoecer do ponto de vista psíquico. Muitas vezes é imputada a ela uma carga impossível de suportar. Na verdade, uma sobrecarga: algo que ela carrega, mas que não lhe pertence.

Quando tal situação ocorre, percebe-se claramente que a família está "surda" às necessidades da criança. Geralmente, esse movimento se dá de forma inconsciente, sendo a própria criança que fará a denúncia, ao apresentar algum tipo de sintoma. "Adoecer", no caso, é a possibilidade de escapar dessa "prisão" ou da obrigatoriedade de encarnar um papel e um modelo que para ela não tem nenhum sentido.

Na clínica, é comum escutarmos pais angustiados, lamentando-se pelas afirmações do tipo: "faço tudo o que os meus pais não fizeram por mim"; "eu não tive, mas ele não deixou de ter"; "eu não entendo o que se passa..."; "dou a essa criança todo o amor que não recebi"; ou "faço tudo por ele, mas não compreendo o seu comportamento". A necessidade de adaptar a criança às próprias mazelas leva-a a ficar assujeitada ao desejo de um dos pais ou ainda responsável por se tornar o que eles não foram.

Um dos recursos usados pela criança, que é colocada no lugar de objeto dos pais, é "não crescer" para que assim permaneça o "compromisso" fantasmático de responder às exigências conscientes ou inconscientes de um deles.

Onde nascem essas questões? Onde estão os recursos para que a criança passe pelas fases iniciais, adquirindo ferramentas para lidar com a vida, suportar as frustrações e reconhecer os limites como bateria para crescer e expandir-se diante das exigências do mundo?

O que se constrói nas fases iniciais do desenvolvimento servirá de base para as fases futuras. Assim sendo, a relação com as pessoas que passarão pela sua vida será sempre uma reedição das primeiras experiências junto à família.

Algumas dificuldades dos pais no lidar com as questões da criança estão determinadas por problemas em discriminar e até mesmo entender o lugar que ela ocupa em suas vidas. Esse é um ponto importante a ser inferido para que assim permitam que siga o seu curso, vivenciando as experiências necessárias ao seu crescimento como, por exemplo, frustração e limite.

Podemos compreender que não seria bom que a criança cresça com a ilusão de que diante de um forte sentimento negativo, representado pelo seu grito, choro ou tristeza, algo mágico acontecerá e ela assim terá de volta o que nunca desejaria ter perdido. Viver o luto é doloroso, mas extremamente organizador para que possa continuar lutando e crescendo. Ao perceberem a criança com raiva, ainda que em um movimento de ataque, os pais precisam adquirir a capacidade de resistir e de ter a segurança de que estão fazendo o melhor. Entretanto, é comum vê-los reféns e ameaçados de perder o seu amor. Logo, é preciso pensar que o ato de amar não tem como pré-condição uma entrega total. Ao contrário, deve estar subentendido que em uma relação de amor existem duas pessoas que precisam ser respeitadas em suas individualidades. O *não* também está incluído no ato de amar.

Não se pode esquecer que a famosa "educação com limites" não vem do nada e não acontece do dia para a noite. É uma construção que começa quando os filhos estão no colo.

É importante pensar a criação objetivando o desenvolvimento não apenas de crianças saudáveis, mas também de adultos saudáveis. Portanto, é preciso olhar para a criança de forma a perceber que o que for construído a partir dessa relação inicial será preponderante para seu desenvolvimento futuro. O que proponho é que se passe de um olhar fragmentado, em que as ações, muitas vezes, estão submetidas àquela fase na qual a criança está remetida, a um olhar integrado, pensando que execução poderá trazer como consequência, ou seja, benefícios ou prejuízos.

Ao analisar o exemplo da criança que chora por raiva, é possível depreender certo movimento ativo para com a mãe ou outra pessoa que lhe oferece cuidados, quando por meio do choro marca a sua insatisfação. Ela sabe muito bem como demonstrar que não gostou do que lhe foi feito ou do que está acontecendo, pois em meio ao pranto é capaz de espernear, vomitar, se sacudir e empurrar. As atitudes vão mudando à medida que vai crescendo. Mais à frente, é capaz até mesmo de morder e bater quando não atendida em suas prioridades. Essa agressividade pode ainda aparecer camuflada como, por exemplo, no ato de dormir na cama dos pais.

Algumas inadequações referentes à forma de se relacionar e se ocupar no mundo, como o exemplo do "ato de dormir na cama dos pais", estão permeadas pela pré-história dos pais ou, até mesmo, pela história do casal. Sendo assim, há uma discrepância entre a tomada de consciência do que está acontecendo e a realidade dos fatos. Há um intercâmbio nessa experiência de receber a criança em um território "estrangeiro" (o quarto dos pais), pois na maioria das vezes, ao mesmo tempo que estão submetidos, submetem a criança.

Quando falamos de crianças, não significa que sejam inocentes. Ao contrário, são capazes de utilizar seus recursos mais primitivos para obter aquilo que em determinado momento está em consonância com os seus desejos e vontades.

De acordo com as suas emergências psíquicas, a criança é capaz de se sujeitar às demandas da família ou se opor a elas. Na maioria das vezes, essa forma de estabelecer as relações já faz parte dos códigos construídos a partir das experiências primeiras com seus pais.

O que faz uma criança na cama dos pais? Em primeira instância, o ato denuncia a falha em não oferecer os recursos necessários para encontrar no próprio corpo os recursos para lidar com seus fantasmas. Uma criança que não se apropria de seu quarto e sua cama aponta para a ideia de que algo não foi elaborado no que diz respeito às experiências vivenciadas no próprio eu. Desse modo, não foi capaz de construir autoconfiança e segurança no que esperar da vida. Provavelmente, não dispôs de um ambiente favorável para fornecer-lhe certa estabilidade interior, fundamental para o seu desenvolvimento.

Para que se cresça emocionalmente saudável, será fundamental certa "falha materna" ao longo do desenvolvimento infantil. O que quero dizer é que essa mãe precisa tornar-se gradualmente desnecessária quando a criança já demonstra a sua autonomia e potencialidade.

O quarto dos pais passa a ser o lugar onde ela pode se proteger ou "proteger" seus pais dos fantasmas que aparecem à noite provocando medo e insegurança. Mas do que se tratam esses fantasmas?

São projeções do desejo de destruir o outro que, ao longo do dia, a colocou em situações de angústia, sejam os pais, a professora ou o colega da escola. Essas figuras são representantes das dificuldades que a criança tem em lidar com algumas das experiências vividas. É importante ressaltar que a escola, tida como o lugar de extensão do lar, não raro, é usada pela criança para anunciar a sua dor de existir. Muitos dos adoecimentos infantis emergem nesse ambiente, no qual se encontram indivíduos que a colocam em contato com as suas impotências. Não há uma regra quanto à forma dessas emergências eclodirem. A agressividade pode ser consequência daquilo que foi provocado. Ou mesmo a partir de uma eclosão de fragilidade. Há casos em que pode ainda ser direcionada aos pais, pois, de algum modo, a criança sabe que a falta de repertório emocional para lidar com as situações da vida tem origem nessa frágil relação.

Repensar o destino dessa ligação se faz necessário para que se estabeleça uma ressignificação no modo da criança funcionar no campo das emoções e relações.

Não podemos desconsiderar que a sua capacidade de administrar o mundo externo depende da sua faculdade em administrar o seu mundo interno. Para isso, precisa estabelecer com seus pais as condições para diferenciar o que está dentro e o que está fora. E o que tem origem na fantasia e o que é real. Vale frisar que tal empreendimento nem sempre é fácil, haja vista que muitos pais, ao trazerem a criança para a consulta, têm dificuldades de se incluírem nos problemas enfrentados por ela.

Os progenitores que aninham seus filhos na cama do casal estão ratificando as incertezas que o meio ambiente produz em suas fantasias, desfavorecendo assim os seus desenvolvimentos emocionais. Esses pais geralmente não se percebem invasivos. Pensam que o cuidado é sempre bem-vindo, não atentando que "proteção demais desprotege". Por conseguinte, continuam a não "falhar" nos padrões de adaptação, ainda que a criança insista em denunciar que precisa se lançar no mundo.

Vale ainda considerar que, no que diz respeito aos medos noturnos que levam a criança para o quarto dos pais, há um quantum da agressividade interna projetada no ambiente externo. Como assim? A criança, atendida o tempo inteiro nas suas exigências, não se coloca no lugar do outro. Não constrói a capacidade de envolvimento. Consequentemente, não desenvolve a capacidade de importar-se com o outro.

O ato de dormir na cama dos pais raramente chega à clínica como uma queixa. Geralmente aparece de passagem em determinado momento das entrevistas, quando não omitido durante algum tempo. Entre as sintomatologias, como distúrbio do sono, enurese, terror noturno, agressividade, estão alguns dos "problemas" a serem tratados.

Percebe-se certo descomprometimento no discurso dos adultos como se as questões da criança não passassem pela relação com eles.

Existe sempre algo oculto na fala dos pais ao explicar o porquê da criança em sua cama. Vejamos algumas das afirmações: "É tão bom tê-lo pertinho da gente, logo vai crescer..."; "Trabalho muito. Assim, essa é uma forma de compensar a distância"; "Ela nunca conseguiu dormir no quarto dela"; "Eu tenho medo de deixá-lo sozinho. E se algo acontecer?"; "É só uma fase"; "Você sabe, não aguento mais o meu casamento e ter as crianças na nossa cama é muito confortável para mim".

Portanto o que temos é o desmentido do adulto. A criança vai inicialmente para a cama dos pais com seus fantasmas por não suportar o desprazer interno. No entanto é recebida por um adulto mobilizado no mais íntimo de si por algo que diz respeito aos seus próprios medos, ansiedades e angústias. A criança encontra pais que, como diz Ferenczi (1931), em vez de estarem presentes, com toda a sua compreensão, ternura e, o mais raro, uma total sinceridade, acredito, desmentem a existência dos fantasmas ao mesmo tempo que "os acolhem" em sua cama.

Desse modo, não há como escapar. Sabemos que os primeiros anos são fundantes e predeterminados pelo que acontece na relação com seus progenitores. Portanto é fundamental que os pais reflitam e analisem essa importante questão que tratamos neste capítulo.

Referências

FERENCZI, S. *Adaptação da família à criança*. São Paulo: Martins Fontes, 1992.

WINNICOTT, D. W. *O ambiente e os processos de maturação: estudos sobre a teoria do desenvolvimento emocional*. Porto Alegre: Artmed, 1983.

35

MUITO MAIS DO QUE BRINCAR

O brincar na infância contribui para o desenvolvimento de linguagem, habilidades motoras, das capacidades importantes como atenção, memória, imaginação, criatividade e socialização. É o meio pelo qual as crianças fazem descobertas, escolhas, encontram as respostas das hipóteses que formulam e exercem a autonomia com relação às próprias ferramentas de conexão com o mundo ao redor. Favorecer o brincar é estimular o desenvolvimento saudável das funções executivas no início da infância.

NÁDIA LUCIANI MORAES

Nádia Luciani Moraes

Formada em Psicologia, em 2004, pela UNIMEP. Extensão universitária em Neuropsicologia Aplicada à Neurologia Infantil, FCM da UNICAMP, 2012. Mestre em Psicologia da Educação pela PUC-SP, 2019, dissertação intitulada: *Aluno avaliado com baixo desempenho na perspectiva do professor do Ensino Fundamental II*. Extensão universitária em Dislexia e Distúrbios de Aprendizagem, no CEFAC, em 2009. Formação em *Primary Practicun e Children & Adolescent in Rational Emotive & Cognitive Behavior Terapy* – TREC, certificada pelo Albert Ellis Institute, ELLIS, em 2009, e em Psicoterapia Positiva e Reabilitação Cognitiva da teoria à prática, em 2020. Atualmente, trabalha em clínica com Terapia Comportamental Cognitiva e TREC, realiza avaliação e reabilitação neuropsicológica e atua como psicóloga escolar.

Contatos
sinapsesdobem.com.br
neuropsi.nadia@gmail.com
Currículo Lattes: cnpq.br/9419906672251665
YouTube: Nadia Luciani
Instagram: @nadia_neuropsicologa

> ...*Lápis, caderno, chiclete, peão*
> *Sol, bicicleta, skate, calção...*
> *Criança não trabalha, criança dá trabalho...*
> PAULO TATIT E ARNALDO ANTUNES

A primeira infância corresponde ao período da vida que se inicia ao nascer até os seis anos de idade. Essa primeira etapa de desenvolvimento é um período em que se concentra grande capacidade de modificação e maleabilidade dos circuitos cerebrais em resposta à determinada experiência do ambiente.

Nessa fase há uma excessiva plasticidade cerebral que pode ser compreendida como a habilidade que o cérebro tem de mudar ao longo da vida, ou seja, de alterar a organização estrutural e funcional em resposta às experiências que são os estímulos ambientais, podendo assim se autorreorganizar por meio de novas conexões entre as células nervosas.

As habilidades cognitivas desenvolvidas nesse início de vida serão alicerces, estruturas essenciais para o desenvolvimento de habilidades mais complexas em fases posteriores do desenvolvimento. Portanto, é indispensável a atenção às inúmeras possibilidades de estímulos na primeira infância para potencializar o desenvolvimento individual da criança da forma mais saudável possível.

Entre as habilidades que encontram na primeira infância, seu período sensível de desenvolvimento, destacam-se as relacionadas com as funções executivas.

As funções executivas são fundamentais para que o indivíduo, progressivamente, gerencie os diferentes aspectos de sua vida com autonomia. A autonomia na infância é fundamental para desenvolver na criança o senso e a percepção de segurança, independência e iniciativa, uma vez que autonomia tem relação com "ser capaz de fazer as coisas por si mesmo", mas também está ligada ao desenvolvimento da consciência moral.

Ao incentivar a prática de ações que fazem parte do conceito de autonomia, estimulamos a criança a fazer coisas por conta própria assim como o desafio. Dessa forma, contribui-se para o desenvolvimento de seu raciocínio, para a capacidade de tomar decisões, além de ser positivo para o desenvolvimento físico, cognitivo e motor.

O desenvolvimento da autonomia na infância permite ao indivíduo a formação do seu caráter e da sua individualidade de modo saudável e permitirá o desenvolvimento da habilidade de resolução de conflitos ao longo da vida.

Assim sendo, ter autonomia significa não apenas possuir independência, mas também estar inserido na sociedade, assumir consequências por decisões tomadas e possuir responsabilidade. Aprender a construir reflexões próprias e ter autonomia são capacidades e saberes pertencentes ao desenvolvimento das funções executivas.

As funções executivas podem ser entendidas como um conjunto de habilidades que funcionam de forma integrada, proporcionando ao indivíduo canalizar os comportamentos e metas, analisar a eficácia e a adequação desses comportamentos, abandonar e renunciar estratégias e esquemas ineficientes em prol de outras mais eficazes, para, assim, solucionar alguns impasses ou dúvidas de médio e de longo prazo. Sem um bom funcionamento executivo, torna-se difícil para o indivíduo se concentrar em seus pensamentos, a fim de organizá-los e planejá-los de forma criativa e única.

As funções executivas evoluem progredindo fortemente entre 6 e 8 anos de idade. Esse desenvolvimento permanece até finalizar a adolescência e iniciar a idade adulta. Entretanto, mesmo apresentando maturação tardia, o desenvolvimento dessas funções inicia-se no primeiro ano de vida.

Tais funções são significativas e fundamentais para aprendizagem, comportamento adequado e regulação emocional, a qual pode ser compreendida como a capacidade do indivíduo lidar com situações estressantes e desafiadoras de maneira saudável, sem deixar que elas causem prejuízos na dinâmica da vida, na rotina ou nos relacionamentos. É importante compreender que as emoções possuem papel fundamental em nossas vidas, comunicando alguma necessidade ou motivando o impulso para uma ação. Cabe a nós aprendermos a canalizá-las para ações positivas a fim de que continuemos funcionando de forma saudável.

Poder controlar o próprio comportamento, os processos de compreensão, entendimento e conhecimento, e a própria emoção, aderindo e envolvendo-se de forma espontânea em atividades, dosando e ajustando a própria atuação face às exigências do meio é uma habilidade fundamental para que o indivíduo possa se adequar e funcionar adaptativamente em uma sociedade que impõe a seus integrantes desafios e demandas cada vez maiores.

> Quando essa capacidade falha, o indivíduo pode experimentar uma série de dificuldades de ordem cognitiva ou comportamental que pode conduzir ao fracasso acadêmico, profissional e social. Ele fica demasiadamente suscetível a eventos externos, torna-se inadequado, não consegue fazer planos, dificilmente termina uma tarefa, é desatento ou impulsivo, por exemplo (DIAS; SEABRA, 2013, p. 7).

Goldberg (2002) apresenta as funções executivas como uma espécie de diretor executivo do funcionamento da atividade mental humana. Ele propõe que a compreensão das funções executivas torna-se mais descomplicada quando a comparamos com a função de um maestro em uma orquestra, coordenando as estruturas do sistema neural. Com ou sem o maestro, uma orquestra continua existindo e, da mesma forma, os músicos conseguem executar suas partituras. No entanto, sem a presença do maestro, não há garantias de que a música será tocada de forma harmoniosa. Portanto, o maestro rege todos os músicos de uma orquestra com precisão e harmonia, da mesma forma que as funções executivas também são regidas e cada habilidade deve atuar em harmonia com o conjunto todo.

As funções executivas atuam como o maestro que coordena o trabalho conjunto dos nossos diversos sistemas cognitivos, comportamentais e emocionais, conforme a demanda do ambiente ou da tarefa. Sem esse maestro, os outros sistemas funcionam, mas desorganizados, podendo, em função disso, tornar-se ineficiente. Embora existam algumas diferenças na literatura sobre o tema, as principais habilidades que integram o termo são:

- **Planejamento:** é a capacidade de elaborar um plano de ação (estabelecer um objetivo e a melhor maneira de alcançá-lo) e executá-lo considerando uma sequência coerente e os instrumentos necessários para atingir o objetivo.
- **Flexibilidade cognitiva:** a capacidade de alternar o foco ou as ações, considerar as possíveis alternativas de mudanças, favorecendo a adaptação a diferentes contextos e necessidades do ambiente.
- **Memória de trabalho:** a capacidade de armazenar as informações em mente, a qual permite transformá-la ou integrá-la com outras informações. Essa função é responsável por manter ativada uma quantidade de informações por um determinado período de tempo.
- **Atenção seletiva:** habilidade de selecionar parte dos estímulos disponíveis, ou seja, apenas o que será importante para determinada tarefa, focar a atenção e não se distrair com os demais estímulos concorrentes do ambiente.
- **Controle inibitório:** a capacidade de controlar o comportamento quando ele é inadequado ou ainda interrompê-lo quando estiver em curso, assim como inibir a atenção a estímulos que não são relevantes no momento agindo como distratores. Frequentemente, dificuldades relacionadas ao controle inibitório são associadas à impulsividade.
- **Monitoramento:** é uma habilidade metacognitiva que exerce papel importante na aprendizagem por destacar a percepção do indivíduo sobre os próprios erros e dificuldades, tanto com relação a tarefas e conteúdos como a emoções e motivações. Nesse sentido, o monitoramento se refere à capacidade de avaliação do desempenho na tarefa e nos próprios processos mentais e das estratégias mais eficientes de realizá-la.
- **Tomada de decisão:** é um processo que envolve a escolha de uma entre várias alternativas em situações que incluam algum nível de incerteza ao risco. Durante a tomada de decisão, outros processos e habilidades são ativados como memória operacional, flexibilidade cognitiva, controle inibitório e planejamento.

Diante disso, são responsáveis pelo processo de engajamento na realização de atividades como planejar, sequenciar, iniciar e continuar uma tarefa. Por isso torna-se importante difundir a ideia da estimulação precoce das funções executivas no início da infância. A estimulação está a cargo dos responsáveis pela criança, ou seja, os pais, cuidadores e professores.

E na infância, como estimular então o desenvolvimento saudável das funções executivas? Por meio do brincar. Isso mesmo! A ferramenta é o brincar, pois usamos as funções em qualquer brincadeira. De forma prazerosa e divertida, a criança aprende a planejar, organizar e focar, estimulando o cérebro a desenvolver as funções executivas que são fundamentais, pois estruturam a aprendizagem. Para aprender, é necessário ter atenção, do mesmo jeito que para entender uma pergunta precisa-se sustentar o foco e não distrair com estímulos diversos.

As funções executivas são habilidades essenciais para uma vida cognitiva saudável e produtiva. Nascemos com um potencial para desenvolvê-las, por isso as crianças necessitam de oportunidades de brincadeiras livres e dirigidas, jogos, músicas, práticas de atividades que explorem os movimentos corporais, práticas de *mindfulness* e yoga, que possibilitarão experiências resultando em benefícios para garantir as habilidades mentais ao longo da vida.

No momento do brincar, a criança aprende, experimenta e explora o mundo, se depara com inúmeras possibilidades, aprende regras, estabelece relações sociais e estimula o conhecimento do próprio corpo (força, elasticidade, desempenho físico etc.), o que promove melhor desenvolvimento motor, elabora sua autonomia de ação, favorece o raciocínio, estimula a criatividade e a imaginação e organiza internamente as emoções vividas. A brincadeira coletiva favorece o compartilhar, a cooperação, a liderança, a competição e a obediência às regras. Dessa forma, o brincar passa a ser a linguagem da criança e, sendo assim, o meio de comunicação é esperado, permitindo que adultos brinquem com crianças.

Por meio da brincadeira, a criança tem a oportunidade de expressar sentimentos e desejos, apresentando sua realidade no faz de conta. Aos adultos, é fundamental estimular a imaginação das crianças, aguçar e ativar ideias, questionando-as e incentivando para que elas mesmas encontrem as soluções para os problemas que possam surgir. Brincar com a criança reforça os laços afetivos e eleva o nível de interesse com a brincadeira, estimulando ainda mais a sua imaginação.

Em uma simples brincadeira com caixas ou latas, a criança aprende a usar as mãos, o que é um estímulo de coordenação motora. As brincadeiras de encaixe favorecem o desenvolvimento das noções de espacialidade e psicomotricidade.

O faz de conta, brincadeira presente em toda primeira infância, estimula a imaginação e imitação, o aprendizado por modelos, a reconhecer e a lidar com seus próprios limites, o entendimento de valores e costumes, além de permitir que a criança faça brincando o que não pode fazer de verdade, desenvolvendo pensamento, ideias e palavras. A imaginação e o pensamento apoiado em ideias e palavras são importantes porque ajudam a criança a ler e a escrever. Nas histórias do faz de conta, pode-se aproveitar a oportunidade e trazer a temática dos sentimentos e começar psicoeducar emocionalmente as crianças.

A criança pequena, da primeira infância, precisa de espaço, pois está sempre em movimento. É saudável e estimulante proporcionar o espaço para as brincadeiras as quais estão contribuindo para o desenvolvimento das funções executivas e outras aprendizagens.

As brincadeiras de cantigas de roda, com músicas de modo geral, estimulam o desenvolvimento da linguagem, da percepção de ritmo e melodia, da atenção e da coordenação motora.

A criança também aprende e se desenvolve, cada vez mais, com a fala. Um ambiente estimulador da linguagem oferece para a criança momentos de leituras de livros, contação de histórias e oportunidade de desenhar com diversos recursos. Ler, escrever e contar são conhecimentos aprendidos por modelos ensinados por outras pessoas, os quais ajudam a criança a entender que palavras escritas comunicam ideias e notícias. Isso é motivador e estimula o interesse por aprender a ler e a escrever.

> Brincando as crianças atingem a todos os campos de experiência e, como consequência disso, passam a se perceberem enquanto indivíduos que têm habilidades e limitações, experimentando diferentes texturas, conhecem e diferenciam diferentes sons, cores, formas, texturas, desenvolvem a orientação espacial, explorando diferentes ambientes, desenvolvem a noção de anterioridade e posterior idade (RODRIGUES, 2018, p. 95).

Finalizo esse capítulo com o 3º Mandamento para a Paz na Família: "Reserve momentos para brincar com suas crianças, pois elas se desenvolvem brincando e brincar junto aproxima as pessoas da família".

Referências

DIAS, N. M.; SEABRA, A. G. *Programa de intervenção em autorregulação e funções executivas*: Piafex. São Paulo: Memnon, 2013. p. 7.

GOLDBERG, E. *O cérebro executivo: lobos frontais e a mente civilizada*. Rio Janeiro: Imago, 2002.

PASTORAL da Criança. *Mandamentos para a paz na família*. 2017. Disponível em: <https://www.pastoraldacrianca.org.br/images/materiaiseducativos/10_mandamentos_2017.pdf>. Acesso em: 10 maio de 2021.

RODRIGUES, P. M. *Funções executivas e aprendizagem 2.0: o uso dos jogos no desenvolvimento das funções executivas*. Salvador: 2B, 2018. p. 95.

36

A PANDEMIA COMO TRAVESSIA EDUCATIVA: ATRAVESSAR E ATREVER-SE!

Neste capítulo, educadores da infância poderão refletir sobre como reconhecer suas emoções pode colaborar na constituição de uma subjetividade que se conecta com a infância, na perspectiva de olhar para quem somos e para o nosso fazer pedagógico a fim de aproximar nossas práticas da humanidade constituída em cada um de nós.

NILCILENI BRAMBILLA

Nilcileni Brambilla

Graduada em Pedagogia pela UFES (2006) e especialista em Educação Infantil pela Faculdade de Educação Regional Serrana (2012). É de uma cidade interiorana, de origem italiana, nas montanhas do Espírito Santo. Há mais de duas décadas na educação, em sua maioria como professora, esteve por 4 anos à frente da formação continuada do município de Venda Nova do Imigrante (ES), onde começou a escrever sua trajetória como formadora de professores. A partir de 2017, em uma imersão pessoal no autoconhecimento, decidiu unir as duas paixões: aprender e ensinar, alinhando conhecimentos sobre programação neurolinguística, *coaching* e inteligência emocional com os princípios da formação de professores. Nessa perspectiva, atua como produtora de conteúdo digital e material didático, de cursos, palestras e formação para professores de Educação Infantil, defendendo uma formação de professores sistêmica que desperte a infância em cada adulto. É cofundadora da Educação Infantil em Rede, que conecta professores da infância.

Contatos
www.nilcilenibrambilla.com.br
contato@nilcilenibrambilla.com.br
Instagram: @nilcilenibrambilla
Facebook: nilcileni.brambilla
28 99996 8719

> *De longe, a maior categoria de resistência é o medo – medo do desconhecido.*
> LOUISE L. HAY

Início do ano 2020, o mundo está assustado com as notícias que chegam da China sobre um novo vírus, descoberto em Wuhan, cidade com 11 milhões de habitantes. Poucos meses depois, escolas fechadas no Brasil e a humanidade passando por uma pandemia. Um momento histórico, sem precedentes que pudéssemos utilizar como parâmetro na educação e sem expectativas para um possível retorno às aulas presenciais que, por sua vez, é a causa da grande insegurança junto aos educadores e famílias. Como retornaremos?

Eu me lembro da minha última formação de professores presencial que ministrei antes da pandemia, era uma sexta-feira, em um salão com cerca de 100 professores da Educação Infantil, quando discutíamos sobre a organização de ambientes de qualidade para bebês e crianças pequenas. Não poderíamos imaginar que, na segunda-feira seguinte, estaríamos todos, adultos e crianças, isolados em casa. Sem contato com o outro, sem contato com o chão da escola, fazendo educação em novos ambientes.

De um dia para o outro, tudo que fazia parte do cotidiano da infância foi abandonado no silêncio das salas e dos pátios e transferidos para dentro de casa. Um distanciamento que vai além dos corpos, mas também do que é seguro, rotineiro, confiável e cerceado pelas paredes da escola. Um sentimento de exposição mesmo enclausurados. Uma vulnerabilidade que escancara as fragilidades do sistema educacional e expõe nossas feridas e emoções, colocando em evidência o medo.

No dia a dia, independente de estarmos vivendo uma pandemia, uma guerra mundial ou qualquer outra adversidade que assola a humanidade, sob o nosso controle ou não, sentimos medo. Afinal, ele é uma emoção primária e indispensável à existência humana, que guarda nossa sobrevivência nos impedindo de correr riscos. Entretanto, a maioria de nós aprendeu na infância que sentir medo não é bom ou permitido. Então, nosso grande desafio enquanto adultos é aprender a acolhê-lo e entender que ele faz parte da travessia.

Não fomos preparados para o que estava acontecendo, porém, cheios de incertezas e apavorados com a perspectiva de um retorno às aulas presenciais, a pandemia nos oferecia duas grandes oportunidades em nossas mãos: a primeira, estreitar laços com as famílias, entendendo de forma empática o que de fato está por trás do discurso de não participação de mães e pais na vida escolar dos filhos. A segunda, a oportunidade de sensibilizar e aproximar as famílias da verdadeira escola da infância. Entretanto, isso é também um risco, pois, dependendo da nossa atuação como educadores, poderíamos reforçar a ideia de uma educação transmissiva e mecanizada para a infância. Teríamos de nos atrever a olhar para a nossa prática com as crianças, para o cotidiano das famílias, para o nosso fazer pedagógico de modo reflexivo. A isso, o contexto nos convocava: atravessar.

Atravessar?

> *Forte eu sou, mas não tem jeito*
> *Hoje eu tenho que chorar*
> *Minha casa não é minha*
> *E nem é meu este lugar*
> *Estou só e não resisto*
> *Muito tenho pra falar*
> *Travessia* – MILTON NASCIMENTO E FERNANDO BRANT

A minutos da decolagem de um avião, alguém da tripulação dá as orientações de segurança: "em caso de despressurização da cabine, máscaras de oxigênio cairão automaticamente" e logo após, a informação que, nesse caso, devemos primeiro colocar a nossa máscara, para depois ajudar a pessoa que está ao lado.

Acolhimento pressupõe escuta e olhar sensível às necessidades, inicialmente, de nós mesmos, do nosso corpo e emoções, depois do outro. As orientações do avião podem nos remeter a isso: ninguém pode olhar o outro com um olhar sensível, sem se olhar primeiro com sensibilidade. Mas como acolher a nós mesmos e às nossas emoções? O medo – emoção que, segundo os dicionários, é uma espécie de perturbação diante da ideia de que se está exposto a algum tipo de perigo, real ou não – libera hormônios como a adrenalina, que causa aceleração dos batimentos cardíacos, nos preparando para uma possível luta ou fuga, manifestadas no corpo por meio de tremulação, palidez, contrações musculares e o famoso frio na barriga. Logo, podemos perceber, a partir de um estado de observação, o que o corpo nos comunica, ouvindo o que ele está nos dizendo. Para isso, "concentre atenção no sentimento dentro de você, reconheça que é o sofrimento. Aceite que ele esteja ali. Não pense a respeito, *não permita que o sentimento se transforme em pensamento. Não julgue nem analise. Não se identifique com o sentimento*, esteja presente. Observe o que está acontecendo dentro de você." (TOLLE, 2002, p. 43.)

Nesse estado de presença, ao sentirmos medo, podemos acolhê-lo de maneira a perceber o que ele está defendendo. Sim, o medo como instinto de defesa protege um valor, que no seu oposto é entendido pela mente como um risco.

Durante a pandemia, eu me ocupei de discussões e reflexões sobre o fazer dos professores e sobre as práticas mais adequadas ao contexto. Como formadora de professores e tendo contato com as principais angústias que estavam vivendo, eu me perguntava todos os dias como eu poderia ajudá-los. Em uma manhã de segunda-feira, sentei ao computador para planejar uma formação. Em um primeiro instante, me veio uma palavra: "travessia". Em 20 minutos, eu tinha desenhado um mapa mental sobre a discussão da pandemia como travessia educativa. Isso dois meses antes de eu escrever este capítulo. Resolvi fazer uma *live* sobre o assunto. Minha primeira *live*. Travei ao mesmo instante que tomei a decisão. Fechei o caderno de anotações. Nesse momento, senti uma pressão na altura do estômago. A pressão era tão forte que quase me faltava o ar. Mas era um enorme presente. Que experiência mais significativa ter acabado de escrever sobre como acolher o medo na travessia e sentir no corpo essa emoção. O problema é que, na maioria das vezes, não "ouvimos" nosso corpo, nossas emoções. Nesse momento pensei: "se o medo defende um valor, o que essa sensação que estou vivenciando está defendendo?" Entendi o valor que ela defendia, abri o computador e divulguei a *live* nas minhas redes sociais, me comprometendo com meu público. Se o medo nos prepara para uma possível luta ou fuga, eu podia escolher. Todos podemos. Acolhi meu medo, compreendi o que ele significava e segui em frente com o meu propósito. Essa é uma forma de se acolher: perceber as emoções e respeitá-las, porque elas têm uma razão de ser.

Outras proposições podem nos fazer pensar sobre esse acolhimento. No filme *Harry Potter e a ordem da fênix*, a partir da obra de J. K. Rowling, o personagem de Dumbledore, que sempre incentivou Harry, o protagonista, a nomear o vilão Voldemort, também incentiva seus amigos da ordem a fazê-lo. Os bruxos tinham medo de Voldemort e não mencionavam seu nome. Ao se referirem a ele, usavam as expressões "você sabe quem" e "aquele que não deve ser nomeado".

No entanto, Dumbledore dizia que "o medo de um nome, só aumenta o medo da própria coisa", por isso incentivava que pronunciassem o nome do vilão. Que me desculpem os fãs da saga pela minha singela descrição, mas meu intuito nessa analogia é fazer uma relação do filme com a forma como enfrentamos os nossos medos. Sabendo nomeá-los, podemos nos ajudar a entender de onde vêm, o que significam e a enfrentá-los.

> Cê tem medo, do quê?
> Olha o tamanho da vida!
> Você tem medo, por quê?
> Sinta estancar a ferida. (*Você tem medo, por quê?* – CESAR LACERDA).

Ainda na metáfora dos filmes, em *Frozen: uma aventura congelante*, duas irmãs se divertem com um dom da mais velha, de criar fractais de gelo, até que acontece um acidente e a irmã detentora do dom precisa retraí-lo para não colocar em risco a vida das pessoas. Por trás da decisão, o medo como emoção e o valor da vida. Por muito tempo ela inibe esse dom, até que decide liberá-lo e constrói um lindo castelo de gelo, em uma analogia que representa a força da realização a partir da liberação do medo, fortalecendo o dom que não pode ser suprimido.

> "De longe tudo muda
> Parece ser bem menor
> Os medos que me controlavam
> Não vejo ao meu redor
> É hora de experimentar
> Os meus limites vou testar
> A liberdade veio enfim
> Pra mim
> Livre estou, livre estou
> Com o céu e o vento andar

Livre estou, livre estou
Não vão me ver chorar" (*Let It Go* – tradução Emanuel Kiriakou, Kristen Anderson-Lopez e Robert Lopez).

O medo nos protege do perigo. Afinal, ele é indispensável à existência humana, porque guarda nossa sobrevivência, nos impedindo de correr riscos. Mas o que de fato evita o risco não é o medo, são as certezas. Por exemplo, quando estamos à beira de um penhasco, o que nos impede de pular não é o medo da morte, mas a certeza da morte se pularmos. Nessa percepção, o medo só é legítimo quando possui certezas e é desnecessário quando representa algo que pode nem chegar a acontecer. Foi nisso que me apoiei para continuar com a *live* e superar o medo: eu não tinha certezas quanto ao que estava por vir, então eu deveria arriscar. Essa percepção nos permite atrever-se, se entender que isso é importante.

Atrever-se?

Devemos construir diques de coragem
Para conter a correnteza do medo.
MARTIN LUTHER KING

Mas o que toda essa conversa sobre a pandemia como travessia e sobre acolher nossas emoções tem a ver com a nossa prática educativa como educadores da infância? O que o contexto da pandemia pode oportunizar para as futuras gerações?

Faz-se necessário apoiar crianças e famílias em todas as suas travessias, em um esforço coletivo de cuidado e acolhimento às emoções. Um processo de aprendizagem essencial na infância, mas que por muitas vezes nos foi negado e o fazemos tardiamente.

Enquanto educadores, somos guardiões da infância e, para ajudar as crianças em seus processos, precisamos legitimar suas sensações e sentimentos, ajudando-as a nomear e simbolizar o que não compreendem por meio das diferentes linguagens, como a arte, a brincadeira e a literatura. É necessário atrever-se a dar espaço ao sentir e à expressão desse sentir, pois as crianças precisam desse olhar *ouvinte* do educador que as ajuda a realizarem suas travessias, simbolizando suas emoções. Mas isso requer empatia com os sentimentos e ninguém sente empatia pelo que não reconhece. Por isso, a analogia da decolagem do avião.

O papel das linguagens como expressão do humano não se restringe às crianças, pois nos constitui como somos e estamos no mundo. Então, é importante pensar: quais linguagens você tem usado para fazer suas travessias? E que linguagens podem ajudar pais e responsáveis? Se você pudesse agora voltar no tempo e se encontrar com a criança que foi, o que ela estaria fazendo? Estaria pintando, escrevendo, brincando, compondo, dançando, ouvindo música, contando histórias? Essa criança que habita em cada um de nós, singular, genuína e lúdica, ainda quer simbolizar, ainda quer poder expressar o que sente, e ela pode nos ajudar a fazer as travessias.

A vida, nada mais é do que uma grande travessia. Os desafios, a dor e o medo são o rio. E o resgate das linguagens da infância, o barco e os remos. Por isso destaco a relevância da escola como lugar de aprendizado na vida, onde se tecem os encontros e as relações e todo o resto que margeia essa interlocução. Mas não pode ser o lugar onde se "aprende a viver" se a vida fica do lado de fora dos muros. Ela deve ser a própria vida, principalmente para as crianças pequenas e bebês que estão estreando a vida pelos olhos do adulto.

Em tempos de medo e insegurança, quando, ironicamente, o distanciamento nos convoca a estreitar vínculos entre escola e família, a conexão é fundamental. Sempre foi emergente atrever-se a conhecer e reconhecer as famílias, em uma escuta sensível do agora e de seus contextos singulares, de modo a "atuar de maneira complementar à educação familiar – especialmente quando se trata da educação dos bebês e das crianças bem pequenas, que envolve aprendizagens muito próximas aos dois contextos (familiar e escolar), como a socialização, a autonomia e a comunicação" (BRASIL, 2018, p. 36), sobretudo em momentos de travessia como a pandemia. Mas conexão, assim como o acolhimento, também pressupõe empatia. Talvez seja esse o grande legado da pandemia para a educação: atravessar as barreiras das emoções, das relações com as famílias e das práticas que insistem em desconfigurar a infância, pela oportunidade de reinventar a educação pelo cotidiano, e atrever-se a experimentar a vida dentro dos contextos escolares.

Referências

BRASIL. Resolução n. 4, de 17 de dezembro de 2018. Institui a Base Nacional Comum Curricular na Etapa do Ensino Médio. *Diário Oficial da União*, Brasília, 18 dez. 2018. Disponível em: <http://www.in.gov.br/materia/-/asset_publisher/Kujrw0TZC2Mb/content/id/55640296>. Acesso em: 11 abr. de 2021.

HAY, L. L. *Você pode curar sua vida*. 19. ed. Rio de Janeiro: Best-Seller, 2013.

TOLLE, E. *O poder do agora*: um guia para a iluminação espiritual. Rio de Janeiro: Sextante, 2002.

DESENVOLVIMENTO NA PRIMEIRA INFÂNCIA

O capítulo a seguir é um convite para o leitor fazer uma viagem pelo desenvolvimento infantil, dos primeiros meses aos 3 anos da criança. Será possível compreender como os aspectos do desenvolvimento se afetam mutuamente, como o meio ambiente e a biologia interagem juntos e quais são as etapas críticas e os períodos cruciais nos quais a maturação ocorre. Serão abordados conceitos básicos das neurociências e de como o cérebro da criança se desenvolve, para que, dessa forma, os pais possam fazer melhores escolhas, fortalecer a conexão e o vínculo, baseando-se no nível de compreensão e nas capacidades esperadas que a criança desenvolva, de acordo com a faixa etária.

NINA BURGOS

Nina Burgos

Psicóloga formada pela UNESA (2018), com pós-graduação em Neuropsicologia pelo IPOG (2020). Fisioterapeuta formada pela Universidade Castelo Branco (2012). Educadora Parental pela *Positive Discipline Association* (2019), com curso de extensão em Terapia Cognitivo Comportamental para crianças e adolescentes pelo CPAF (2019), curso básico pediátrico de Tratamento Neuroevolutivo – Conceito Bobath (2014), entre outros. Palestras: *Setembro Amarelo* no Colégio Elite – Unidade Norte Shopping (2019); *Desenvolvimento infantil – Do bebê ao pré-escolar* no Centro Educacional Montessoriano (outubro de 2019); *Conhecendo a Disciplina Positiva* no Centro Educacional Montessoriano (dezembro de 2019). Possui nove anos de experiência em reabilitação neuropediátrica.

Contatos
www.psicologaninaburgos.com.br
ninabpsicologia@hotmail.com
Instagram: @psicologaninaburgos
Facebook: psicologaninaburgos
21 98775 5413

O desenvolvimento de uma criança é um processo complexo, que envolve fatores como o crescimento físico, a maturação neurológica, as experiências com o meio ambiente, suporte afetivo e nutricional. Ocorre uma interação entre o que a criança possui de heranças genéticas e as experiências que vivencia.

A primeira infância compreende desde o período gestacional até os 3 anos de idade. É uma fase de intensas mudanças e descobertas, tanto para as crianças como para os pais. Com relação à família, surgem muitas dúvidas a respeito de como proceder em cada fase do desenvolvimento e as mudanças que ocorrem. Quando finalmente está confortável lidar com as intercorrências de um período, surgem novas demandas, novas habilidades do bebê ou da criança e uma nova organização deve ser feita. Tais transformações exigem dos pais capacidade de adaptação e flexibilidade cognitiva. Porém, a sabedoria interna nunca pode ser dispensada. Não existe uma forma preestabelecida de criar filhos ou de lidar com crianças, e muitas lições vão sendo aprendidas no meio do caminho. Não podemos esquecer o elemento amor, fundamental para nortear boas escolhas.

O desenvolvimento cerebral se inicia na gestação e perdura durante a vida. A cada troca com o meio ambiente, a criança vai moldando suas crenças a respeito de si mesma e do mundo à sua volta.

Nossa sociedade permanece em constante mudança e, nas últimas décadas, o desenvolvimento das neurociências e o papel social da criança na família têm se modificado. A compreensão de como as crianças aprendem, como crescem e como seus cérebros e corpos se modificam com as experiências vivenciadas nos oferece a possibilidade de agirmos diferente. E, com toda a certeza, se você está lendo este livro, quer aprender a lidar melhor com as crianças em uma tenra idade. A disciplina positiva pode, então, ser a resposta para algumas de suas perguntas. Entretanto, você está se fazendo as perguntas corretas? Quando o nosso intuito é que as crianças se comportem da forma que queremos simplesmente, nós estamos pensando no curto prazo. Ao pensar no longo prazo, em como nossa interação com as crianças pode beneficiar o desenvolvimento de habilidades importantes para a vida, o sentimento de aceitação de si mesmo, a sensação de ser capaz de realizar algo, de conexão e de pertencimento na família e no mundo, nós podemos nos sentir encorajados e estudar sobre a disciplina positiva.

Quando visualizamos diante da nossa própria perspectiva que criança queremos formar, estamos encarando o ser humano como um objeto, como algo a ser moldado. Todo indivíduo, independente da fase do desenvolvimento, possui seus próprios anseios, necessidades e vai construindo seus valores e personalidade, em um processo de trocas e experiências com os pais, os pares e todo o ambiente. Cada dia na vida de um bebê ou de uma criança é uma oportunidade de desenvolvimento. Desejamos que nossas crianças cresçam e se aperfeiçoem, que sejam capazes de se autorregular, mas devemos respeitar suas características individuais, ritmo de aprendizagem e interesses pessoais.

Os primeiros meses de vida

O nascimento representa a conclusão da etapa gestacional e o começo da vida do bebê, um momento de estresse físico dos pais e de grandes emoções. O bebê emite sinais que são indicativos de que ele precisa de proximidade, contato e estímulos para que suas necessidades básicas sejam atendidas. Um vínculo afetivo vai se desenvolvendo, que se mantém e se aperfeiçoa com a consistência dos cuidados e com a responsividade dos pais. Segundo Bowlby e Ainsworth, as relações afetivas estabelecidas na primeira infância nortearão o estilo de relacionamento do indivíduo ao longo da vida.

As experiências influenciam no desenvolvimento, e os estilos parentais também. Bebês mais encorajados a interagir com o ambiente, assumir diferentes posturas e vivenciar experiências sensoriais diversas adquirem mais depressa novas habilidades motoras, cognitivas, sensoriais e sentimento de confiança em si mesmo e no meio. Bebês que são deixados muito tempo deitados em seus berços, são pouco estimulados e passam muito tempo sem ter suas necessidades atendidas podem estar construindo crenças de que o mundo não é um lugar seguro e que é difícil confiar em alguém. Enquanto bebês que são o tempo todo protegidos e estão constantemente no colo perdem valiosas experiências de troca e interação com os objetos e outras pessoas.

Os estudos de M. Ainsworth e J. Bowlby contemplam de que forma o modelo de apego que uma criança desenvolve na primeira infância com seus cuidadores é influenciado pela forma como os responsáveis cuidam do bebê e como se relacionam com ele, além da influência de fatores genéticos e do temperamento do bebê. Esse processo tem uma profunda relação com o desenvolvimento socioemocional na primeira infância.

Os pais realizam uma mediação de estímulos para o bebê, para que o meio externo seja tolerado gradativamente, sem parecer ameaçador. O contato com o corpo da mãe, os gestos e olhares vão oferecendo a segurança que o bebê precisa para descobrir seu próprio mundo. Nos primeiros meses, o corpo da mãe funciona como uma extensão do corpo do bebê, ele não consegue fazer ainda essa diferenciação. Com o tempo, o nível de tolerância à frustração do bebê vai aumentando, conforme ele percebe que a maioria das suas necessidades estão sendo satisfeitas e que o vínculo dele com os pais é estável. É nesse momento que tem início o desenvolvimento de habilidades necessárias para momentos de sofrimento, frustração da confiança nas outras pessoas e em si mesmo. Aos poucos, o bebê passa a perceber a mãe como um ser diferente dele. Quando as necessidades do bebê são negligenciadas, ele não consegue estabelecer um vínculo afetivo saudável e sua visão de mundo e de si mesmo ficam alteradas. O mundo passa a ser visto como um lugar hostil e as pessoas, como não confiáveis.

Com relação ao comportamento nos primeiros meses, grande parte dos repertórios de movimento dos bebês são reflexos, ou seja, respostas motoras desencadeadas por estímulos presentes no ambiente que os cercam. Os reflexos representam ações neurais primitivas, típicas de um sistema nervoso ainda em desenvolvimento, porém funcionam como base para o aprimoramento de habilidades futuras. Alguns dos movimentos reflexos persistem na idade adulta, mas a maioria se extingue até o primeiro ano de vida e são essenciais para o desenvolvimento e sobrevivência da criança.

Determinadas etapas do desenvolvimento são marcos que modificam radicalmente a perspectiva do mundo do bebê e da sua interação com o meio ambiente. Ocorrem variações no tempo de aquisição de novas habilidades, porém a tolerância precisa ser relativa. Quando ocorrem discrepâncias muito grandes, é preciso buscar auxílio profissional, pois pode ser um indicativo de alguma alteração ou distúrbio do neurodesenvolvimento. Na tabela a seguir, consta uma lista com os principais marcos do desenvolvimento motor e as idades correspondentes:

Idade (meses)	Marcos do desenvolvimento motor
3	Sustenta a cabeça
4 a 5	Inicia o rolar
6	Senta sem apoio
6 a 8	Arrasta-se
8 a 9	Engatinha
9 a 11	Puxa-se para ficar de pé
10 a 11	Anda com apoio
12 a 15	Anda sem apoio

Desenvolvimento infantil dos 12 aos 24 meses de idade

Dos 12 aos 24 meses de idade, a criança vai deixando de ser considerada um bebê. Seus movimentos estão mais amplos e ela, aos poucos, vai adquirindo mais controle na marcha, ganhando novas habilidades, como subir pequenos degraus, e já possui desenvoltura para brincar no parquinho. Pequenas quedas vão ocorrer nesse percurso e essa já é uma excelente oportunidade para descobrir que os erros fazem parte da aprendizagem, que é permitido tentar e que apenas nas tentativas ela terá a chance de descobrir formas melhores e mais avançadas de fazer o que deseja. Nessa idade, ocorre um grande interesse por brinquedos de encaixe, já que as habilidades manuais ganharam novos contornos. Também já é possível levar uma colher até a boca, apesar de no início isso ocorrer de forma desajeitada e a criança se sujar. Toda essa experiência vai proporcionar conhecimento de texturas diferentes e estímulos sensoriais. Com relação às habilidades cognitivas e de linguagem, a memória operacional e a compreensão do que lhe é dito aumenta progressivamente com o passar dos meses, o que possibilita novas formas de interação. Os balbucios cedem espaço às primeiras palavras. As palavras são utilizadas como frases no início e os pequenos já podem fazer pedidos com mais facilidade, expressando suas necessidades verbalmente. Andar e falar são as principais mudanças que ocorrem nessa idade.

Ataques de fúria podem começar a ocorrer. Devemos ter em mente que todo comportamento tem por trás a manifestação de uma necessidade, tem uma razão. Geralmente o que a criança sente é raiva, frustração e sensação de impotência. Para a criança, ser capaz de fazer coisas novas e explorar o ambiente gera o sentimento de confiança e autonomia. É frustrante perceber a si mesmo como dependente e vulnerável em alguns momentos, pois a autonomia adquirida é parcial. Essa contradição é vivida com mudanças repentinas de humor. Devido à imaturidade do lobo pré-frontal no cérebro e das funções cognitivas que permitem o controle dessas emoções e respostas mais adaptativas ao meio, acontecem as crises. Gritos, agitação motora e choro são na realidade a expressão da dificuldade de lidar com os sentimentos que surgem e da imaturidade neurológica. Os pais necessitam de tolerância nesse processo e precisam auxiliar no desenvolvimento da criança. Pouco tempo depois, a criança pode ser acolhida, consegue se acalmar e esses momentos de acolhimento e diálogo vão aos poucos favorecendo o desenvolvimento da autorregulação emocional. Os pais devem compreender que essas alterações emocionais bruscas e que duram um curto período de tempo são características da idade e precisam regular as suas próprias emoções no processo.

Desenvolvimento infantil dos 24 aos 36 meses de idade

Nessa idade, as crianças ampliam seu interesse e começam a se relacionar mais com os pares, muitas iniciam a escolarização nessa faixa etária, o que amplia e diversifica os estímulos e as relações interpessoais. Com relação ao desenvolvimento motor, as habilidades continuam se refinando e já é possível pular, correr, subir e descer escadas alternando os pés e já não é tão necessário o uso dos corrimões. As crianças acabam ficando mais expostas a acidentes por conta da ampliação dos movimentos e de testar as capacidades recém-adquiridas. Elas se interessam por desenhar e conseguem observar livros por mais tempo, desenvolvendo a atenção sustentada. Com relação à linguagem, o vocabulário se torna mais amplo, as palavras soltas exercendo o papel de frases, passam a se tornar frases propriamente ditas, com até 5 ou 6 palavras. Narrar acontecimentos já é possível e os pais podem encorajar as crianças nesse processo, ajudando no desenvolvimento das funções executivas e da linguagem.

A impulsividade é uma característica dessa idade e está relacionada com o controle inibitório, que é a capacidade de se conter diante de um estímulo, ou selecionar uma resposta em detrimento de outras respostas concorrentes. O controle inibitório é uma função cognitiva que ainda está em desenvolvimento nessa fase e que, na realidade, continuará a se aperfeiçoar até a adolescência. As crianças de 2 ou 3 anos também são mais imperiosas, protestam e desafiam. É um período para os pais estabelecerem limites seguros e, ao mesmo tempo, permitirem que a criança se desenvolva.

Refletindo sobre a primeira infância

A disciplina positiva é uma filosofia transformadora e preventiva. Modifica estruturas familiares trazendo uma mensagem de paz. Me fez ressignificar minha própria jornada e meu papel enquanto terapeuta. Atualmente, como educadora parental, me sinto no dever de levar essa mensagem tão importante às pessoas, que fortalece vínculos e cria conexões.

Quando pensamos no desenvolvimento infantil na primeira infância, devemos levar em consideração que é a fase na qual um indivíduo tem o seu primeiro contato com o mundo que o cerca. Todas as experiências vividas nessa época serão marcantes.

Acredito que a disciplina positiva pode preparar o bebê ou a criança para desenvolver o seu potencial e viver com plenitude, harmonia e conexão.

Referências

AINSWORTH, M. The development of infant-mother interaction among Ganda. In: FOSS, B. M. (org.). *Determinants of infant behavior*. New York: Wiley, 1963, pp. 67-104.

AINSWORTH, M. D.; BOWLBY, J. An ethological approach to personality development. *American Psychologist*, v. 46, n. 4, pp. 333-341, 1991.

ALVARENGA, P.; PICCINI, C. Práticas educativas maternas e problemas de comportamento em pré-escolares. *Psicologia: reflexão e crítica*, v. 14, n. 3, pp. 449-460, 2001.

BEE, H.; BOYD, D. *A criança em desenvolvimento*. 12. ed. Porto Alegre: Artmed, 2011.

CYPELL, Saul (org.). *Fundamentos do desenvolvimento infantil: da gestação aos 3 anos*. São Paulo: Fundação Maria Cecília Souto Vidigal, 2011.

DALBEM, J. X.; DELL'AGLIO, D. D. Teoria do apego: bases conceituais e desenvolvimento dos modelos internos de funcionamento. *Arquivos Brasileiros de Psicologia*, v. 57, n. 1, pp. 12-24, 2005.

MIRANDA, D. M.; MALLOY-DINIS, L. F. *O pré-escolar*. São Paulo: Hogrefe, 2018.

NAVARRO, A. A. *Estimulação precoce – Inteligência emocional e cognitiva*: Volume 3. São Paulo: Grupo Cultural, 2008.

NELSEN, J. *Disciplina positiva*. Barueri: Manole, 2015.

NELSEN, J.; ERWIN, C.; DUFFY, R. A. *Disciplina positiva para crianças de 0 a 3 anos*. Barueri: Manole, 2018.

WEBER, L. N. D.; BRANDENBURG O. J.; VIEZZER, A. P. A relação entre o estilo parental e o otimismo da criança. *Psico-USF*, v. 8, n. 1, pp. 71-79, jan./jun. 2003.

ELAS NÃO ME OUVEM!

Há uma queixa frequente de pais e educadores acerca de crianças em idade pré-escolar: a impressão de que elas deliberadamente optam por não seguir orientações, descumprem "combinados" ou precisam ser lembradas diariamente sobre regras já comunicadas inúmeras vezes antes. Este capítulo propõe uma reflexão: será possível estabelecer uma comunicação mais efetiva com crianças tão pequenas?

PATRICIA ESCANHO

Patricia Escanho

Pedagoga com especialização em alfabetização, atua há 19 anos como coordenadora pedagógica e orientadora educacional nos segmentos Educação Infantil e Ensino Fundamental I. Aquisição de linguagem oral e escrita, desenvolvimento infantil e formação de professores são paixões que acompanham sua prática dentro e fora da escola. Possui pós-graduação em Parentalidade e Educação Positivas (Escola da Parentalidade e Educação Positivas - Portugal), certificação em Disciplina Positiva (*Positive Discipline Association* – EUA), e se dedica ao estudo livre sobre comunicação não violenta. Nos últimos anos, tem facilitado rodas de conversa sobre a importância de estabelecer relações de respeito mútuo com crianças na escola ou em casa. Acredita que, como educadores, estamos em constante formação.

Contato
patricia.escanho@gmail.com

A cena é facilmente reconhecível. Nela, vemos uma criança que deixa de cumprir com o que foi acordado: levar seu prato até a pia ao final de uma refeição; ajudar um colega a guardar os brinquedos; seguir tranquilamente ao banheiro na hora do banho; manter-se sentada na roda, junto aos demais colegas da turma, na hora da história.

Nessa mesma cena, há um adulto que a observa, muito provavelmente inundado de questionamentos e emoções, que sintetiza o problema identificado da seguinte forma: essa criança não me ouve!

O que "não ouvir" significa?

Geralmente, se explorarmos mais a fundo e fizermos um exercício de interpretação, "não me ouve" pode ser substituído por: "não me obedece", "se recusa a cumprir o que combinamos", "resiste a aceitar regras de convivência", "quer chamar atenção", "quer testar os meus limites", para citar as leituras mais comuns.

Independente do contexto em que essas cenas acontecem, e do vínculo que existe entre a criança e o adulto, há algo em comum em todas essas leituras: trata-se da ideia de que a criança, ao descumprir seu papel em uma rotina estabelecida, o faz deliberadamente. Como se houvesse a intenção de, racionalmente, se posicionar na contramão do andamento das atividades cotidianas.

Essa leitura só é possível quando compreendemos o "mal comportamento" infantil como desobediência.

É aí que repousa a reflexão que gostaria de propor. Por que será que somos tão rápidos em afirmar que as cenas em que as crianças não correspondem às nossas expectativas tratam-se de mau comportamento, de desobediência? E por que será que essa constatação nos afeta com tanta intensidade?

Disciplinar é importante. O que é mesmo disciplina?

Você sabia que a palavra disciplina, em latim, significa "instrução, conhecimento" e deriva de *discipulus*, ou seja, "aluno, aquele que aprende" e do verbo *discere*, "aprender"?

Segundo Daniel J. Siegel e Tina Paine Bryson (2015), disciplinar é ensinar. Ser disciplinado é quem aprende; indisciplinado é quem ainda não aprendeu.

É curioso pensar que tudo o que desejamos quando criamos regras e estabelecemos rotinas é que nossos filhos e alunos aprendam – voltando às cenas do início desse texto: aprendam a ser responsáveis, a desenvolver hábitos de higiene, a conviver com pares, a colaborar com a dinâmica familiar ou da sala de aula.

Mas, no que diz respeito ao nosso relacionamento com crianças, por vezes, temos a ideia histórica e socialmente constituída de que a aprendizagem se dá por meio da obediência. A partir desse ponto de vista, reconhecemos e aceitamos que a criança que obedece está aprendendo e nos preocupamos com a que não obedece. Demonstramos nossa preocupação com cobranças, exigências, e não nos cansamos de novamente apontar e explicar o que estão fazendo de errado (ou não fazendo) e quais são nossas expectativas finais.

Damos demasiada importância ao que dizemos. Inúmeras vezes nos pegamos repetindo frases como "Quantas vezes já não falei...", "Não vou dizer de novo...". É curioso como é fácil para nós, adultos, funcionarmos na seguinte lógica: uma vez que eu expliquei como algo deve funcionar, e meu filho ou aluno tem condições de compreender o que eu digo, pronto, é natural que ele reproduza o que foi orientado a fazer, simplesmente por que o compreendeu.

O lado esquerdo, o lado direito, o caminho do meio; nem estamos falando de política!

Aqui vale uma pausa para pensarmos sobre o funcionamento de nosso cérebro. Talvez damos importância e valorizamos mais o que o lado esquerdo de nosso cérebro nos oferece: o pensamento linear, a possibilidade de ordenar e sequenciar, de fazer uso da linguagem literal, da lógica, de compreender regras e sistematizar informações.

Por outro lado, de acordo com Siegel e Bryson (2015, pp. 39-40),

> o cérebro direito é holístico e não verbal, enviando e recebendo sinais que permitem que nos comuniquemos, como expressões faciais, contato visual, tom de voz, postura e gestos. Em vez de detalhes e ordem, nosso cérebro direito se importa com o quadro global – o significado e a sensação de uma experiência – e é especialista em imagens, emoções e lembranças pessoais. O cérebro direito nos dá um "pressentimento" ou uma "percepção". [...] Tecnicamente, esse lado do cérebro é mais influenciado pelo corpo e as áreas mais baixas dele permitem-lhe receber e interpretar informações emocionais.

Segundo os citados autores, crianças pequenas têm o hemisfério direito do cérebro predominante. Talvez por essa razão, é possível notar que crianças pequenas aprendem muito a partir da observação e por meio da experiência em detrimento da compreensão racional sobre expectativas do mundo adulto. Quando nós, adultos, estabelecemos uma comunicação baseada em uma lógica pautada no discurso, na repetição de regras e apontamento dos erros cometidos, acabamos por exigir da criança uma atuação mais "racional", mais "lado esquerdo do cérebro". O resultado? A distanciamos do engajamento que tanto desejamos e nos frustramos sobremaneira por acharmos que "perdemos" a batalha ou o respeito.

Comunicação efetiva com crianças pequenas e o tempo para mudanças acontecerem e para hábitos serem criados

Analisando novamente nossa cena inicial à luz do que a neurociência nos ensina, podemos atribuir uma nova camada de significado à postura comum do adulto que se depara com a criança que "não ouve". A facilidade que nós, adultos, temos em ativar as habilidades racionais de nosso lado esquerdo do cérebro talvez seja responsável por nos fazer tentar resolver a "indisciplina" infantil voltando a explicar para a criança quais são as regras e as razões pelas quais elas devem ser seguidas.

Contudo, a neurociência nos ensina que tornamos a aprendizagem mais significativa quanto mais estimulamos ambos os lados do cérebro, ou seja, quando oferecermos a orientação, explicando as razões e, também, oportunizamos experiências práticas aumentamos significativamente as chances de crianças aprenderem novos comportamentos, novos conteúdos, novas habilidades.

Na prática, em vez de mantermos o foco em nossa expectativa final, como arrumar o quarto ou manter-se presente na roda de história por 30 minutos, podemos experimentar identificar os pequenos passos com os quais são feitas essas grandes ações. Logo após um momento de brincadeira, começar por auxiliar um colega ou um familiar a organizar as peças de um jogo espalhadas pelo chão, se lembrar onde o jogo deve ser posicionado na estante, depois, escolher o que deseja guardar sozinho, localizar a caixa onde os blocos devem ser armazenados, por fim, olhar novamente o ambiente para identificar se está tudo no lugar e concluir, com o grupo ou adulto responsável, que a tarefa foi finalizada. Todas essas pequenas ações compõem a tarefa "guardar brinquedos". Se ensinarmos uma ação por vez, passando para a próxima assim que percebemos que a criança fez a anterior sozinha, podemos fomentar a aprendizagem que buscamos enquanto oportunizamos tempo para que a criança experimente fazer parte de um momento de arrumação. Tempo para gradualmente se apropriar da ideia de organização, ganhando confiança e se sentindo responsável pelo processo à medida que avança. Tempo para se habituar a esse novo papel no grupo ao qual pertence. Qual papel? O da criança que acompanha a história ao lado dos colegas, não porque é a atitude esperada por um adulto, mas porque a experiência vivida ensinou a significar esse momento e apreciar as companhias e as histórias. Além disso, essa criança também já compreendeu que consegue permanecer no mesmo local até o final da história, deter sua atenção no desenrolar do enredo e, possivelmente, nas pequenas interações que acontecem com todos ao seu redor. E não porque alguém demandou, mas porque ela experienciou o momento da história por 5 minutos na primeira semana, até que suas pernas cansaram de permanecer na mesma posição ou sua atenção dispersou. Na terceira semana de aula, depois de consistentemente ser convidada a buscar uma almofada e se juntar ao grupo na roda, começou a perceber que quase ficava até o fim da história. No final do trimestre, fazia coro pedindo mais uma história.

Para finalizar, um convite

Talvez a aprendizagem de crianças pequenas passe pela dimensão da experiência, mais do que pela dimensão da compreensão racional de uma necessidade imposta pelo outro. E, talvez, a criança que "não ouve" está de fato nos dizendo que ainda não aprendeu a significar a demanda que nasce no adulto a ponto de torná-la sua também.

Para que possamos passar do modo cobrança para o modo "ensinança", acredito que precisamos primeiro nos acolher. E esse é o convite com o qual encerro este texto. Sim, acolher nossa criança que foi cobrada a obedecer; que aprendeu que a relação com o mundo adulto se dá por meio da obediência e aprendeu também que ser responsável por uma criança é cobrar dela obediência. Na ausência desta, se sente falhando, descumprindo seu papel.

Não são só as crianças pequenas que aprendem pela experiência e na relação com o outro, podemos nós, também, nos ofertar o tempo para que possamos aprender a educar uma pequena ação por vez. De maneira contínua, contudo, respeitando nossos limites, abrindo espaço para erros e para escutar, as vozes delas e as nossas. Desejamos que nos ouçam. Então, podemos começar ouvindo.

Referências

DIAS, M. G. *Crianças felizes: o guia para aperfeiçoar a autoridade dos pais e a autoestima dos filhos*. Lisboa: Esfera dos Livros, 2018.

NELSEN, J. *Disciplina positiva*. Barueri: Manole, 2015.

PERRY, P. *The book you wish your parents had read*. United Kingdom: Penguin Random House, 2019.

ROSENBERG, M. B. *Comunicação não violenta*. São Paulo: Ágora, 2006.

SANTOS, E. *Educação não violenta*. Rio de Janeiro/São Paulo: Paz e Terra, 2019.

SIEGEL, D. J.; BRYSON, T. P. *O cérebro da criança: 12 estratégias revolucionárias para nutrir a mente em desenvolvimento de seu filho e ajudar sua família a prosperar*. São Paulo: nVersos, 2015.

39

CAMINHOS DE CONEXÃO

Não há um manual que nos ensine a ser pais confiantes, seguros e a ter mais certezas do que dúvidas na relação com nossos filhos. Para exercer uma parentalidade mais confiante é necessário se conectar primeiramente com você. Neste capítulo, apresento reflexões para apoiá-lo no exercício da parentalidade com mais conexão e consciência.

PATRÍCIA SILVA

Psicóloga Clínica e Mestre em Psicologia pela USF. Educadora Parental em Parentalidade Consciente, professora universitária, palestrante, esposa e mãe de duas princesas. Acredito no poder transformador do cuidado às famílias. Na minha prática, apoio pais a criarem filhos com mais conexão, afeto e limites.

Patrícia Silva

Contatos
psicologapatriciasilva.com.br
patriciapaula.psi@gmail.com
Instagram: @psicologa.patriciasilva

> *O desafio da criação dos filhos consiste em encontrar um equilíbrio entre nutrir, proteger e guiar, por um lado, e permitir que seu filho explore, experimente e se torne uma pessoa independente e única, por outro.*
> JANE NELSEN

Não é incomum os pais se sentirem perdidos no exercício da parentalidade[1]. Com isso, experienciam culpa e sensação de que estão sem direção na criação dos filhos. E o que intensifica essa insegurança é justamente esse olhar voltado somente para a criança. Os pais tentam encontrar soluções para os "problemas" que enfrentam com os filhos e não fazem o caminho de olhar para dentro de si.

A partir do nosso papel parental, podemos olhar para nós e buscar, por meio das nossas experiências familiares, trilhar um caminho de transformação. Quanto mais olharmos para a parentalidade como um processo de conexão conosco, mais fortalecidos estaremos na relação com nossos filhos.

Imagine tal transformação como um processo de florescimento. A planta para florescer precisa de uma série de cuidados e atenção, assim, pode crescer forte e florescer. Há muitos tipos de plantas, cada uma com particularidades quanto ao plantio, nutrientes, condições e tempo para o florescimento. Quando o processo não é respeitado, a planta pode inclusive morrer.

Agora troque "planta" por "parentalidade". A maternidade e a paternidade também são um processo. Cada um de nós, com nossas particularidades, histórias e carga emocional, precisamos dos cuidados e da atenção necessários para nos tornarmos mães e pais. Quando não respeitamos o nosso processo, o nosso tempo e as nossas necessidades, nos negligenciamos e podemos esgotar nossas energias. Esse esgotamento faz com que nos sintamos cada vez menos conectados aos nossos filhos.

Antes de buscarmos soluções para as dificuldades que enfrentamos com nossos filhos, precisamos nos conectar com nosso modo de parentar, nossa história, valores e intenções. Assim começamos do início: por nós.

Mas, então, como conseguir tal conexão? Vou apresentar algumas etapas que considero importantes nesse caminho.

---

1 Parentalidade: responsabilidades no processo de educação, criação dos filhos, função dos pais na vida dos filhos. Estenda pais para cuidadores, pois não necessariamente os pais é que exercem as funções parentais

Qual modelo parental você exerce?

Cada um de nós tem uma forma de exercer a parentalidade. Estudos nos apontam para alguns estilos parentais, ou seja, para modos de ser pai e mãe, que se desenvolvem levando em conta a história de vida, vivências e relações dos pais (CASSONI, 2013). Compreendê-los é o primeiro passo para entender o seu modo de parentar e, a partir dessa compreensão, buscar mudanças que levam a uma relação mais saudável com seus filhos.

Os estilos parentais são práticas que os pais utilizam no processo de educação dos filhos. É o modo como exercem os cuidados necessários no acompanhamento do crescimento dessa criança.

Para compreender seu estilo parental, é necessário perceber-se e analisar seu modo de relação com seus filhos. O conhecimento sobre os estilos parentais clareia sobre o movimento familiar e também nos auxilia a olharmos de modo mais aprofundado para nossas ações.

Vamos refletir sobre 4 estilos parentais: autoritário, autoritativo, permissivo e negligente.

O objetivo com essa compreensão não é impor um único modo de parentar, mas sim de expandir a capacidade de autoavaliação e conectar com suas ações, tornando mais consciente e aberto caso perceba a necessidade de uma mudança. A partir de uma maior conexão, você pode ampliar suas condutas familiares buscando relações cada vez mais saudáveis, independente do estilo parental que você exerça – isso é consciência.

O funcionamento parental se dá a partir de dois modos de interação principais: o nível de controle que os pais exercem com os filhos – o quanto são exigentes com os filhos – e o nível de responsividade – o quanto valorizam o diálogo, o afeto e o suporte emocional.

Esses dois critérios de avaliação – atitudes responsivas e atitudes de exigência – são apresentados na imagem a seguir.

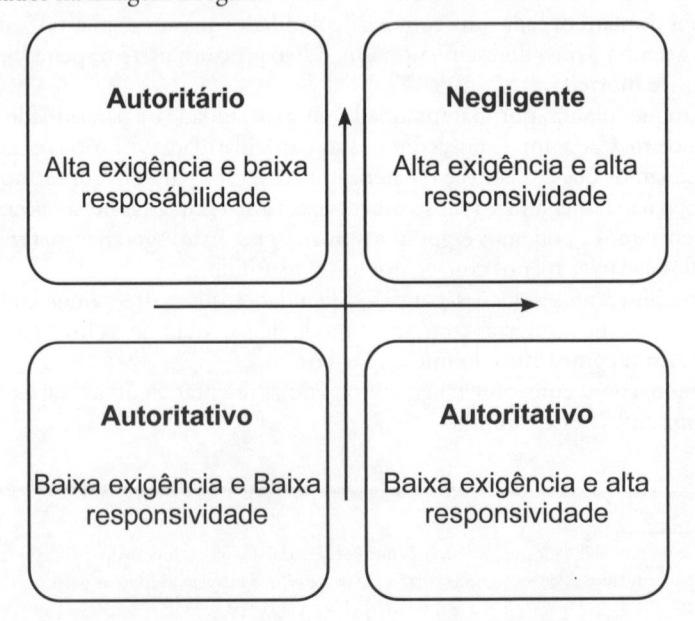

Autoritário	Negligente
Alta exigência e baixa resposábilidade	Alta exigência e alta responsividade
Autoritativo	Autoritativo
Baixa exigência e Baixa responsividade	Baixa exigência e alta responsividade

Autoritário

Os pais que exercem um estilo autoritário têm um alto nível de exigência, valorizam o controle, a obediência e aplicam regras mais rígidas. Apresentam baixo nível de responsividade, dando pouca abertura para a criança participar das decisões familiares e pouco espaço para uma comunicação bidirecionada. Costumo dizer que no estilo autoritário a voz que mais se ouve é a voz dos pais, que utilizam como modo de disciplina práticas punitivas e podem inclusive apresentar agressividade no falar e no agir com os filhos.

O vínculo familiar pode se tornar frágil, baseado no medo da punição e na não valorização das emoções, tanto dos pais quanto dos filhos. Digo "tanto dos pais" por ser comum os pais que exercem o estilo autoritário se sentirem culpados após uma dura ação com os filhos, ou ter a sensação de que excederam em suas ações. Com isso, perceba que há um movimento de não valorizar as próprias emoções, os próprios valores e a intuição, pois mesmo com tais sensações tendem a repetir o comportamento com os filhos.

Permissivo

No estilo permissivo, os pais têm baixo nível de exigência e alto nível de responsividade. São pais que alimentam a sensação de perda de controle frequente na relação com os filhos. A relação familiar pode até ter regras, mas geralmente não são respeitadas, e os pais tendem a quebrar as próprias regras. Os limites são extensos e a criança passa a se sentir insegura no seu crescimento, sem direcionamentos. Supervalorizam o diálogo com a criança e suas emoções, mas quando isso é feito sem limites claros, a criança em seu movimento natural de explorar poderá ter ações de "controle" com o ambiente.

Aqui, a voz que mais se ouve é a da criança. Como estratégia de disciplina, tendem a utilizar chantagens e ameaças para que a criança obedeça.

Negligente

Nesse estilo parental, os pais apresentam baixo nível de controle e baixo nível de responsividade. Geralmente não exercem as funções parentais, ficando a cargo de terceiros (instituições e/ou familiares) os cuidados com as crianças.

É inegável o prejuízo emocional que a criança sofre por não ter os pais como figura de cuidado saudável. Crianças precisam de suporte e relações que transmitam segurança e apoio para que cresçam bem. Por não serem responsáveis por si, o direcionamento dado pelos cuidadores exerce influência se a criança se desenvolverá de modo adequado ou não. Pais negligentes tendem a não exercer essas funções de apoio, segurança, suporte e direcionamento. Com isso podem criar crianças inseguras, agressivas e com baixa autoestima (SAMPAIO; GOMIDE, 2007).

Autoritativo

Esse estilo parental é considerado um ponto de equilíbrio. Os pais apresentam alto nível de exigência e alto nível de responsividade. Apresentam uma prática de maior conexão com as necessidades das crianças e as suas próprias necessidades. O ambiente familiar possui regras, limites, rotina e as relações valorizam a comunicação bidirecionada e as emoções. De modo geral, criam filhos com afeto e limites.

O modelo de disciplina que utilizam é mais positivo, buscando o desenvolvimento da autonomia e responsabilização por parte das crianças. Com isso, a relação se torna mais próxima e os vínculos podem se constituir de segurança e laços fortalecidos.

Compreende-se que o modelo parental praticado pelos pais influencia diretamente no desenvolvimento das crianças e nos seus comportamentos sociais. Quando os pais apresentam ações como abuso físico, punição inconsistente, negligência, disciplina relaxada e alto índice de exigência sem responsividade, as crianças apresentam comportamentos como agressividade, baixa empatia, autonomia deficitária etc. Em contrapartida, quando os pais exercem um modelo parental em que proporcionam regras, limites, educam para o desenvolvimento de comportamentos morais saudáveis e monitoram, ou seja, apresentam atenção e disciplina consciente, isso é tido como um marcador positivo e facilitador de um desenvolvimento infantil adequado.

Muitos são os fatores envolvidos no desenvolvimento dos estilos parentais praticados pelos pais. Os principais são a história de vida e como enxergam o exercício parental.

História de vida

Nesse ponto, precisamos fazer uma pausa. Pausa para que você possa olhar para sua história. Convido-o a pensar na sua infância e no modelo parental que exerceram com você. A partir desse resgate às suas lembranças, se permita sentir. Quais emoções despertam em você? Quais pensamentos surgem a partir desse olhar para sua história de vida? Quais desejos? De fazer similar ou diferente do que fizeram com você?

Pense! Reflita! E se preferir, anote aqui suas reflexões:

_____
_____
_____
_____
_____
_____

O modelo parental que fomos criados, nossas experiências familiares influenciam, sim, na nossa parentalidade. Essa influência pode ser negativa ou positiva, mas ela existe. Não somos uma folha em branco, somos constituídos por vivências que nos formam. O principal é que nossa história influencia, mas não é determinante.

Se nas reflexões acima você compreende a necessidade de um caminho diferente do que foi trilhado com você, saiba que é possível.

A consciência do estilo parental que você exerce é o início de um caminho de conexão na criação dos filhos.

Intenção

O segundo passo para um caminho de conexão na criação dos filhos é alinhar as suas ações aos seus valores, suas intenções. O que você deseja para o futuro dos seus filhos? Você pode desejar muitas coisas, como que ele seja um adulto bem-sucedido, empático, altruísta, que forme uma boa família, que lute pelos seus sonhos etc. Geralmente associamos a algo positivo, que fará de nossos filhos adultos felizes. Essa é a sua intenção, o que você espera de sua relação com seu filho.

Agora, pense que sua intenção é seu objetivo no exercício da parentalidade, aonde você quer chegar. Reflita se o caminho que trilha atualmente levará vocês a esse destino. O estilo parental que você exerce está alinhado às suas intenções?

O que você mais valoriza e espera desenvolver no seu filho precisa fazer parte da sua ação hoje, no momento atual. Podemos nos desviar do caminho às vezes, mas, se sabemos exatamente para onde ir e estamos conectados com nossos valores e nossas intenções, retornar para o caminho correto é mais simples. Se conecte com sua intenção, reveja suas ações e trace uma rota.

Valorização das emoções

Outro passo para uma parentalidade com mais conexão é olhar para suas emoções e para as emoções das crianças. Muitas vezes não aceitamos nossos próprios sentimentos, com isso não atendemos nossas necessidades emocionais.

Não há emoções ruins ou emoções boas. Todas elas exercem sua função e são igualmente importantes, porém o que existe são reações a essas emoções que podem ser agradáveis ou desagradáveis.

Por exemplo, não há problema em se sentir nervoso ou irritado. É uma emoção que te faz olhar para suas necessidades. Você pode então perceber que sua irritabilidade acontece por uma sobrecarga de atividades, sinalizando a necessidade de descanso. Aprenda a olhar para as emoções de modo mais amplo, compreendendo o que querem dizer. Conecte-se com você. Tendemos a ter reações ruins quando negligenciamos nossas emoções e não olhamos para o contexto. Quando você compreende o que gerou aquela emoção, mais facilmente encontrará o caminho para a solução.

O mesmo movimento acontece com as crianças. As emoções e as reações devem ser olhadas pelo contexto. Sempre se faça a pergunta: o que essa emoção quer me dizer? O que essa reação quer me sinalizar?

A partir dessa análise do contexto, você tira o foco somente no comportamento expresso. Entenda também que as emoções precisam ser validadas, reconhecidas (FABER *et al.*, 2003). Percorra esse caminho tanto com você quanto com seus filhos:

- Analise o contexto envolvido na manifestação emocional;
- Ouça com atenção (se ouça e ouça seu filho);
- Dê nome aos sentimentos;
- Perceba suas necessidades não atendidas e, quando possível, atenda-as.

Assim você fará o exercício de olhar mais profundamente para você e para seus filhos. Esse passo é importantíssimo e deve ser feito em conjunto com os passos anteriores.

Compare-se somente consigo

Outro passo para maior conexão é olhar para você sem comparações. Você compreendeu que suas vivências impactam nas suas ações e que cada pai e cada mãe tem um modo de parentar. Mesmo que exerçam o mesmo estilo parental, possuem características únicas.

Quando você se compara com outras mães, nega sua história, nega suas condições emocionais e suas particularidades. Utilize a si mesma como parâmetro para suas reflexões e avalie suas condutas com carinho e respeito a você.

Respeitar-se nesse processo de conexão facilitará sua autoavaliação, autopercepção e autocooperação.

Os caminhos de conexão levam a vivenciar a parentalidade como uma possibilidade de transformação, de florescimento. Nunca haverá manual para pais seguros e confiantes, mas há caminhos que nos levam a uma relação mais consciente conosco e com nossos filhos.

São caminhos que precisamos trilhar primeiramente no nosso parentar, na nossa atuação como mãe e pai. Sem a conexão consigo, a conexão com seus filhos será inexistente. Meu propósito neste capítulo é ajudar a refletir a parentalidade como um caminho de transformação pessoal, assim criamos não somente crianças felizes, mas também pais felizes e cada vez mais fortalecidos.

Referências

CASSONI, C. *Estilos parentais e práticas educativas parentais: revisão sistemática e crítica da literatura.* Dissertação de Mestrado. Universidade de São Paulo de Ribeirão Preto, 2013.

FABER, A.; MAZLISH, E.; DAYAN, A.; AZRAK, D. *Como falar para seu filho ouvir e como ouvir para seu filho falar.* São Paulo: Summus Editorial, 2003.

SAMPAIO, I.; GOMIDE, P. Inventário de estilos parentais (IEP). Percurso de padronização e normatização. *Psicol. Argum.* Curitiba, v. 25, n. 48, pp. 15-26, 2007.

40

MEU FILHO NÃO ME OBEDECE!

O desejo de "criar filhos autorresponsáveis que não obedeçam por medo" está entre as respostas mais ouvidas quando o assunto é educação de filhos. Este anseio leva muitos pais à insegurança de não estarem sendo suficientemente bons nesta tarefa, uma vez que são muitos os desafios enfrentados no dia a dia.
Se você já usou todo seu arsenal criativo e ainda assim seu filho não te obedece, te convidamos a ler as próximas páginas. Você encontrará respostas.

PRISCILA GRIVOL E REGINA POCAY

Priscila Grivol

Mãe, casada há 16 anos, ama viver e desenvolver novas habilidades. Formou-se pela UNIMEP, em 2006, e é pós-graduada em Neuropsicopedagogia Clínica, em *Kidscoaching*, pelo ICIJ, Educação Emocional Positiva Ciranda, Educação Socioemocional *Grow in Group*, Inteligência Emocional Internacional *Infinity* e Disciplina Positiva pela PDA. Cursa sua segunda graduação, agora em Psicopedagogia. Possui amplo conhecimento e experiência em Educação Parental, Educação Emocional para pais e crianças, Conexão e Disciplina baseadas na Disciplina Positiva, Método Montessori e em *Coaching* Infantil e Parental. É colunista, escritora, palestrante e já apresentou programas na televisão.

Contatos
www.priscilagrivol.com.br
Instagram: @priscila.grivol
Facebook: priscila.grivol
19 99338 1943

Regina Pocay

Aprendiz da vida e irremediavelmente apaixonada pelo ser humano. O que impulsionou sua primeira formação: pedagogia com foco em educação especial. Pós-graduada em Psicopedagogia e Gestão de Pessoas pela UNISAL. É *Practitioner* em Programação Neurolinguística pela SBPN – Sociedade Brasileira de Programação Neurolinguística, Ericksonian *Hypnosis* pelo ACT – *Institute* e certificada pela Franklin Covey para o curso: *The 7 Habits of Highly Efective People*. Educadora Parental certificada pela PDA. *Life Mentoring* contribuindo com processos de desenvolvimento pessoal. Regina é casada, mãe e avó, título que carrega com muito orgulho, pois diz que os netos renovam a sua energia e lhe permitem exercitar ainda mais o amor ágape.

Contatos
repocay@icloud.com
Instagram: @repocay
Facebook: reginapocay

Introdução

Profundas mudanças aconteceram ao longo das últimas décadas na estrutura familiar, o que refletiu diretamente no comportamento de nossas crianças. A obediência e a submissão não existem mais como antigamente. E isso pode ser muito favorável para o nosso crescimento como ser humano.

Essas mudanças nos relacionamentos familiares nos fazem refletir e nos criam oportunidades de progredir em nossa jornada de educar filhos felizes e autorresponsáveis.

Temos hoje a oportunidade de fazer nossas crianças refletirem, decidirem e depois agirem, sem perder nossa autoridade e sem precisar ser autoritário. Crianças podem ser educadas para desenvolverem o senso de reflexão e não somente a obediência, criando habilidades para fazerem escolhas conscientes.

Entendemos que os relacionamentos familiares precisam ser baseados no respeito e não no medo, assim teremos crianças felizes, que aprendem com os erros, e pais que possuem coragem de educar, mesmo com imperfeição.

Como estão os lares hoje?

Vemos hoje as famílias vivendo sem comunicação e sem intimidade, falamos que estão desconectadas.

Essa desconexão entre pais e filhos foi gerada por inúmeros fatores, sendo alguns deles: uso desenfreado de tecnologias; redução do tempo em família em virtude das atividades profissionais dos pais; agenda com atividades extracurriculares exageradas de nossas crianças; falta de habilidades de comunicação e resolução de conflitos dos pais, afastando assim os filhos; foco nos problemas e não nas soluções; entre muitas outras.

Tão facilmente encontramos crianças com dificuldade de socialização, individualismo, agressividade, timidez e episódios frequentes de birras; em contrapartida, pais exaustos, buscando soluções constantes e muitas vezes sem sucesso.

A prática de castigos, punições, agressões físicas e verbais constantes, infelizmente é uma realidade. Com isso, o sonho da maternidade e da paternidade pode virar uma frustração, com a sensação de culpa e fracasso.

Vale a pena continuar fazendo do mesmo jeito?

Muitos pais dizem que já tentaram de tudo e, quando fazemos uma listagem do "tudo", vimos que realizaram algumas estratégias. Contudo, queremos hoje fazer refletir sobre algumas estratégias que utilizamos na tentativa de educar nossos filhos.

- Banquinho do pensamento, cantinho do pensamento ou cantinho do castigo: suponha que uma criança de 3 anos tenha batido em seu amigo e que fique por três minutos no castigo. Você acredita que ela, nesses três minutos, pense: "eu agi errado com meu amigo, da próxima vez que eu quiser o brinquedo vou pedir ou esperar que ele brinque e depois me empreste" ou "eu sou uma criança má" ou "da próxima vez não vão me pegar"? Então, nesse cenário, acreditamos que crianças que são educadas para refletirem não precisam de castigos, pois se trabalha a prevenção, e essa reflexão pode ser aprendida com os pais e/ou responsáveis.
- Gritos: muitos pais relatam que gritam diariamente com seus filhos, claramente não desejam gritar, contudo acabam explodindo emoções e não administrando suas ações. Muitos hoje dizem que o grito é a nova palmada. As experiências que vivemos modelam nosso cérebro, quando gritamos, nossos filhos sentem medo, causando impacto negativo no cérebro de nossas crianças. Como os comportamentos são espelhados, devido aos "neurônios espelhos", educar nossas emoções é um caminho saudável para o desenvolvimento de nossos filhos.
- Uso desenfreado de tecnologias: hoje, mais que nunca, temos famílias com relacionamentos afetados devido ao uso exagerado das tecnologias. Na primeira e na segunda infância, temos maior poder de influenciar nossos filhos, então nossas atitudes e comportamentos gerarão ensinamentos possivelmente duradouros e decisivos, o que será crucial para quando eles entrarem na adolescência. Segundo Tânia Zagury, "o que a criança aprende nesses anos iniciais é que formará a base, a estrutura, o arcabouço do comportamento futuro dela". Dessa forma, precisamos como pais proporcionar momentos que permitam crescimento e aprendizagem para a vida, e isso é feito de forma lúdica. Então, convidamos a avaliar o uso das tecnologias em sua família e tomar as medidas que julgar necessárias para que tenham boa convivência e foco no futuro.

O que podemos fazer

É fato que precisamos proteger nossas famílias, para possibilitar maiores chances de educarmos nossos filhos. As mídias hoje também tentam nos persuadir a ser e estar de acordo com influências econômicas e sociais.

Bom, mas o fato é que nós, pais e responsáveis, precisamos que nossos filhos nos respeitem e façam as atividades que precisam ser feitas, contudo, ouvimos muito a frase "meu filho não me obedece!".

A grande dica é algo que parece ser relativamente já entendido por nós: conexão. Para educarmos nossos filhos, precisamos primeiro estarmos em conexão com eles, como já nos diz a Disciplina Positiva da Dra. Jane Nelsen: primeiro a conexão e, depois, a correção.

Primeiramente, e anterior à conexão, é preciso que entendamos algo preliminar, também baseado na disciplina positiva, que nos diz que por trás de um mau comportamento existe uma necessidade não atendida. Como citado no livro *Como conversar com crianças... para que ouçam e se desenvolvam*: "Quando as crianças não se sentem bem, não conseguem se comportar direito". Então, aproveitamos para fazer uma pergunta: caso sua criança pudesse lhe fazer um pedido, o que ela lhe pediria?

A chave para o seu sucesso talvez esteja na resposta sincera à pergunta feita anteriormente. Feche os olhos por alguns minutos, mentalize o rosto de sua criança e tente soltar sua mente de culpas e punições que talvez você tenha contra si mesmo e "ouça" o que sua criança lhe pede. Nós, pais e responsáveis, sabemos mais do que ninguém das lacunas e necessidades não atendidas de nossos filhos.

Nesse momento já entendemos que o educar é a maneira de criarmos filhos conscientes, respeitosos e autorresponsáveis, em vez de somente obedecerem por medo. Agora vamos para a conexão.

Conectar

Existem diversas formas de nos aproximarmos emocionalmente de nossas crianças e educá-las, e neste capítulo abordaremos algumas delas. Sugerimos também a leitura do livro *Educar sem manual*, em que abordamos com mais detalhes esse assunto, baseando em anos de atendimentos familiares e treinamentos para construir estratégias comprovadas a fim de que tenhamos sucesso na maternidade e, principalmente, com os comportamentos indesejados por parte das crianças.

1) Estratégias práticas de comunicação: precisamos criar filhos para serem conscientes de suas ações, aprender a ouvi-los e ensiná-los a ouvir. Colocaremos, a seguir, alguns exemplos de frases que conectam e outras que desconectam o seu relacionamento com sua criança.

Frases que desconectam	Frases que conectam
Por que você não fez a lição ainda?	Prefere fazer a lição antes ou após o jantar?
Se você não me deixar colocar a roupa ficará de castigo.	Vamos brincar? Para cada peça de roupa que colocarmos, vamos dar um pulo gigante?
Saia de dentro do carro, já é noite!	Eu vou desligar a luz da garagem e fechar a porta, querido.
Por que você está chorando?	Como você está se sentindo?
Não foi nada, não precisa chorar.	Imagino como você se sente, deve estar doendo (seguido de um abraço). O que podemos fazer para evitar que isso aconteça de novo?

Repare nos exemplos anteriores e analise:

- "Por que você não fez a lição ainda?": esse tipo de frase não constrói autorresponsabilidade, e todos nós queremos ter o poder de escolher por algo. Então nós, como já nos diz a disciplina positiva, podemos oferecer escolhas limitadas, pois a lição precisa ser feita, mas a criança pode ter a opção de fazê-la antes ou após o jantar. E esse exemplo vale para outras situações do cotidiano. Por exemplo, uma mãe ou pai que deseja que seu filho proteja seus pés nos dias frios dentro de casa, pode perguntar: o dia está frio, e precisamos ficar quentinhos, você prefere usar tênis ou pantufa? Agindo dessa forma, estamos ensinando nossas crianças a refle-

tirem e tomarem uma ação consciente. Esse tipo de abordagem é muito eficiente em crianças que têm comportamentos desafiadores;
• Trazer o lúdico para as atividades do dia a dia torna a nossa jornada como pais alegre e leve. Nossas crianças têm o direito de reclamarem do que não gostam de fazer, todos os sentimentos devem ser acolhidos, contudo nem todas as atitudes são aceitáveis. Porém, obrigá-las a fazer as coisas nem sempre é uma tarefa fácil, e a disputa pelo poder não traz em si o respeito, e sim o medo. Trazer o lúdico nas tarefas do dia a dia pode nos oferecer conexão, respeito e ambiente favorável para o crescimento como seres humanos. As crianças aprendem no lúdico, aprendem brincando, é no brincar que ensinamos as maiores lições de vida. Indicamos também assistir à primeira versão do filme *Mary Poppins* (1964) e ver como ela enxerga e transforma a realidade de vida das crianças e de todos ao seu redor. Então, nós aplaudimos os pais e educadores que permitem que suas crianças acreditem no mundo encantado. Como diz Eduardo Sá no livro *Brincar faz bem à saúde*, "o melhor do mundo não são as crianças, são todas as pessoas – sejam pais, avós ou professores – que as ensinam que o melhor do mundo não é estar entre os melhores ou ser 'o melhor do mundo', mas, antes, ser o melhor do mundo para alguém". Nossas crianças vão salvar o mundo e no momento precisam de nós;
• Não devemos negar os sentimentos e dores: tristeza existe e sempre existirá ao longo de nossas vidas. Quando os negamos com o "não foi nada" e o "não precisa chorar", estamos nos desconectando emocionalmente de nossas crianças, pois elas podem pensar "Como não foi nada? Eu sinto!". Sendo assim, nós os acolhemos emocionalmente dizendo que "Sim, eu te entendo" e nos oferecendo para ajudá-las naquele momento;
• Esses exemplos de comunicação conectam; já quando usamos o "por que" em nossas perguntas, ocorre uma desconexão, podendo levar, inclusive, à irritabilidade em nossas crianças, por exemplo: "Por que você está chorando?". Muitas vezes não é tão claro para nossas crianças o porquê de elas estarem chorando, ou outros porquês que utilizamos durante o dia: "Por que você fez isso? Por que você fez aquilo?". O uso do "por que" pode causar irritabilidade, desconforto e até situações de mentira, quando a criança não sabe direito o que nos responder e acaba usando da mentira para nos dar alguma resposta. Então, nós sugerimos evitar o "por que". Você pode utilizar outras palavras, como "o que aconteceu?", "como...", "como seria...", "vamos imaginar que...", "se alguém soubesse..." etc.

A comunicação eficiente e afetuosa terá papel importantíssimo em sua jornada de conexão e educação.

2) Atividades lúdicas em família: brincar em família constrói laços, harmonia e prepara nossos filhos para a socialização e construção da identidade social. Podemos criar atividades que auxiliam o desenvolvimento de competências emocionais em nossas crianças, essas habilidades trazem conexão familiar e os preparam para viver de forma positiva situações que podem ser desgastantes para crianças que não tiveram essas oportunidades. Durante as atividades lúdicas, temos oportunidade de ensinar sobre relacionamentos, elevar a autoestima, incentivar bons relacionamentos, aprender a conscientizar nossas emoções, as emoções dos outros e ensinar a empatia. Vamos propor, então, algumas atividades que podem ser realizadas com suas crianças, seja você pai/mãe ou educador(a):

- Amarelinha das emoções: construa uma amarelinha tradicional no chão, que pode ser com giz, fita ou da forma que preferirem; confeccionem um dado (pode ser uma caixinha encapada, por exemplo). Em cada faceta do dado, coloque uma emoção: amor, raiva, alegria, medo, nojo e tristeza – que são as mais conhecidas por nossas crianças (podem ser desenhadas e escritas, peça para a sua criança desenhar). O dado será a "pedrinha" do jogo, vocês irão jogá-lo e verificar a emoção que cair virada para cima. Em vez de somente pular a amarelinha, vocês contarão uma vez que sentiram aquilo – se for algo que causa mal-estar ainda, pode perguntar para a criança como ela poderia ter agido naquele dia e o que aprendeu com aquele ocorrido. Com essa brincadeira, nós ensinamos um ciclo de educação emocional para nossas crianças, pois elas identificam os sentimentos, acolhem e são capazes de identificar novas atitudes;
- Árvore da gratidão: construa uma árvore, que pode ser de gravetos, isopor, papelão etc., utilize os materiais que tiverem disponíveis e estimule a criança a fazer uma árvore que faça sentido para ela. Ensine sobre a importância de termos gratidão sobre o que temos. No lugar das folhas das árvores, colocaremos ao que somos gratos, pode ser desenhado e/ou escrito. Essa atividade estimula as crianças a terem empatia, gratidão e muita conexão. Durante a atividade, procure conversar em tom amoroso, lúdico e aproveitando os momentos em família para construírem juntos os valores familiares de vocês;
- Muitos pais compram dezenas de jogos para criarem brincadeiras estimulantes a cada novo dia. Contudo, precisa ser avaliado pela família o quanto essa atitude (e o grau dela) está incentivando o consumo exagerado e a inibição do prazer entre o criar e o comprar. Estimulamos que as brincadeiras em família sejam criadas pelos filhos e pais: "o que seria legal fazermos juntos hoje à noite?" – são perguntas simples, que levam as crianças a pensarem, estimulando a criatividade e a conexão familiar, assim elevamos a autoestima das crianças e ensinamos o respeito. Algumas crianças gostam de fazer noite do pijama, cabaninhas, preparo de comidas, noite de cinema... descubra os desejos da criança, conecte-se e livre-se das birras e desobediências. Aproveite cada momento em família. Como citado no livro *Disciplina positiva para crianças de 0 a 3 anos*, "se você deixar de aproveitar os momentos especiais, aprender novas habilidades e ajustar a vida com uma criança em desenvolvimento, a vida pode parecer um grande fardo".

Educar sem manual

Estarmos conectados às nossas crianças precisa ser o nosso maior objetivo, dedicar tempo de qualidade, criar oportunidades para se expressarem verdadeiramente (e não responderem ao que desejamos, já que muitas vezes fazemos perguntas com a resposta inclusa ou não damos tempo o suficiente para responderem), saber que existem os neurônios-espelhos e que precisamos cuidar de nossos comportamentos a fim de que aprendam a ter resiliência.

Construímos ao longo de nossa jornada muito conhecimento prático e teórico sobre a primeira infância e criamos uma metodologia em nosso livro *Educar sem manual*. Entendemos que não existem atalhos para que nossos filhos nos obedeçam, contudo existem ferramentas para criarmos conexões profundas e educação para toda a vida – e a mãe, pai ou os cuidadores são os que mais possuem possibilidades de encorajar e mudar suas crianças, depende de sua confiança e do uso de estratégias e técnicas adequadas que podem ser aprendidas. A conexão vai mudar a sua família, acredite e invista nisso! E como escrito no livro *Disciplina positiva para crianças de 0 a 3 anos*: "Não há desafio maior do que criar filhos – e não há trabalho mais gratificante".

Referências

FABER, J.; KING, J. *Como conversar com crianças pequenas… para que ouçam e se desenvolvam*. São Paulo: nVersos, 2019.

GRIVOL, P; POCAY, R. *Educar sem manual*. [s.l.]: Fontenele, 2020.

NELSEN, J. *Disciplina positiva*: o guia clássico para pais e professores que desejam ajudar as crianças a desenvolver autodisciplina, responsabilidade, cooperação e habilidades para resolver problemas. 3. ed. Barueri: Manole, 2015.

NELSEN, J. *Disciplina positiva para crianças de 0 a 3 anos: como criar filhos confiantes e capazes*. Barueri: Manole, 2018.

SÁ, E. *O ministério das crianças adverte: brincar faz bem à saúde*. São Paulo: Casa da Palavra, 2019.

ZAGURY, T. *Os novos perigos que rondam nossos filhos – para papais do século 21*. Rio de Janeiro: Bicicleta Amarela, 2017.

41

CRIANDO VÍNCULOS AFETIVOS COM SEUS FILHOS PARA A VIDA

Neste capítulo, os pais encontrarão a importância de criar um vínculo com seus filhos desde a primeira infância. Praticar a criação desses vínculos com seus filhos significa ter um adulto com mais inteligência emocional, um adulto seguro, porque na sua infância teve intimidade, presença e fortalecimento do vínculo afetivo com seus pais.

PRISCILLA RODRIGUES MARTINS

Mentora de Mães, especialista em *Coaching* Infantil pelo método *Kidcoaching* – Rio *Coaching* (2019). Idealizadora do Jornada das Emoções para Mães. Mãe de um casal, e apaixonada pelo desenvolvimento infantil.

Priscilla Rodrigues Martins

Contatos
priscilla_pe@hotmail.com
Instagram: @conectando.paisefilhos
92 98103 8159

> *O vínculo entre pais e filhos refletirá diretamente no futuro da criança.*
> *E esse vínculo é construído na infância.*
> PRI MARTINS

Muitas vezes, os pais se preocupam tanto com todo esse início da chegada do filho, as cólicas, noites mal-dormidas, o estresse pós-parto, e todos os medos que surgem com essa primeira infância.

E o que é mais importante e não é lembrado, é a construção do vínculo entre pais e filhos, que se dá na primeira infância.

E deixa eu te dizer algo muito importante, investir na primeira infância faz toda diferença. A primeira infância vai dos 0 aos 6 anos.

São os vínculos construídos durante a infância que farão toda diferença na vida do seu filho, quando esse for um adulto.

De nada vai adiantar você apenas suprir as necessidades básicas da sua criança, como alimentação, higiene, proteção física, se não cuidar também do emocional do seu filho.

É com você que seu filho quer contar nos seus momentos mais difíceis e, se não estiver presente, esse vínculo não será construído.

Deixe-me contar a minha experiência enquanto mãe. Sempre me preocupei com a educação dos meus filhos, sempre soube da importância da minha presença.

Apesar de trabalhar fora desde que tive a minha filha, sempre procurei estar presente. Porque o que conta não é a quantidade de horas que você está com seu filho, mas o quanto está conectado com ele.

Nesse momento, precisa se desligar de tudo e de todos, seu filho precisa sentir que você está presente, e acredite, se está de olho no celular enquanto está com o seu filho, ele perceberá.

Priorize os momentos que estiver com ele, e serão os melhores momentos da vida do seu filho, porque para as crianças, o que importa não é a brincadeira, o brinquedo mais caro, mas o tempo juntos.

Pare agora e pense: o que eu tenho feito para criar vínculo com o meu filho? O que tenho buscado para me conectar com ele?

Lembre-se: criar vínculos é o que de mais intenso e eterno você pode fazer pelo seu filho.

O vínculo que você constrói com seu filho está ligado diretamente ao comportamento, ensinamento, convivência e estrutura de formação humana que os pais constroem ao longo da criação dos filhos.

Ele refletirá diretamente no futuro dessa criança, deixando legados que serão passados de geração para geração.

Por isso esse vínculo entre pais e filhos precisa ser priorizado desde a infância para que se torne duradouro, e venha a refletir no adulto que seu filho se tornará.

Muitas vezes pode parecer que ter tempo de qualidade com os pais, brincar, interagir, seja um capricho da criança, mas é uma necessidade dela. E é por isso que ela necessita do vínculo com os pais desde o seu nascimento.

Trabalho como *coach* familiar e presencio por muitas vezes pais e mães lamentando a falta de conexão com seus filhos, mas infelizmente se você não planta na infância, não colherá algo diferente.

E eu entendo que são tantas decisões que pais e mães precisam tomar toda hora, que não se atentam a esse momento de estar com os filhos.

Muitos pais acham que é muito difícil a construção dos vínculos com os filhos, mas são nas coisas mais simples que você consegue criá-los. A seguir, darei algumas sugestões para que você comece hoje mesmo a construção desse vínculo e a criação de muitas memórias. Memórias essas que eles levarão para a vida, e com certeza repetirão com seus filhos.

Como construir vínculos?

Não é só dizendo *eu te amo* que você está criando vínculo com seu filho, até o ambiente familiar precisa ser positivo para manter as crianças seguras, e ele se sentir amado. São as atitudes dos pais que farão com que essa criança se sinta amada. E atrelado a isso, elogiar, brincar e não dar mais atenção aos aparelhos eletrônicos do que às crianças. Busque reforçar todos os dias as qualidades de seu filho, e o quanto você o ama.

Para começar, sabemos da importância da criação desse vínculo desde bebê.

Então, vamos partir do recém-nascido. A mãe é quem apresenta o mundo a esse bebê.

A mãe que oferece um apego seguro, tendo um relacionamento contínuo, íntimo, é um suporte emocional para seu filho.

No caso do recém-nascido, existem 3 maneiras para os pais criarem um vínculo com o filho.

1. Amamente seu bebê

Segundo Klein e Esther Bick, a amamentação permite ao bebê tirar os medos de dentro de si e depositar na mãe para que ela os resolva (introjeção) e, pelo cheiro da mãe, da gratificação do alimento e do afeto, ocorre um contato harmonioso da mãe com o bebê.

Nesse momento da amamentação, faça contato visual com o bebê, fale com ele, olhe nos olhos, faça uma massagem, toque nas suas mãos, isso tudo transmitirá ao seu bebê a sensação de que você o entende.

2. Pegue seu bebê no colo

Segundo Winnicott, a mãe suficientemente boa é aquela que fornece o necessário para o bom desenvolvimento psíquico da criança, é aquela que leva seu bebê ao colo (*holding*) o máximo possível.

O contato do bebê com a pele da mãe o acalma.

Com o pai também não será diferente, estimule o contato pele com pele, e o contato visual, isso aproximará você do bebê.

Converse e cante para seu filho.

3. Presença

Estar presente é muito diferente de estar perto. A presença da mãe e do pai é fundamental e insubstituível. Algumas mães, além dos pais, precisam trabalhar fora e, infelizmente, têm de deixar o bebê com alguém e isso dificulta essa criação do vínculo.

Mesmo as mães que não conseguem amamentar no peito, precisam fazer do momento de dar a mamadeira a criação de vínculo com seu bebê.

Não ignore jamais o choro do seu bebê, o choro é sinal de que ele não está bem, e o acalento da mãe fará com que ele entenda que tem alguém ali para ajudá-lo.

Então, para que esse vínculo seja forte e duradouro, amamente, dê colo e seja presente na vida do seu bebê.

Agora voltando para a criação de vínculos na primeira infância, é importante observar seu filho para saber exatamente o que ele está pedindo. Sabemos que os pais e mães hoje exercem muitas funções, porém é preciso que os dois estejam atentos e planejem o dia para que a criança tenha atenção.

Essa história de que somente 15 minutos por dia com seu filho já bastam, não funciona. Só a convivência permite conhecer e responder aos anseios do seu filho.

Hoje essa atenção voltada para as crianças está muito superficial. Os pais vão contar história, jogar bola, fazer piquenique, sempre com um celular na mão, e deixando a criança se sentir em segundo plano. É importante sair do piloto automático e estar mais presente do que somente perto do seu filho. Ouvi-lo, entender o que ele precisa, abraçar, brincar, ter tempo para ele, sem que nada mais atrapalhe. Isso irá criar uma conexão entre vocês.

Vejo muitos pais que, após anos de convivência com os filhos, querem buscar uma intimidade e um vínculo que nunca foi criado ou trabalhado durante a infância. E muitas vezes se sentem frustrados por não obterem sucesso.

É importante você dedicar tempo para observar seu filho, se dedicar a esse momento em que criará vínculos. Vale lembrar que são vínculos e memórias que ele levará para a vida.

Existem muitas formas simples de construir o vínculo com seu filho, por exemplo: acompanhar as atividades escolares, assistir a um filme juntos, aprender algo novo juntos, compartilhar sua história de vida, ler uma história antes de dormir para seu filho, dar uma volta no parque, parar para ouvir o seu filho.

Como você pode observar, são coisas simples que geram esse vínculo, porém precisa estar presente apenas para seu filho, sem outras interrupções e distrações.

Considerações finais

Quando pensar na importância de criar vínculos com seus filhos, pense no que você quer que ele lembre quando for um adulto. Que infância ele lembrará? O que ele fez com os pais? Que momentos marcaram sua infância?

Lembre-se que seu filho seguirá seu exemplo. Hoje é você que está buscando criar vínculos com ele, mas, no futuro, ele também terá filhos, e os vínculos que criará com eles será exatamente o que ele aprendeu com você.

Eu sei que criar filhos é um desafio diário, é preciso determinação, coragem e força de vontade. Lembre-se: criar vínculos com seus filhos depende muito mais de você, pai e mãe, do que deles.

Agora, já comece a pensar em diversas formas para criar esse vínculo, planeje e mão na massa, o seu filho precisa de você.

Desejo que muitos vínculos sejam criados, desejo que sua família cresça na criação de memórias que levamos para a vida.

Referências

SIEGEL, D.; BRYSON, T. *Disciplina sem drama: guia prático para ajudar na educação, desenvolvimento e comportamento dos seus filhos*. São Paulo: nVersos, 2016.

WINNICOTT, D. *Os bebês e suas mães*. São Paulo: Martins Fontes, 2006.

A IMPORTÂNCIA DO BRINCAR EM FAMÍLIA PARA O AUTISTA: UM OLHAR DA TERAPIA OCUPACIONAL NO CAPSI DE MOSSORÓ/RN

Neste artigo enfatizaremos a importância de os pais brincarem com seus filhos, no contexto emocional e social, proporcionando maravilhosos momentos em família, resultando no fortalecimento do vínculo, por meio do lúdico, ficando assim na memória afetiva dos filhos para toda a vida.

RAFAELLA PEREIRA REBOUÇAS

Rafaella Pereira Rebouças

Terapeuta ocupacional graduada pela Universidade de Fortaleza – UNIFOR (1998), com pós-graduação em Saúde Mental no Contexto Multidisciplinar pela Faculdade do Noroeste de Minas – FINOM (2009). Atua como terapeuta ocupacional concursada da rede estadual (2010), atualmente, no Hospital Regional Tarcísio de Vasconcelos Maia (HRTVM), localizado em Mossoró/RN, e da rede municipal (2008) no Centro de Atenção Psicossocial da Infância e Adolescência (CAPSi) Maria de Fátima Araújo Fernandes de Medeiros, também em Mossoró/RN. Além de atuar na clínica particular Mais Fisio e em atendimentos domiciliares.

Contatos
Instagram: @rafaellapr29
Facebook: rafaellarebouças
84 98845 7678

A criança aprende brincando e brincando ela é feliz...
AUTOR DESCONHECIDO

A terapia ocupacional, uma das profissões da área da saúde, tem como principal objetivo promover maior autonomia e independência possível do indivíduo nas atividades básicas da vida diária. Na infância, a criança aprende o mundo e suas relações por meio do brincar. Então, por intermédio do lúdico, o terapeuta ocupacional atua aplicando sua metodologia de trabalho na busca de promover o desenvolvimento individual, de forma que, consequentemente, a criança aprende brincando.

O programa de implementação dos Centros de Atenção Psicossocial da Infância e Adolescência (CAPSi) foi instituído pelo governo federal como diretriz nacional para oferecer atenção especializada em Saúde Mental a crianças e adolescentes. O CAPSi Maria de Fátima Araújo Fernandes de Medeiros, mantido pela Prefeitura Municipal de Mossoró/RN recebe recursos federais, é o único do município voltado a esse público, atendendo a faixa etária de 3 a 18 anos. Foi inaugurado em 2004 e conta com uma equipe ampla de profissionais, como: coordenadora técnica e administrativa, assistentes sociais, educadoras físicas, enfermeira, fonoaudiólogas, pedagoga, psicopedagogo, psicólogos, psiquiatra, terapeutas ocupacionais, além da equipe de apoio. Atende crianças e adolescentes com transtornos mentais graves e persistentes e os que se enquadram no Transtorno do Espectro Autista (TEA).

O CAPSi de Mossoró/RN lançou o projeto "Brincar em Família no CAPSi", em 2009, com o principal objetivo de promover maior interação entre crianças/adolescentes sob os nossos cuidados e seus familiares, justamente por termos percebido que, muitas vezes, devido aos afazeres diários e à necessidade de garantir a subsistência da família, os pais não tinham o hábito de brincar com seus filhos. Daí, por entendermos que a ausência dos pais na primeira fase de socialização da criança pode acarretar prejuízos durante sua formação e aprendizado, tanto no aspecto cognitivo quanto social e emocional, surgiu esse projeto.

Considerando que a família é o primeiro e mais importante núcleo de aprendizado e socialização na vida de uma criança, entendemos que é de fundamental importância a inclusão da família diretamente nas atividades do CAPSi, para obtenção de melhores resultados no tratamento da criança.

A criança aprende quando brinca, e é nesse mundo do lúdico que ela exercita sua criatividade, imaginação, coordenação, atenção, concentração e outras percepções que lhes serão úteis na vida adulta. Portanto, ao nosso ver, não adianta tratar a criança sem envolver a família, por isso é tão importante a parceria e a díade família/CAPSi.

De acordo com Winnicott (1975, p. 63), "é a brincadeira que é universal e que é própria da saúde: o brincar facilita o crescimento e, portanto, a saúde; o brincar conduz aos relacionamentos grupais". Assim, o universo familiar da criança é enriquecido ao ter, no ambiente doméstico, maior interação com sua família. Sabemos que o modo de vida atual enseja grande e constante atividade e como pode ser difícil para os pais destacarem de suas atribuladas rotinas de trabalho algum tempo para se dedicar a brincar com suas crianças. É nesse sentido que se direciona a atuação do CAPSi no referido projeto: conscientizar e orientar as famílias quanto à imprescindibilidade de sua participação no tratamento da criança, para que seja estabelecida também no ambiente doméstico uma relação mais próxima entre o universo lúdico e imaginário da criança, o que propicia e fortalece os vínculos afetivos e as habilidades cognitivas.

A forma pela qual trabalhamos esse universo no projeto é pelo resgate de brincadeiras populares, como amarelinha, pular corda, pular elástico etc., que possuem em comum o interagir em coletividade. A instrumentalização disso é realizada da seguinte maneira: as atividades são distribuídas e realizadas entre duas salas amplas e a área externa do CAPSi, com utilização de jogos, brinquedos, objetos, músicas infantis antigas, entre outros recursos, sendo de livre escolha pelo paciente e/ou familiar aquela que será desenvolvida. Em cada atividade, a criança entra com o adulto responsável para a realização. Iniciamos dando as boas-vindas, explicamos a dinâmica e o tempo da atividade, a partir daí os profissionais dividem-se em cada ambiente e ficam no monitoramento e no apoio terapêutico, sendo muitas vezes necessária alguma intervenção e/ou orientação. Ao final, a equipe anota todas as observações, reúne-se, discute cada caso e marca uma reunião com os familiares para que seja dado o parecer final dessa atividade com as devidas orientações, sobre o que foi percebido nas relações de interação entre familiares e pacientes, decorrente do brincar.

Então, baseando-nos nisso, ressaltamos aqui a importância do brincar, razão pela qual nós, terapeutas ocupacionais, utilizamos os brinquedos como recurso terapêutico, a fim de alcançar os objetivos traçados no plano elaborado para o tratamento individualizado de cada criança/adolescente. Para tanto, promover o engajamento da família no ato do brincar é fundamental, pois, além de ajudar a criança a adquirir habilidades essenciais, serve também para estimular o desenvolvimento físico, motor, cognitivo, focando principalmente no emocional.

No que tange às crianças com Transtorno do Espectro Autista (TEA), identifica-se a dificuldade demonstrada por elas em se comunicar/interagir com outras pessoas e a profunda dificuldade em entender os aspectos simbólicos das coisas que as cercam, como sendo as principais barreiras a serem superadas, tanto pelos profissionais da saúde quanto pelos familiares, no auxílio ao desenvolvimento delas. Nas palavras de Araújo (2011, p. 178), "o déficit do comportamento social é um dos déficits centrais do TEA, e surge nos diferentes níveis do brincar. Alterações significativas no brincar já podem ser observadas no primeiro ano de vida e tendem a perdurar ao longo da vida".

Na Classificação Internacional de Doenças – 10 (CID-10), nas Diretrizes Diagnósticas do Autismo infantil (F84.0), ele é caracterizado por padrões de comportamento, interesses e atividades restritos, repetitivos e estereotipados. Isso toma a forma de uma tendência a impor rigidez e rotina a uma ampla série de aspectos do funcionamento diário; geralmente, isso se aplica tanto a atividades novas como a hábitos familiares e a padrões de brincadeiras (OMS, 1993, p. 248).

No contexto da terapia ocupacional, entende-se que só o fato dos pais ou responsáveis pela criança tirarem um momento do seu tempo para se sentar e deixar que ela direcione as atividades, sendo a criança o foco da atenção do adulto e deixando a ela a escolha de como brincar, quais brincadeiras e que brinquedos serão utilizados, em um universo acolhedor e com carinho, já é de grande valia para o tratamento dessa criança, já que ela se sentirá muito amada e acolhida. Costumamos dizer em nossas reuniões de pais que não importa a quantidade do tempo, e sim a qualidade.

Quando estamos falando aqui no brincar em família, não estamos falando em brinquedos de luxo, não precisam ser caros, podem até mesmo ser jogos de papel ou adivinhações, enfim, qualquer tipo de brincadeira que possa ser feita de forma conjunta, em família, tornando esse momento prazeroso e saudável, basta que o responsável esteja conectado com a criança em mente e corpo, fortalecendo assim os laços afetivos. Nas palavras de Zamberlan e Biasoli-Alves (1997, p. 41), "aspectos da dinâmica familiar podem ser muito poderosos na vida da criança, visto ser no lar que, em geral, ela desenvolve quase todos os repertórios básicos de seu comportamento".

Crianças com autismo possuem, em geral, ampla dificuldade em reconhecer em um objeto suas características simbólicas, ou seja, não raro, passam mais tempo centrados nos aspectos aparentes, como textura, cor e formas, do que em imbuir o objeto de seu sentido metafórico ou lúdico, a depender do grau do acometimento no espectro. Por exemplo, pode ser que uma criança com TEA ao receber um carrinho de brinquedo não o associe a um carro de verdade, não o veja como uma miniatura de outro objeto, porque ela não projeta nele funcionalidades para além das concretas. Por isso, é tão importante no processo de desenvolvimento mental e físico delas a utilização de elementos lúdicos, que promovam a interação da criança ou do adolescente com TEA com o mundo ao seu redor. Entretanto, cabe ressaltar que esse processo de tratamento voltado e calcado no brincar, em especial no brincar em família, para atingir sua finalidade terapêutica, deve ser prazeroso e não ser entendido apenas como somente atuação clínica ou obrigação parental.

A importância do lúdico para o tratamento de crianças com esse transtorno verifica-se quando, de forma gradativa, essa criança aprende a conviver com outras crianças e passa a se desenvolver mental e emocionalmente com relação à sociabilidade propriamente dita – como dar e receber comandos, esperar sua vez, compartilhar, ser tolerante, respeitar o espaço dos outros etc.– e nos âmbitos físico e motor. Contudo, caso tais avanços sejam trabalhados apenas no ambiente escolar e/ou clínico, a evolução tende a retroceder. Se em casa, com a família, a criança não encontrar um panorama propício para manter e, até mesmo, avançar em seu progresso. Ou seja, pode-se dizer que essa criança estaria a desaprender em casa tudo aquilo que aprendera no tratamento, o que o torna, por sua vez, mais lento e mais sofrido, tanto para a criança quanto para os pais, que não veem as melhorias acontecerem no ritmo que gostariam.

Observa-se que o envolvimento dos pais no tratamento dos filhos, não apenas no CAPSi, mas também, e principalmente, em casa, é de vital importância para a manutenção do desenvolvimento alcançado e para a continuidade da evolução da criança.

Considerações finais

Não temos dúvida de que os pais, de forma geral, amam seus filhos, tanto é que se sujeitam a longos e cansativos períodos de trabalho para lhes dar o sustento, mas ocorre que para as crianças com autismo é necessário que esse sentimento, expresso de forma material, seja também evidenciado de forma física, por meio da linguagem própria a toda e qualquer criança, com ou sem autismo, que é o brincar.

Assim sendo, aconselhamos aos pais, mães e responsáveis, a partir da nossa experiência no projeto "Brincar em Família no CAPSi": brinquem com seus filhos, conduza-os de forma alegre pelo caminho desse modo de tratamento (brincar) e saibam que, ao tornar o tratamento prazeroso, os resultados positivos ficarão bem mais evidentes do que quando tratados de forma fria e conceitual, com o progresso alcançado mostrando-se mais eficaz e duradouro.

Referências

ARAÚJO, C. A. de. Psicologia e o transtorno do Espectro do Autismo. *In*: SCHWARTZMAN, J. S.; ARAÚJO. C. A. de. *Transtornos do espectro do autismo*. São Paulo: Memnon, 2011. pp.173-201.

GAUDERER, E. C. *Autismo*. 3. ed. São Paulo: Atheneu, 1993.

OMS – Organização Mundial da Saúde. Classificação de Transtornos Mentais e do Comportamento da CID-10: Descrições Clínicas e Diretrizes Diagnósticas. Porto Alegre: Artes Médicas, 1993.

WINNICOTT, D. *A criança e seu mundo*. Rio de Janeiro: Guanabara Koogan, 1982.

ZAMBERLAN, M. T.; BIASOLI-ALVES, Z. M. *Interações familiares*: teoria e pesquisa e subsídios à intervenção. Londrina: Eduel, 1997.

43

O OLHAR DA GESTÃO EDUCACIONAL, A CONCEPÇÃO E AS PRÁTICAS NA FORMAÇÃO DA PRIMEIRA INFÂNCIA

Em relação à questão do desenvolvimento integral da primeira infância, é possível observar que se faz necessário o estímulo ao protagonismo da criança de modo a reforçar o projeto político educacional. Vislumbramos, a partir da experiência de gestora do CEU Sapopemba Dora Mancini (2017), os desdobramentos referentes ao papel institucional na formação e estímulo ao desenvolvimento das crianças

RITA DE CÁSSIA SANTOS FERREIRA

Rita de Cássia Santos Ferreira

Gestora do CEU Sapopemba Dora Mancini. Trinta e cinco anos dedicados ao ensino e à gestão de instituições educacionais na Prefeitura Municipal de São Paulo. Pedagoga com licenciatura em Administração escolar pela Universidade Mogi das Cruzes, especialização em supervisão escolar pela Universidade Santana e especialização em Educação Especial pela Faculdade de Educação São Luís de Jaboticabal. Formadora de gestores educacionais na Fundação Victor Civita. Formação de professores alfabetizadores PNAIC com formação pela UFSCAR. Representante da Diretoria de Educação Itaquera junto à UNESCO na implementação do projeto que visa mapear, diagnosticar e propor ações de combate e prevenção contra a violência e as drogas. Representante da Diretoria de Educação de Itaquera frente ao Plano Municipal de Educação, a condução dos trabalhos deu-se no processo de discussão envolvendo todos os segmentos da comunidade educativa.

Contatos
ritacsferreira@uol.com.br
Instagram: @ritinhasantosferreira
11 97660 7566

Se podes olhar, vê. Se podes ver, repara.
JOSÉ SARAMAGO

Introdução

O tema do desenvolvimento integral da primeira infância (0 a 6 anos) passou a ocupar um lugar central nas agendas governamentais e na Prefeitura Municipal de São Paulo. Embora os métodos e estratégias de implementação sejam diferentes, muitos desses planos são baseados em perspectivas intersetoriais, envolvendo a rede de proteção, o que revela um currículo que trate, de modo integrado, bebês e crianças como sujeitos de direito.

No caso do município de São Paulo, ações com o objetivo de promover o desenvolvimento integral – físico, motor, cognitivo, psicológico e social – de crianças com idade entre 0 e 6 anos ganharam centralidade na política municipal da primeira infância da cidade de São Paulo.

O currículo integrador da infância paulistana traz a educação infantil e a educação básica da rede municipal de ensino de São Paulo como um projeto em equipe, que envolve toda a Secretaria de Educação, pelo viés de um planejamento pautado em recomendações educacionais que acolham bebês, crianças e suas vozes (SÃO PAULO, 2015, p. 8).

Dessa forma, se faz necessário contemplar a importância do brincar, por meio de uma readequação dos tempos, espaços e materiais, possibilitando a oferta de vivências, a integração de saberes de diferentes componentes curriculares, as culturas infantis em constante comunicação, sendo então a criança compreendida em sua integralidade e tendo oportunidades de avançar em suas aprendizagens sem abandonar a infância.

A primeira infância é o que nos conecta. Nossos bebês e crianças são o eixo que conecta, agrega e corrobora, para fornecer e alicerçar um programa completo que transcenda arquétipos curriculares fracionados e descontinuados e enxergue os bebês e crianças em sua totalidade (e não como indivíduos incompletos e incapazes).

O que de fato conhecemos sobre a primeira infância? Por mais que saibamos que os bebês e crianças reagem a sons, cores e movimentos, quais são suas necessidades?

Muitas vezes a primeira infância é vista sob a ótica do adulto, sem considerar a peculiaridade de cada bebê e de cada criança. As crianças não podem ser tratadas como se fossem todas iguais, como se tivessem as mesmas necessidades, a mesma trajetória. Essa maneira de tratar a primeira infância de forma generalizada não legitima o protagonismo do bebê e da criança, pois não os identificam como sujeitos de direito, donos de uma identidade e contexto histórico e social.

Dessa forma, o projeto político educacional presume desafiar as relações na primeira infância, entendendo o âmbito social em que a criança está inserida e estimulando-a ao protagonismo, para que a cultura infantil seja produzida de nova maneira, de modo que incentive o desenvolvimento integral desses bebês.

Ao enxergar a primeira infância em sua totalidade, a proposta de integração dos espaços coletivos na educação infantil e no ensino fundamental deve estar presente no currículo, que deve ser pulsante com a propositura de ir além dos muros das escolas, com a compreensão humana que deve ser aproveitada e desfrutada por toda a coletividade, incluindo a primeira infância (SÃO PAULO, 2015, p. 13).

As perspectivas existentes sobre os bebês e as crianças na rede municipal de ensino de São Paulo provocam-nos a refletir como elas influenciam as interações que se estabelecem nas unidades escolares e como se dá a organização dos tempos e o uso dos espaços, além da promoção de vivências.

CEUS – Centros Educacionais Unificados

Nesse contexto, os Centros Educacionais Unificados (CEUs) – compostos por núcleos, unidades educacionais, espaços e territórios de natureza multidimensional, que potencializam a intersetorialidade das políticas públicas municipais por meio do fortalecimento das redes de proteção social e de ações intersecretariais articuladas voltadas ao desenvolvimento educacional, social, cultural, esportivo e tecnológico do território e da cidade (art. 1º do Decreto nº 57.478, de 28 de novembro de 2016) – têm como um dos principais objetivos promover o desenvolvimento integral de bebês e crianças.[1]

> Os CEUs não se destinam apenas aos alunos matriculados nas suas três unidades educacionais e não se limitam ao saber formal e escolar. Eles oferecem oportunidades educacionais não formais para um conjunto maior de pessoas das camadas populares historicamente excluídas. A população que os frequenta tem vivenciado experiências educacionais antes só oportunizadas aos mais privilegiados socialmente. Os CEUs possibilitam a apropriação e a produção de bens culturais. Com eles, a comunidade tem tido a oportunidade de aprender com concertos musicais, peças de teatro, festivais de dança, de cinema, além de também ensinar com suas produções culturais e esportivas. O projeto educacional dos CEUs defende uma educação de abraços, de sensibilidade e valorização da autoestima, de espaços de organização das camadas populares, de voz aos excluídos. Isso tem um grande valor humano e histórico. Uma das grandes conquistas dos Centros Educacionais é o Conselho Gestor que está sendo eleito com base num projeto coletivo da própria comunidade, em que pais, educadores, usuários e associações comunitárias têm poder de decisão. Trata-se de uma gestão pedagógico-política e educacional e não meramente gerencial e executiva.
> (GADOTTI, 2004, p. 19)

---

[1] Nesse sentido, podemos observar o teor do dispositivo mencionado na íntegra: "Art. 1º Os Centros Educacionais Unificados – CEUs são compostos por núcleos, unidades educacionais, espaços e territórios de natureza multidimensional, que potencializam a intersetorialidade das políticas públicas municipais por meio do fortalecimento das redes de proteção social e de ações intersecretariais articuladas voltadas ao desenvolvimento educacional, social, cultural, esportivo e tecnológico do território e da cidade." (SÃO PAULO, 2016).

Em 2017, assumi o cargo de gestora no CEU Sapopemba Dora Mancini, no populoso e vulnerável bairro periférico do Sapopemba.

Entre as unidades que compõem o Centro Educacional Unificado estão incluídas a EMEI (Escola Municipal de Educação Infantil) e o CEI (Centro de Educação Infantil) que, na sua estrutura, conta com parques, fraldários, entre outros espaços apropriados aos bebês, sob os cuidados de seus educadores e gestores. No entanto, para utilizar os espaços do CEI e da EMEI, é necessário estar matriculado e dentro do horário de atendimento. Os bebês e crianças que não conseguem vaga, portanto, não utilizam esse espaço. Porém, existem outros ambientes no CEU, os espaços coletivos disponíveis a toda comunidade, que são os locais de encontro, de eventos e festividades, os teatros, cinemas, piscinas, quadras e estúdios.

A necessidade de compreender como eram tratadas as relações, as atribuições e a concepção do CEU estimulou em mim o pensamento e desenvolvimento de projetos integradores e acolhedores, fortalecendo os vínculos, a inclusão e o pertencimento da primeira infância.

As minhas caminhadas pelo CEU não me revelavam a presença efetiva, afetiva e contagiante de bebês e crianças, à medida que se tratava de dois universos: os idosos no BEC (Bloco Esportivo e Cultural), envolvidos nas atividades esportivas, e os bebês e crianças matriculados nas suas respectivas unidades educacionais, que, mesmo estando no CEU, estão cercadas por seus muros. Faltava integração e, ainda, disponibilidade de espaços possíveis para o desenvolvimento da primeira infância. Assim se fez necessário uma reorganização dos espaços, visando acolher os bebês e as crianças junto às suas famílias, respeitando sua dignidade e atendendo suas necessidades.

Mesmo tendo sido foco das discussões na criação dos CEUs, não se pode deixar de atribuir importância à arquitetura para o desenvolvimento e aprendizagem. Quando falamos do CEU Sapopemba Dora Mancini, estamos falando de um complexo de 12 anos, pensado e construído em outro tempo, em outra concepção.

Assim se fez necessário uma reorganização dos espaços, visando acolher os bebês e as crianças junto às suas famílias, respeitando sua dignidade e atendendo suas necessidades. Pensar e planejar uma gestão para o acolhimento, pelo viés da inclusão social de forma mais abrangente. Eis que surge o projeto "O acolhimento como primeiro passo para a inclusão e o empoderamento social", que emana da preocupação de se fomentar e ampliar o aperfeiçoamento dos mecanismos, espaços e das ações, quantitativas e qualitativas, com vistas ao atendimento humanizado e às práticas de bom convívio ao CEU Sapopemba.

A motivação dessa iniciativa surge da observação de como se davam as práticas cotidianas e suas rotinas, no que tange aos usuários e frequentadores do CEU, com o objetivo de melhorar o atendimento e os devidos encaminhamentos, bem como as relações equipe-equipe, equipe-frequentadores do CEU e frequentadores-comunidade, pautadas no exercício da cidadania. O acolhimento digno aos frequentadores promove uma escuta qualificada, orienta e direciona em âmbito geral com ações de promoção e incentivo ao esporte, à cultura e ao lazer, ainda do ponto de vista psicológico e social, com ações educativas visando ao exercício da cidadania, dando maior autonomia aos profissionais envolvidos no processo da gestão democrática (CRUZ, 2008). Um convite a toda comunidade a revisitar o PPE (Projeto Político Educacional) do CEU, o que envolveu reconhecer nos espaços antes nunca vistos novas possibilidades.

A primeira etapa para a implementação do projeto foi dedicada à primeira infância e se deu por meio de entrevistas com o objetivo de explorar as nossas percepções sobre o bairro, sobre a primeira infância e sobre as ações das políticas públicas, incluindo percepções sobre efeitos das ações desenvolvidas. As mães entrevistadas que frequentavam o CEU, mais especificamente o CEI, diziam que estavam lá à procura de informações sobre quando abririam vagas para seus bebês. Muitas nos confirmaram o que já sabíamos: as casas eram pequenas, as famílias grandes, muitas crianças, disputa pela TV, e as mães sempre muito ocupadas com os afazeres domésticos, sem tempo e espaço para brincar e interagir com seus bebês e crianças pequenas. Essas entrevistas foram essenciais tanto para compreender as demandas da população local e as ações realizadas, quanto para estabelecer contatos com lideranças locais e atores da gestão pública.

A segunda e principal etapa foi a análise dos resultados das entrevistas com o Conselho Gestor, com o objetivo de legitimar e dar visibilidade para o tema da primeira infância nas pautas seguintes, bem como facilitar a criação e implementação de iniciativas envolvendo todos os atores do território CEU de forma integrada e a busca de parceiros da gestão pública, além de promover articulações para uma tomada de decisão, no que tange à readequação dos espaços.

Lembrando que a atuação do Conselho Gestor do CEU foi fundamental, pois ele promove a participação, organização e controle social sobre os instrumentos de execução das políticas públicas do CEU, como instância máxima de decisão de caráter permanente, respeitadas as competências do poder público municipal e os limites da legislação vigente, assim como atuar na defesa dos interesses dos bebês, das crianças, adolescentes e população do território.

BEBECEU – Um espaço pensado para a primeira infância

Um espaço pensado para além do CEI, com seu currículo e rotina planejados e organizados, o espaço BEBECEU foi concebido para ofertar ao bebê e sua família um tempo para o brincar, interagir e construir vínculos afetivos. Dada a grande ausência de espaços lúdicos e gratuitos para bebês na cidade de São Paulo, ainda a longa espera por vaga nas creches, criamos em nosso território um espaço cuja proposta vem favorecer a integração entre os aspectos físicos, sociais, afetivos, linguísticos e cognitivos. Sendo que toda interação se dá entre o membro familiar que acompanha o bebê ou a criança e a diversidade de brinquedos que compõem o espaço. Basta fazer um cadastro na secretaria e agendar o horário de uso, o qual será acompanhado por um funcionário que terá a responsabilidade apenas de estar junto à família durante o uso do espaço, sem interferir na interação do bebê com a família ou do bebê e da família com o espaço. No máximo, podem interagir no espaço cinco bebês com seus responsáveis. A BEBECEU também é frequentada pelas crianças do CEI, dentro do horário de atendimento, nesse caso, acompanhadas por suas educadoras. Os bebês e as crianças sem acesso ao CEI e ainda sem recursos lúdicos adequados, falta de espaço e dedicação de tempo por parte de um adulto não poderia ser negligenciada no seu direito de brincar.

As crianças que são negligenciadas no seu direito de brincar acabam expressando-se pela influência dos adultos que os cercam, sofrendo prejuízo no seu desenvolvimento, uma vez que não se expressam espontaneamente, porquanto não interagem com seus pares, o que implica perda de possibilidades de troca de experiências.

Fraldário inclusivo (fora do banheiro feminino)

Referido espaço foi pensado não só a partir da ressignificação dos espaços, mas também das concepções, do sentimento de pertencimento e redirecionamento do PPE. Haveria de ser uma construção coletiva, o que traria muitos parceiros, mas também resistência, enfrentamento e desmistificação. Sim, desmistificação, afinal, bebês usam fraldas.

Ainda em 2017, começamos uma grande negociação com os times das ligas de futebol. A intenção era transformar o vestiário usado pelos times da casa em um fraldário inclusivo, onde as famílias pudessem cuidar de seus bebês, crianças e pessoas com deficiência de maneira digna, e não mais nos degraus das escadas ou nos bancos espalhados pelas áreas comuns, afinal, não era nada agradável comer um cachorro-quente ao lado de uma troca de fraldas, fato que era comum nos grandes eventos. A negociação foi calorosa e houve grande enfrentamento, uma vez que mudar de vestiário, segundo os jogadores, traria grande azar aos times, levando-os a uma derrota sem fim. Após um longo processo de convencimento, saímos vitoriosos e adaptamos o fraldário inclusivo, sem causar prejuízos ou má sorte aos times.

À época, a espera por vaga no CEI (crianças de 0 a 3 anos) chegava a, aproximadamente, 700 candidatos. Seria praticamente impossível uma família conseguir uma vaga para seu bebê, tendo em vista que o CEI atende 200 crianças na sua totalidade. Não se tratava apenas de um dado estatístico, um número, mas um indicador de que algo precisaria ser pensado com relação a esse público (bebês e crianças bem pequenas), o que implica o surgimento de mais um desafio.

BEBETECA – Um novo olhar para a biblioteca do CEU

A biblioteca do CEU Sapopemba não estava aberta ao acolhimento do público da primeira infância. Então, foi preciso que os territórios fossem articulados para mediação de leituras em diferentes espaços da escola, promovendo outras possibilidades e envolvendo os educadores e estudantes, crianças e bebês. De tal modo, foi fundamental uma nova organização na biblioteca, na qual foi priorizada mais a flexibilização do que a rigidez de um espaço que era frio, silencioso, cinza e mobiliado de forma excludente, sem a possibilidade do protagonismo dos bebês, das crianças e das pessoas com deficiência.

Um novo espaço surgiu agora com a BEBETECA e o ESPACO KIDS, um local colorido, barulhento (quando tem de ser), acolhedor e desafiador. Não houve sequer algum descomprometimento com a aprendizagem e o conhecimento, mas uma reorganização de todo o espaço, dos tempos, dos ambientes, dos livros e, especialmente, da maneira que foram integrados, o que passou a proporcionar uma rotina condizente com os interesses e necessidades de todos.

A biblioteca, após essa intervenção, também se tornou um espaço de lazer, descoberta, brincadeiras e criatividade, e não apenas de rotina escolar e de pesquisa. Criamos uma rotina semanal para visitação por parte dos bebês e das crianças das unidades de educação infantil, além de incentivo ao público externo. Desse feito, dois projetos literários foram desenvolvidos: "Linha de Leitura" e o "Circuito Cultural", voltados para a primeira infância, mas o ensino fundamental também participa. São projetos que promovem um passeio cultural pelo CEU, por meio da literatura. Há relatos, nesse sentido, de que muitas crianças e munícipes, mesmo estando matriculados em unidades do território do CEU, anteriormente não tinham conhecimento dos espaços culturais, como a Biblioteca e o Teatro.

Nomeação dos espaços culturais, biblioteca e teatro

Com esses projetos, os bebês e as crianças pequenas exerceram seus protagonismos, fortalecendo ainda mais o vínculo e o sentimento de pertencimento. Então, nomeamos oficialmente os espaços, por meio de um concurso com a participação de toda comunidade, desde os bebês representados pelos seus pais e familiares, bem como os idosos, funcionários e conselho gestor. Foram eleitos os nomes de duas mulheres fortes e representativas, o que nos trouxe muito orgulho: Biblioteca Carolina Maria de Jesus e Teatro Thalita Beneduzi Bianchin.

Parque inclusivo

Buscar parcerias parece ser inerente ao papel do gestor. No início deste artigo, relatamos que a primeira infância não se fazia presente para além dos muros das unidades escolares que ocupam o CEU. Fato esse que não havia um parque para uso da primeira infância. Após um longo percurso, conseguimos a implementação do parque, sendo que terá como peça-chave um balanço para pessoas em cadeira de rodas. Nas imediações do parque, há uma praça de leitura, além da revitalização dos estúdios de música e balé, no qual 400 crianças puderam passar a fruir de tais espaços e atividades, o que importou em melhoria na utilização da área referida.

A dimensão do brincar dentro dos CEUs

A Portaria nº 3.844, de 20 de maio de 2016, em seu art. 3º, trata das atividades desenvolvidas pelos Analistas em Informações, Cultura e Desporto – Educação Física (profissionais lotados e em exercício nos CEUs), e define que serão organizadas em 4 dimensões, sendo uma delas voltada para crianças, no que tange a atividades de promoção do direito de brincar. As atividades de promoção do direito do brincar, com crianças de 0 a 5 anos de idade, matriculadas nas Unidades Educacionais do CEU, serão realizadas pelo Analista, com o enfoque em vivências dos diferentes espaços e possibilidades dos CEUs, e possuirão periodicidade que garanta as referidas vivências a todas as crianças.[2]

Tal dimensão não era tratada como parte integrante do currículo, com a propositura que trata a portaria mencionada. Para ser de fato introduzida ao currículo e, ainda, no plano de trabalho do analista de informações, cultura e desporto, demandou uma longa discussão acerca do espaço, formação dos profissionais e garantia de direito dos bebês.

---

2 Na íntegra: "Art. 3º – As atividades desenvolvidas pelos Analistas em Informações, Cultura e Desporto – Educação Física serão organizadas em 04 (quatro) dimensões, voltadas para crianças, adolescentes, adultos e idosos, sendo elas: I – atividades de promoção do direito de brincar; II – atividades esportivas; III – atividades de promoção da saúde; IV – atividades de promoção do lazer." (SÃO PAULO, 2018).

Considerações finais

Finalizamos o presente capítulo relatando que a construção e o desenvolvimento do projeto "Acolhimento como primeiro passo para a inclusão e o empoderamento social" foi coletiva, envolvendo a gestão do CEU, coordenadores de núcleo educacional, esporte, cultura, analistas de esporte, biblioteca, assistentes e auxiliares técnicos, educadores, gestores das unidades educacionais e conselho gestor. Ao rever a trajetória da presença da primeira infância no território do CEU Sapopemba, constatamos que houve iniciativas e ações que favoreceram e fortaleceram as discussões acerca da primeira infância.

Em termos de desenho e arranjo de coordenação das ações, observou-se o predomínio de uma estratégia incremental, que partiu da centralidade do tema da primeira infância na agenda da gestão para provocar as ações de diferentes segmentos, em um movimento próximo do que a literatura destaca como estratégia transversal. Em vez da imposição de um fazer por determinações, ações e intervenções, houve paulatina negociação de estratégias, considerando-se as capacidades institucionais disponíveis e as distintas centralidades da temática da primeira infância, implicando, ao longo do tempo, um alargamento das ações.[3] Na perspectiva das famílias do bairro, as ações foram bem aceitas.

Referências

CRUZ, S. H. V. *A criança fala: a escuta de crianças em pesquisas*. São Paulo: Cortez, 2008.

GADOTTI, M. *Educação com qualidade social: projeto, implantação e desafios dos Centros Educacionais Unificados*. São Paulo: Instituto Paulo Freire, 2004.

MELLO, S. A. *Uma proposta para pensar um currículo integrador da infância paulistana*. São Paulo: SME/DOT, 2015 (Mimeo).

SÃO PAULO. *Decreto n. 57.478, de 28 de novembro de 2016*. Aprova o Regimento Padrão dos Centros Educacionais Unificados – CEUs, vinculados à Secretaria Municipal de Educação. São Paulo, SP: Diário Oficial da Cidade, 29 nov. 2016. Disponível em: <http://www.legislacao.prefeitura.sp.gov.br/leis/decreto-57478-de-28-de-novembro-de-2016>. Acesso em: 12 abr. de 2021.

SÃO PAULO. *Portaria n. 3.844, de 20 de maio de 2016*. Dispõe sobre as atividades a serem desenvolvidas pelos Analistas de Informações, Cultura e Desporto – Educação Física, em exercício nos Centros Educacionais Unificados – CEUs, da Rede Municipal de Ensino, e dá outras providências. São Paulo, SP: Diário Oficial da Cidade, 21 maio 2018. Disponível em: <http://www.legislacao.prefeitura.sp.gov.br/leis/portaria-secretaria-municipal-de-educacao-sme-3844-de-20-de-maio-de-2016/detalhe>. Acesso em: 12 abr. de 2021.

SÃO PAULO. Secretaria Municipal de Educação (SME). Memória Documental. Disponível em: <http://portal.sme.prefeitura.sp.gov.br/Main/Page/PortalSMESP/Memoria-Documental>. Acesso em: 23 abr. de 2021.

---

3 Cf. SÃO PAULO. Secretaria Municipal de Educação (SME). Memória Documental. Disponível em: http://portal.sme.prefeitura.sp.gov.br/Main/Page/PortalSMESP/Memoria-Documental. Acesso em: 23 abr. 2021.

44

PRIMEIRA INFÂNCIA: TEMPO DE BRINCAR, APRENDER E CRIAR VÍNCULOS

O objetivo deste capítulo é apresentar a primeira infância como parte fundamental da formação do ser humano, mostrando sua importância e seus reflexos na vida adulta. Com essa finalidade, são abordados o desenvolvimento neurológico dessa fase, a criação de vínculos afetivos e os benefícios das brincadeiras para a vida das crianças.

ROBERTA BARROS ELMÔR

Roberta Barros Elmôr

Mãe da Elisa há 6 anos e professora há mais de 20 anos. Formada em Pedagogia pela Universidade de Vassouras – RJ, pós-graduada em Psicopedagogia Clínica e Institucional pela Faculdade Metropolitana. Educadora Parental – Disciplina Positiva, certificada pela *Positive Discipline Association* (PDA). Criadora de conteúdo da página no Instagram @olhar_pedagogico. Professora na Secretaria Municipal de Educação – Paraíba do Sul/RJ. Atendimento e consultoria pedagógica.

Contato
robertabelmor@gmail.com
Instagram: @olhar_pedagogico
24 99877 2003

Introdução

A primeira infância é a primeira grande etapa da vida do ser humano, uma época de descobertas e grandes aprendizados. Essa fase da vida infantil compreende o período do nascimento até os 6 anos de idade. É o período em que a criança brinca e aprende, explora o ambiente, desenvolve seus sentidos, cria vínculos afetivos e adquire habilidades necessárias para o resto de sua vida.

Nas últimas décadas, fortes evidências da neurociência demonstraram a grande capacidade do cérebro humano em absorver informações e desenvolver capacidades nos primeiros anos de vida, criando circuitos neuronais em um processo conhecido como neuroplasticidade.

Nessa fase, além da construção dessas novas conexões cerebrais, existe a importante influência do meio externo em que a criança vive. Todo o contexto dos seus relacionamentos afetivos com a família, amigos e a escola direcionam o seu aprendizado o tempo todo. É notório, inclusive, que o rendimento escolar é diretamente moldado por essa maior ou menor aquisição de novos conhecimentos e capacidades, físicas e emocionais.

No âmbito dos relacionamentos afetivos, fica muito claro que todas as brincadeiras dessa época da vida, imbuídas de amor, conexão com o próximo e compreensão, atuam positivamente na formação infantil. O brincar, sem dúvida nenhuma, é uma ferramenta essencial na criação de nossos filhos.

As crianças que atingem o desenvolvimento total nos primeiros anos de vida alcançam maior realização pessoal e profissional. Observamos que essas crianças, que exploram e atingem todo o seu potencial, tornam-se cidadãos mais participativos, indivíduos mais inseridos na vida social e, por tudo isso, mais felizes.

Desenvolvimento neurológico na primeira infância

O cérebro infantil na primeira infância se desenvolve de forma rápida e eficiente. Estímulos afetivos, motores e sensoriais são extremamente necessários, pois nessa fase a criança se encontra mais receptiva ao ambiente em que vive.

A neurociência vem confirmando essa ideia nas últimas décadas, ao explicar um processo conhecido como Neuroplasticidade. Novas redes e conexões entre os neurônios são formadas o tempo todo, em alta velocidade, típica dessa faixa etária, aumentando a capacidade cerebral de aprendizado. A organização das funções do cérebro é constituída pela associação dessa expansão orgânica com as experiências adquiridas no ambiente em que a criança vive e nas importantes relações que são estabelecidas com pais, familiares e educadores.

A criança até os 6 anos de idade, devido a esse aumento de seus circuitos cerebrais, está apta a aprender e reter grande quantidade de informações úteis, que serão necessárias para o desenvolvimento de áreas fundamentais, como as funções motoras, de linguagem, cognitivas e emocionais.

O desenvolvimento das diversas áreas do conhecimento deve, portanto, ser fortemente estimulado nesses primeiros anos de vida, visando à construção de adultos mais capazes, equilibrados e satisfeitos com suas vidas pessoais e profissionais.

Estímulos positivos	Estímulos negativos
Oferta: leitura, músicas, livros, brincadeiras e atividades da vida prática.	Alimentação inadequada.
Escuta atenciosa – saber ouvir.	Ambiente familiar conturbado e inseguro.
Empatia – respeitar o sentimento e os desejos da criança.	Falta de afeto e contato físico.
Toque afetivo.	Ausência de estímulos dos cuidadores.
Conexão de verdade.	

Habilidades adquiridas na primeira infância

Mobilidade	Sensorial	Comportamental	Linguagem
Desenvolvimento motor: – Ritmo e equilíbrio. – Movimento corporal: rolar, sentar-se, engatinhar, ficar em pé, andar, correr, pular, dançar.	Visão – tato – audição – paladar – Carinho, toque, diálogo e troca de olhares com cuidadores. – Brincar, explorar, percepção visual e identificação sonora. – Amamentação – Introdução alimentar – Hábitos alimentares	– Relações afetivas, sociais e emocionais. – Carinho, toque, diálogo e troca de olhares com cuidadores.	Comunicação – Choro, sorrisos, balbucio, fala, emoções, músicas, histórias.

Uma primeira infância com cuidados, amor, estímulo e interação é o melhor caminho para a criança desenvolver todo o seu potencial. Nasce um adulto mais saudável e equilibrado, e floresce uma sociedade com os mesmos valores.

Fonte: Fundação Maria Cecilia Souto Vidigal.

Interação e vínculo afetivo

Amar e ser amado são necessidades básicas e essenciais para o ser humano. Os efeitos de uma infância com apego e bem cuidada serão sentidos ao longo dos anos, afinal, a primeira infância é o início da vida social e afetiva.

Pesquisas desenvolvidas ao longo dos últimos anos sobre a infância afirmam que a afetividade e o vínculo são extremamente necessários para o desenvolvimento saudável da criança. Nesse ponto, as relações entre os adultos próximos e a criança é de suma importância, pois é onde ela deposita sua segurança emocional e de onde retira carinho, amor e respeito. Naturalmente existe uma hierarquia na qual os adultos ditam e ensinam as normas de convivência social, mas de forma nenhuma se pode negligenciar as necessidades e anseios das crianças pequenas: é preciso ouvir atentamente o que nossos filhos dizem.

Um dos desafios da vida moderna, na busca de uma relação mais adequada com nossos filhos, é equilibrar o tempo familiar. Mesmo pais e mães que trabalham horas fora de casa precisam cuidar para que seu tempo disponível com a criança seja de qualidade, permitindo que seu filho sinta a segurança que emana dessa forte relação. Ter tempo de qualidade com a criança é essencial para sua formação humana e afetiva. São esses valiosos momentos que orientam a criação e educação de nossos amados filhos.

Uma forma de orientação para pais e educadores é buscar o que se conhece como "conexão de verdade", ou seja, situações em que se coloca a criança em primeiro plano, deixando nítido que ela é prioridade naquele momento: conversas olho no olho, refeições em conjunto, leitura de histórias, escuta ativa (acolher sentimentos) ou apenas brincar livremente de algo que a agrade.

Nesse contexto, a família é o ponto de partida para a criação dos vínculos. Desde os cuidados direcionados aos bebês, com os olhares carinhosos e atenciosos, até as formas de conexão utilizadas na primeira infância, tudo pode ser sentido e aproveitado por nossos filhos, sendo usado como base de apoio para todo o seu desenvolvimento subsequente.

Portanto, independente da condição social da família, das profissões dos pais e das dificuldades do dia a dia, é preciso manter o foco de nossa atenção nas necessidades das crianças, permitindo que elas tenham um guia, no difícil e longo processo de desenvolvimento.

Benefícios do brincar na vida infantil

Brincar faz parte da vida de toda criança. A brincadeira é uma oportunidade para o desenvolvimento infantil. Quando a criança brinca, ela desfruta de diversão, entende a cooperação e consegue criar vínculos. A melhor maneira do adulto se conectar com a criança é por meio das brincadeiras do dia a dia, que integram a criança com a família, com os cuidadores e com as outras crianças. Carlos Drummond de Andrade dizia que, ao brincar com a criança, o adulto nunca perde tempo, e sim ganha.

Não podemos nos deixar levar pela ideia equivocada de que brincar seja apenas distração, que não carrega em si outras utilidades. É preciso reforçar os valores embutidos nas brincadeiras que permitem que a criança aprenda, ensine, desenvolva sua autonomia e suas relações sociais, além de organizar melhor suas emoções, o que é tão importante depois, na vida adulta.

Benefícios do brincar

- Bem-estar e felicidade;
- Vínculos afetivos com família e amigos;
- Desenvolvimento da criatividade e imaginação;
- Ensino sobre regras e objetivos;
- Cooperação e empatia;
- Autoconhecimento.

Toda criança deve ter acesso a um ambiente saudável, que proporcione se relacionar com adultos e outras crianças, com os quais deve dividir os tão importantes momentos das brincadeiras. Dessa forma, ela cria vínculos afetivos e realiza trocas de aprendizado, que ajudam a enfrentar melhor os futuros desafios de sua vida. Nas brincadeiras, as crianças, além de sentir prazer, aprendem regras, valores e ganham confiança e autoestima.

A criança, por fim, consegue entender o mundo real pelas observações proporcionadas pelas mais variadas brincadeiras, estimulando sua inteligência intelectual e emocional, tornando-se um indivíduo adulto dotado de sensibilidade e criatividade, mais preparado para o resto de sua vida.

Brincar não é um privilégio, mas um direito da criança. Famílias não devem ser as únicas responsáveis pela garantia da vivência plena da infância. A sociedade como um todo deve agir para apoiá-las.

Fonte: alana.org

Referências

FUNDAÇÃO Maria Cecilia Souto Vidigal. Página da web. Disponível em: <http://www.fmcsv.org.br/pt-BR/>. Acesso em: 12 abr. de 2021.

HOMEPAGE Alana.org. Disponível em: <http://www.alana.org.br/>. Acesso em: 12 abr. de 2021.

SIEGEL, J. D.; BRYSON, T. P. *O cérebro da criança: 12 estratégias revolucionárias para nutrir a mente em desenvolvimento do seu filho e ajudar a família prosperar.* Tradução Cassia Zanon. São Paulo: nVersos, 2015.

45

MARCOS DO DESENVOLVIMENTO DA CRIANÇA — A CONCEPÇÃO SOBRE O DESENVOLVIMENTO INFANTIL E SUAS FASES

O conhecimento do desenvolvimento humano é de fundamental importância para pais e cuidadores. Desse conhecimento resulta a saúde integral do ser humano, da infância até a idade adulta. Os marcos do desenvolvimento da criança referem-se às medidas que delimitam fases da vida, que são consideradas importantes no tempo para as crianças adquirirem habilidades. Sua importância e seu papel permitem indicar parâmetros de progressos ou dificuldades durante o desenvolvimento.

SARAH DONATO FROTA

Sarah Donato Frota

Educadora Parental e Formadora de Pais e Profissionais da Parentalidade. Mestranda em Saúde Coletiva (UNIFOR-CE), especialista em Neurociências e Comportamento pela Pontifícia Universidade Católica do Rio Grande do Sul. Formada em Direito (2014), especialista em Direito de Família (2016) pela Faculdade Damásio de Jesus – SP. Especialista em Parentalidade e Educação Positivas (2019) e Inteligência Emocional e Social (2021) – EPEP – PT. Certificada em Disciplina Positiva pela *Positive Discipline Association* (PDA) – EUA (2019). Membro da Associação Brasileira de Disciplina Positiva. Escritora, palestrante e consultora educacional. Mediadora familiar e certificada em Práticas Colaborativas. Mãe de quatro filhos, amante da parentalidade e eterna aprendiz da arte de amar e educar. Contribuindo nas mídias sociais com conteúdos e informações sobre parentalidade.

Contatos
sarahsobral2909@gmail.com
Instagram: @sarahdonatoparentalidade / @escoladepaiseprofissionais
Facebook: Sarah Donato Parentalidade
88 99924 5446

Todo o desenvolvimento da criança está ocorrendo gradualmente na primeira infância. Em cada mês ocorrem mudanças que tornam a observação do desenvolvimento infantil mais clara e objetiva, para entender se o desenvolvimento está ocorrendo de forma típica ou com algum atraso.

Por isso o conhecimento do desenvolvimento da criança é um instrumento valioso para garantir que todas as fases sejam bem vividas por parte dos pais e dos filhos. É claro que variações acontecem de uma pessoa para outra e, quando a criança apresenta algum atraso, os pais devem procurar ajuda para a resolução do problema.

As fases do marco de desenvolvimento são:

1. Desenvolvimento motor;
2. Desenvolvimento cognitivo;
3. Linguagem e comunicação;
4. Desenvolvimento socioemocional.

O desenvolvimento motor *grosso* abrange a habilidade de fazer movimentos mais amplos (andar, correr, saltar, descer) e movimentos precisos, que fazem parte do desenvolvimento motor *fino* (pintar, desenhar, pegar objetos menores). O desenvolvimento cognitivo abrange muitas coisas que são aprendidas todos os dias, representadas pelo amadurecimento intelectual, como a capacidade de pensar, aprender e resolver problemas. O desenvolvimento de linguagem e comunicação abrange a habilidade de entender e se expressar, de absorver e aprender a usar a linguagem. E o desenvolvimento socioemocional, a habilidade de se relacionar com as pessoas e cuidar de si, de expressar emoções de forma eficaz, seguir regras e instruções e formar relacionamentos positivos e saudáveis. Toda criança deve estar em segurança quando estiver passando por marcos de desenvolvimento, segurança física (ambiente), fisiológica (nutricional) e psíquica (emocional).

Que questões devo levar em consideração a respeito do marco de desenvolvimento da criança?

As questões a serem percebidas são:

1. Quais as novas conquistas da criança (mudanças no desenvolvimento motor, linguagem, atitude)?
2. Como está se alimentando, dormindo, brincando?
3. Como é o comportamento da criança?
4. O que é feito para tranquilizá-la nos momentos de estresse?
5. No caso da mãe que trabalha fora, como está a rotina?

6. Que tipos de passeios?
7. É feita a prevenção de acidentes domésticos?
8. Como está o relacionamento dos pais?

Alguns pais, por não conhecerem do que se trata, não estão atentos a isso.

Durante o marco do desenvolvimento a criança está passando por alterações neurológicas, é de fundamental importância o apoio dos pais e cuidadores nesse processo. Muitas modificações percebidas pelos pais na criança são comportamentais e, para ajudar a criança a perceber o mundo externo, é preciso olhar os sentimentos, as fantasias e os conflitos que passam no seu interior. Essa é uma construção que vai sustentar o desenvolvimento saudável com sensibilidade e amparo no afeto e compreensão para a estabilidade emocional, autonomia e autoestima da criança.

Os pais precisam dar atenção à criança uma vez que ela está voltada para a descoberta do mundo no qual se encontra inserida e, desde que seja estimulada adequadamente, pode fazer melhor essa descoberta e passar a se interessar mais. É importante ressaltar que a criança, juntamente à família, está em processo de desenvolvimento.

É imprescindível que sejam somadas ao amor dos pais o conhecimento sobre o desenvolvimento infantil, especialmente o funcionamento de seu cérebro. O vínculo afetivo que será estabelecido entre pais e filhos deve, contudo, permear desde o início uma relação harmoniosa e de respeito pela criança, incentivando seu potencial de crescimento e, gradualmente, permitindo que ela realize sozinha as atividades individuais e o autodomínio.

Existem 5 maneiras eficazes de agir com sua criança no marco do desenvolvimento:

1. Conexão;
2. Bons hábitos familiares;
3. Ambiente calmo e tranquilo;
4. Encorajamento da criança;
5. Práticas parentais positivas.

A criança segura de que seus pais são participantes ativos no seu desenvolvimento se conecta com o mundo externo (experiências) em harmonia com seu mundo interno (percepção, sentimentos e emoções). Bons hábitos familiares compreendem os limites, as regras e os valores que a criança aprende desde cedo. Relacionando-se com seus pais e cuidadores em um ambiente calmo e seguro, a criança não vê o mundo como uma ameaça e consegue se arriscar e viver experiências positivas. Dessa forma, se sente mais encorajada a estar próxima das pessoas e a cuidar de si e dos outros. As práticas parentais positivas são representadas pelos meios de educação orientados por valores e disciplina para educá-la.

Não basta ter família...

A família é importante e fundamental na formação do indivíduo, mas não é todo modelo de família. A família precisa oferecer fator de proteção ao desenvolvimento da criança.

O desenvolvimento integral da criança, no contexto da relação adulto-criança, se caracteriza pelo respeito mútuo, afeto e confiança. Essas são as necessidades básicas que vão gerar autonomia e resolutividade para a criança se desenvolver, do ponto de vista intelectual e socioafetivo. Cooperação, responsabilidade e autonomia vão depender do quanto foi possível viver em equilíbrio com os fatores de proteção e afastando-se dos fatores de risco.

Fatores de proteção:

1. Afeto;
2. Envolvimento;
3. Regras e monitoria;
4. Comunicação positiva;
5. Modelo moral;
6. Clima conjugal positivo.

Fatores de risco:

1. Comunicação negativa;
2. Clima conjugal negativo;
3. Punição corporal;
4. Ausência de supervisão;
5. Regras inconsistentes;
6. Hostilidade.

A criança precisa se sentir aceita e confiante em sua família. O adulto que cuida da criança precisa encontrar um tempo para estar com ela. Pode ser um momento ao redor da mesa de refeição, o momento de conversar como está sendo o dia, o de contar uma história, o de estar presente para a criança, colocá-la para dormir ou banhá-la. Toda criança precisa sentir e, mais que sentir, ter certeza de que é amada por seu cuidador.

Que garantias posso ter de que estou no caminho certo na educação dos meus filhos?

Os pais precisam aprender que educar envolve tempo, participação e investimento parental.

1. Entenda que não existem pais perfeitos nem manual para criar filhos;
2. Os conflitos são importantes no processo de desenvolvimento humano;
3. Respostas claras e precisas sobre como a criança aprende a se comportar;
4. Seja o modelo que gostaria para sua criança;
5. Não se baseie em conselhos, busque os meios científicos que orientam estudos.

As emoções nos dão informações importantes

As emoções não podem ser ignoradas porque elas estão presentes nos adultos e nas crianças. Crianças experimentam as mesmas emoções que seus pais, cuidadores, professores e outros adultos. No entanto, com uma significativa diferença: o córtex pré-frontal das crianças ainda não está desenvolvido, então há maior intensidade e dificuldade em regulação emocional por esse órgão responsável no cérebro.

Uma forma de garantir melhor regulação emocional nas crianças é os pais, professores e adultos gerenciarem bem essas emoções. Isso porque as crianças estão aprendendo a sentir e a perceber o mundo com a vida dos adultos que as cercam e terão maior captação dos sentimentos mediante os neurônios-espelho.

Os neurônios-espelho estão com frequência reproduzindo o que estamos vivenciando com outras pessoas. Por exemplo, se você mastiga um alimento na frente da criança e faz uma cara de não apreciação, ela vai experimentar o alimento imbuído do mesmo sentimento que você, essa é a frequência com que os neurônios-espelho estão captando essa informação.

A regulação emocional do adulto é que vai ajudar a criança a lidar efetivamente com os sentimentos difíceis do dia a dia.

Quais as habilidades socioemocionais mais importantes para os adultos?

1. Comunicação;
2. Civilidade;
3. Expressão de sentimentos positivos;
4. Assertividade;
5. Empatia;
6. Educação.

No campo das relações sociais, falamos sobre quais as habilidades são fundamentais para os adultos.

Pai/mãe, professores, amigos, colegas de trabalho, companheiros/cônjuges, irmãos, adultos de forma geral, que lidam com crianças em diferentes etapas do desenvolvimento, precisam considerar a aplicação dessas habilidades, em qualquer papel social que ocupam, seja nas atividades funcionais ou nas relações de convivência.

Em todas as situações e papéis que assumimos ao longo da vida, as habilidades sociais requerem que os adultos possam desempenhar o repertório emocional e mapear de forma reflexiva a capacidade de observar e descrever o seu comportamento e de outras pessoas.

No campo das habilidades emocionais entre pessoas e grupos, três elementos fundamentais se traduzem como valores:

1. Interdependência – condição natural da vida social e que deve orientar a rede de conexões que uma pessoa se coloca;
2. Aceitação – é a disposição de reconhecer e aceitar o outro em seus diferentes modos de se relacionar. Envolve reciprocidade e respeito;
3. Solidariedade – parte da disposição permanente de partilhar algo com alguém, está voltada para a prática de interações saudáveis.

Esses três elementos não se esgotam em formas de valores fundamentais para a vida em sociedade, que devem estar engajados com a vida de todos e com a convivência pacífica.

A aplicação desses elementos por meio de gestos ou ações entre as pessoas pode gerar efeitos na sociedade atual, a partir do desenvolvimento dessas habilidades nas crianças em todas as fases do marco do desenvolvimento.

Entre as habilidades socioemocionais mais utilizadas pelos líderes está a assertividade, quer dizer, tomar decisões assertivas diante de problemas difíceis e buscar soluções plausíveis.

Em qualquer situação que uma criança esteja diante de um problema difícil, encorajá-la para resolver sozinha é dar oportunidade de ela poder pensar nas soluções para resolver o conflito e garantir que, no futuro, consiga ser mais assertiva no seu convívio com outras pessoas.

Quem brinca cresce!

A importância do brincar na infância é que a criança cresce de maneira saudável e promissora, porque está em conexão com a própria essência e natureza, desperta sinapses e conexões neurais, aumenta a capacidade de expansão cerebral e favorece a saúde mental.

As brincadeiras devem ser livres, autênticas, criativas, coletivas e espontâneas. Brincar é enriquecer a alma humana de experiências e precisa ser prioridade na fase de desenvolvimento da infância.

Brincar aumenta as chances das crianças de construírem um mundo melhor, estimula a pensar, a realizar e combate o adoecimento emocional e físico.

É importante ressaltar que cada criança se desenvolve em seu tempo, os marcos do desenvolvimento servem para orientar pais, cuidadores e profissionais sobre a percepção do desenvolvimento infantil nos primeiros anos de vida. Em caso de algum atraso ou agravo de saúde, procurar orientação profissional para averiguar.

Referências

CYPEL, S. (org.) *Fundamentos do desenvolvimento infantil: da gestação aos 3 anos*. São Paulo: Fundação Maria Cecilia Souto Vidigal, 2011.

DEL PRETTE, Z. A. P.; DEL PRETTE, A. (orgs.). *Habilidades sociais e competência social para uma vida melhor*. São Carlos: EdUFSCar, 2019. 90p.

WAKSMAN, R. D.; SCHVARTSMAN, C.; ABRAMOVICI, S. *A saúde de nossos filhos*. 3. ed. reform., ampl., e atual. Barueri: Manole, 2012.

DESENVOLVIMENTO HUMANO

Este capítulo apresenta uma perspectiva do desenvolvimento humano em seu primeiro ciclo de vida (0-7 anos), refletindo sobre parâmetros sociais e a aplicação de saberes transdisciplinares na criação de uma criança autônoma e feliz.

SUZANNE BUNN

Suzanne Bunn

Profissional de Educação Física (CREF-RJ 2800), graduada pela Universidade Federal do Rio de Janeiro (1998), pós-graduada em Natação e Hidroginástica (UGF). Entre muitos cursos realizados e ministrados na área de esportes, também cursou Mestrado Profissional em Administração Pública (FGV). Além de ex-atleta de alto rendimento de nado artístico, foi técnica e dirigente da modalidade, participando e realizando eventos nacionais e internacionais de alta relevância, tendo como ponto culminante a Coordenação Administrativa do Nado Artístico nos Jogos Olímpicos RIO 2016. Em paralelo, desde 2001, é professora de Educação Física na Prefeitura da cidade do Rio de Janeiro. Tem ampla experiência na formação de jovens talentos esportivos, em que desenvolveu metodologias de gestão emocional aplicada aos atletas. Em 2011, se tornou mãe e, desde então, toda a experiência profissional se funde a uma peculiar maneira de educar seu filho.

Contatos
su_bunn@yahoo.com.br
Instagram: @su_bunn
21 98111 4295

O desenvolvimento do ser humano segue em ciclos, em que vivenciamos um período de certas interações e aprendizagens previstas, assimilamos aquele contexto e seguimos para o próximo ciclo.

Ser mãe gera em mim transformação pessoal e questionamentos também. Ao mesmo tempo que meu bebê interage com o mundo, o mundo também interage sobre mim e nas minhas respostas e escolhas.

Apesar de estarmos vivendo em uma época de emancipação feminina, ainda existem expectativas que incidem sobre o papel do homem e da mulher. Espera-se naturalmente que os homens sejam os indivíduos provedores, e das mulheres se exige que a maternidade se sobreponha à profissão. Essa construção ideológica social me obriga a ultrapassar, transcender e ir além desses conceitos que não me representam. De fato, tenho consciência de que é o meu estado psíquico que determina a qualidade dos cuidados que eu posso oferecer ao meu filho.

Baseada na prerrogativa de que podemos e devemos buscar diferentes maneiras de lidar com eventos e questões características de cada situação, ou período da vida, certas necessidades básicas precisam ser satisfeitas e certas tarefas precisam ser dominadas para que ocorra um desenvolvimento normal. As crianças dependem dos adultos para comer, vestir-se e obter abrigo, além de que, o contato humano deve gerar segurança e afeição. Elas também precisam afirmar sua autonomia, porém são os pais que devem estabelecer os limites ao seu comportamento. Então minha saúde mental é de extrema importância, pois interfere diretamente na formação do nosso vínculo afetivo e envolvimento emocional, determinando a qualidade dos nossos momentos juntos e das escolhas de tudo o que diz respeito à sua infância.

Como seres sociais, tendemos a repetir os padrões de relacionamento que já experimentamos e que, em alguma medida, geram em nós a sensação de estabilidade e segurança. Também temos a tendência a optar pela escuta de pessoas com referencial assegurado pela ciência, como médicos, psicólogos e professores, ou familiares e amigos que entendemos ter mais experiência que a gente.

Na prática, o que experimento é que quanto mais informações, mais conhecimento agregado à própria capacidade de discernir, associado à coragem de fazer o que a sua intuição de mãe ou pai indica, mais fácil se torna o momento de cada tomada de decisão. O "Ser mãe/pai" vai sendo construindo de dentro para fora, da incerteza do caminho a seguir com a fé que emana de cada célula do corpo imantada do amor por aquele "Ser filho". Da alegria de ver o primeiro sorriso e da agonia da primeira febre alta. Do coração saltitante da primeira apresentação na festa de dia das mães da escola, ao coração apertado da queimadura de 2º grau em um bracinho tão frágil de 14 meses de idade. Do meu próprio diagnóstico de neoplasia maligna e a força de enfrentar todo e qualquer tratamento para continuar a exercer meu papel de mãe.

E nesse contexto, reforço a importância de respeitar a individualidade de cada criança e do desenvolvimento dos próprios talentos e capacidades, levando-se em conta o temperamento de cada um. Por isso, é importante conhecer e estudar sobre o desenvolvimento humano para entender que a criança não é um adulto em miniatura. E conhecendo as características comuns de cada faixa etária, permite que floresça uma engrenagem única, trabalhando para o mesmo fim, com a coerência de uma energia positiva direcionada por bons valores éticos e morais.

Na primeira infância, a criança tende a copiar tudo que o adulto faz, pois o aprendizado se dá prioritariamente por meio dos atos de imitar e reproduzir o que vivencia. Então, quando uma criança imita um comportamento de um adulto, ela não tem o discernimento para distinguir o certo do errado. O fato de a criança começar a andar, falar e pensar são resultados do seu crescimento físico e fazem parte do conjunto de desenvolvimento que todos os seres humanos passam. Essa informação ilustra a importância de sermos o bom exemplo daquilo que desejamos transmitir, para que o processo de construção do relacionamento seja verdadeiro, convergente e duradouro.

Um bom exercício para começar a construir o caminho e os exemplos que queremos ser para nossos filhos é qualificar a relevância dos valores éticos e morais na nossa vida.

Por valores éticos e morais, entende-se o grupo de preceitos, princípios e normas em que se baseiam os costumes e a cultura de determinados grupos. São conceitos que nos ajudam a compreender o que é certo e o que é errado. Normalmente, os valores éticos são consistentes, entretanto, podem mudar se os ideais e crenças do sujeito mudarem ou em função de determinada situação.

A fim de colaborar com a reflexão sobre o tema, imaginemos que o AMOR é um valor ético importante, que, então, todos os nossos atos serão realizados a partir dele. Depois, podemos responder a perguntas do tipo: qual o significado de amor? Meus gestos têm sido amorosos? Minhas palavras são ditas com amor? E assim, pensando e refletindo sobre o amor, o amor vai se materializando na nossa vida. Um adulto amoroso facilmente se conectará com a criança de maneira amorosa, desenvolvendo naturalmente um relacionamento de bem-estar e segurança emocional.

Conforme estou ressaltando durante este capítulo, ainda que não existam receitas mágicas para se criar um filho, existe muito estudo sobre o desenvolvimento humano nas mais amplas áreas das ciências, além da troca de experiências e discernimento individual para tomada de decisão em cada situação que se apresente. Assimilar e entender a grande responsabilidade materna e paterna desse processo é também se colocar disponível para que ocorram mudanças pessoais e emocionais profundas em si, além de compreender que eventualmente podemos e devemos procurar a ajuda de profissionais especializados.

Finalizando e com o intuito de contribuir um pouco mais nesse contexto, vou deixar 5 dicas que utilizo na vida e me orienta no meu processo de "Ser mãe".

1. Organização – uso uma agenda única onde anoto os meus compromissos e os do Rafael, meu filho. Sou à moda antiga, logo, gosto de escrever, fazer listas de tarefas, e tabelas coloridas presas na geladeira com as atividades fixas da semana. O despertador do celular controla os horários mais importantes e nunca assumo

nenhum compromisso antes de organizar bem toda a logística necessária. É desse modo que consigo dar conta e conciliar trabalho, escola, aulas de inglês, treino de jiu-jitsu, treino de natação, aulas de música, aulas de teatro, aulas de computação, meditação, consultas médicas, atividades culturais, passeios e diversão em família. E ainda organizar a casa, cuidar da horta e ter algumas horas livres para fazer absolutamente nada.

2. Projetos – costumo colocar datas e prazos em minhas metas, desenhando a vida em vários pequenos projetos com começo, meio e fim. Assim, enxergo com mais clareza o que estou construindo, respeito meus limites e desenvolvo ciclos de avaliação constante na vida. Nesse modelo, a estruturação financeira fica mais detalhada, gerando uma sensação maior de segurança e estabilidade.

3. Motivação – qualquer coisa que eu me proponho a fazer precisa ter um retorno na ordem das virtudes. Não funciono bem com pressão emocional, nem com tarefas que não estejam alinhadas aos meus propósitos de evolução humana e espiritual. Se vou usar minha energia para realizar algo, que seja virtuoso e ético, com resultados positivos para mim, para as pessoas ao meu redor e, preferencialmente, que deixe algum legado positivo. Minha alma precisa ver significado em tudo.

4. Crença positiva – é algo como uma fé interior na certeza de que tudo está como deve estar, em concordância com as "Leis da Vida". Sendo assim, não existe mal, somente a ignorância do que de fato está acontecendo. Parte da compreensão de que somos seres com livre-arbítrio e nos colocamos no mundo de acordo com as nossas próprias escolhas trata-se diretamente de compreender que todo efeito advém de uma causa e que, se temos uma causa nobre como princípio de vida, o efeito será única e exclusivamente o bem. É como um fluxo natural.

5. Coerência – enxergo a vida e sou feliz por quem sou, das conquistas e realizações do meu percurso até aqui. Procuro encontrar o equilíbrio entre os desejos que a sociedade nos impõe e as reais necessidades da alma, sendo mais proativa, mais sustentável, evitando futilidades e criando conexões com pessoas que respeitem e também se dediquem às boas causas.

Conclusão

O conhecimento abre a porta.

Estudar e tomar conhecimento de assuntos variados capacita o nosso cérebro a criar mais possibilidades de respostas. Com um repertório maior, maiores as probabilidades de acerto. Para cada porta a ser aberta, o caminho para a chave é o mesmo: pare, observe, reflita, tome decisões e aja.

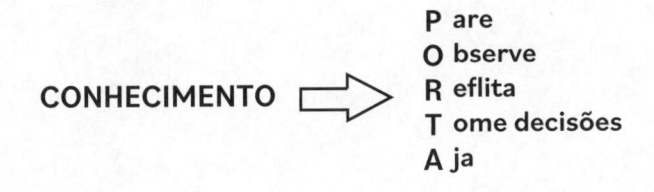

CONHECIMENTO ⇒
P are
O bserve
R eflita
T ome decisões
A ja

Para cada porta aberta conscientemente, é criado um novo movimento de vida baseado em valores, intuição, descobertas e novas avaliações.

MOVIMENTO ⟹ **V** alores
I ntuição
D escobertas
A valiação

E é assim que o conhecimento de abrir portas e viver vai criando novos conhecimentos, que nos transformam e nos impulsionam a abrir novas portas e conquistar novos conhecimentos. Uma engrenagem que requer atitudes diárias de consciência e faz com que a vida se assemelhe a um grande laboratório de testes e aplicações práticas.

Aqui encerro mais um pequeno projeto, que para ser realizado necessitou de bastante organização. Tenho certeza de que acrescentará positivamente no movimento de vida de quem leu até aqui, pois foi muito coerente com a minha motivação de gerar valores de cooperação e educação em família.

Referências

GALVÃO, L. H. Mito da caverna: simbolismos e reflexões. *Nova Acrópole Brasil*, 2015. YouTube. Disponível em: <youtube.com/user/NovaAcropole>. Acesso em: 21 set. de 2020.

LE BOULCH, J. *O desenvolvimento motor*: do nascimento até os 6 anos. 6ª ed. São Paulo: Artes Médicas, 1990.

SILVA, E. J. A ética aristotélica como caminho que conduz o homem à felicidade plena. *Revista Húmus*. ISSN: 2236-4358, Jan/Fev/Mar/Abr. 2013. n. 7. Disponível em: <http://www.periodicoseletronicos.ufma.br/index.php/revistahumus/article/view/1501>. Acesso em: 21 set. de 2020.

STEINER, R. *A educação segundo a ciência espiritual*. 4ª ed. São Paulo: Antroposofia, 2007.

47

A CRIANÇA QUE FOMOS FRENTE À CRIANÇA QUE TEMOS: COMO A HISTÓRIA DOS PAIS IMPACTA A VIDA DE SEUS FILHOS

Neste capítulo refletiremos sobre como a história de vida dos pais impacta e é impactada pela chegada dos filhos. E o quanto a responsabilidade do adulto perante o passado e o compromisso com o presente pode ajudar as crianças que temos a não serem afetadas pela incompreensão ou negação das dores vividas pelas crianças que fomos.

VANIA SOUZA

Vania Souza

Graduada e pós-graduada em Direito (FDSM) e Psicologia (UNIFENAS); especialista em Psicologia Clínica e Educação pela Sociedade Brasileira de Logoterapia (SOBRAL); conselheira em Dependência Química (UNIFESP); terapeuta familiar sistêmica; educadora parental em Disciplina Positiva pela *Positive Discipline Association*; pós-graduanda em Sexualidade Humana. Atuou por dezoito anos em Desenvolvimento de Pessoas. Atualmente trabalha com ênfase em psicoterapia de crianças, adolescente, adultos, casais e família. É orientadora vocacional e consultora de carreira, palestrante, docente de cursos livres, presenciais e EAD. Realiza atendimento presencial e on-line (no Brasil e no exterior).

Contatos
www.psicologiaviva.com.br/psicologos/vaniasouza
vaniaapsouza@gmail.com
Instagram: @comportamentoeplenitude

> *Tudo está em nós, se não tivermos medo de olhar.*
> ELISABETH KÜBLER-ROSS

Como psicoterapeuta, venho percebendo cada vez mais entre os pais que me procuram duas situações bem distintas. A primeira é a de pais que se sentem emocionalmente indisponíveis para seus filhos pequenos, o que vai, aos poucos, atribuindo-lhes uma sobrecarga inigualável. A segunda é o que descrevem como "amor excessivo", exagerado, desmedido, pelos filhos, causando-lhes frustração e exaustão.

A esses pais, eu convido a aprofundarem seus olhares para quem eles eram antes mesmo da chegada dos seus filhos. O objetivo é refletirmos sobre como a infância dos pais impactam a infância de seus filhos e o que pode ser feito sobre isso, de modo a torná-los mais livres, conscientes e responsáveis, para que esses filhos não sejam reféns da história pessoal de seus pais.

O ponto de partida é nossa origem. A família é o lugar de nossa construção, é nela que passamos a pertencer e, por meio dela, passamos a existir e interagir com o mundo. É na família que nós nos desenvolvemos e aprendemos a amar, a confiar e a nos relacionar.

Quando adultos, decidimos nos unir a alguém e constituir nossa família. A conjugalidade se mostra como um dos importantes desafios da vida adulta. Embarcamos nessa viagem livremente, porém levando em nossas bagagens individuais as heranças e os aprendizados até então adquiridos. Nessa fase que antecede ao nascimento dos filhos, em geral, há privacidade, oportunidade para interesses pessoais, vida social e pausas necessárias.

No entanto, com a chegada de uma criança, as discordâncias entre os cônjuges podem se tornar fontes geradoras de muitos conflitos. É preciso um ajuste de crenças, valores, opiniões, atitudes. Não se trata de competir sobre qual perspectiva está correta, mas sobre construir uma concepção teórico-prática que faça sentido para ambos em prol da parte mais afetada nesse momento: a criança.

De acordo com Dreikurs e Soltz (1964), uma das maiores dificuldades enfrentadas com os filhos hoje é a lacuna deixada pela ausência de referências que nos permitam construir em família a vida na qual acreditamos. Por um lado, as tradições do passado são insuficientes e, por outro, faltam estratégias atuais sólidas.

Apesar dos desafios, a paternidade e a maternidade vão se revelando como promissoras oportunidades que a vida nos dá para aprender e amadurecer. Afinal, a soma do que vivemos em todas as fases anteriores à chegada dos filhos interfere e contribui, com maior ou menor relevância, para o exercício da parentalidade que exerceremos.

Seja essa influência para replicar ou para refutar o que recebemos em nossa família de origem, ela se faz presente.

A parentalidade é algo que nos expõe, impacta, indaga, provoca, solicita e, sobretudo, nos desacomoda. O nascimento dos filhos desaloja a criança que nos habita, confrontando-nos frequentemente com as vivências de nossa infância.

O percurso que ora fazemos não desconsidera de modo algum a beleza e a importância inegável que representa para uma família o anúncio de um filho. Apenas inclui, como parte imprescindível, "o ser pai" e "o ser mãe" frente à existência de seu mais novo membro, de como essa primeira infância ressoa na vida de seus genitores e vice-versa.

Certa vez eu ouvi em um congresso uma fala de Alejandro de Barbieri, grande psicólogo uruguaio, na qual ele dizia: "Para ser pais, precisamos deixar de ser filhos". Quantos desafios e desconstruções existem inerentes a esse período de transição?

A inversão de papéis que experimentamos ao nos tornarmos pais é revolucionária. Aceitar que a condição de ser pai ou de ser mãe nos tira do lugar de quem estava habituado a receber para nos colocar no lugar de quem vai oferecer não é um processo simples, tampouco fácil. É uma metamorfose, algo que não se faz de modo teórico, pois até que passemos por isso, não saberemos do que se trata.

A eficácia da parentalidade depende, entre muitas coisas, de um processo de diferenciação necessária entre pais e filhos, do reconhecimento genuíno da criança que fomos, de quem somos hoje e do que está emergindo em nós agora frente aos filhos que temos. Depende também de nossa capacidade de sentir autocompaixão, nos perdoar, promover mudanças e desejar sermos melhores a cada dia.

Quando a escuta que faço desses pais chega à narrativa da primeira infância de seus filhos, eu me permito fazer-lhes perguntas que os ajudem a resgatar as próprias memórias. Essas questões parecem abrir a "caixa de pandora", mas o que elas fazem, de fato, é nos revelar a nós mesmos.

A não elaboração de nossos conteúdos emocionais podem se perpetuar como feridas abertas que serão expostas diante daqueles que nada têm a ver com suas causas. Do mesmo modo, nossas necessidades básicas não satisfeitas podem vir a ser atribuídas aos nossos filhos ou, ainda, ser deslocadas para alguma busca alternativa, como provável forma de compensação ilusória e inatingível.

As repercussões de nossas primeiras interações familiares podem ser observadas em todas as áreas de nossa vida e em todas as nossas relações. O que vivemos ou deixamos de viver com aqueles que nos apresentaram a esse mundo poderá desdobrar-se no nosso mundo adulto e sobretudo, dentro do nosso lar. De acordo com Cukier (2017), o que aprendemos e decidimos enquanto crianças limita o que perceberemos e escolheremos na vida adulta.

Necessitamos, como pais, de uma tomada de consciência que nos impeça de nos distanciarmos emocionalmente de nossos filhos por incompreensão ou negação da nossa própria dor.

Aceitar que, como pais, somos igualmente suscetíveis à dor e ao sofrimento e que não há perfeição, autossuficiência e onipotência legítimas na condição humana, nos abre para a possibilidade de vivenciar tudo o que sentimos sempre que for preciso. Para Viscott (1982), agindo assim, nós empreendemos bem menos esforços do que utilizaríamos se tentássemos ocultar a dor.

Nossa história pessoal é ponto de partida, e não linha de chegada. A decisão de amar é justamente o antídoto para as dores derivadas do fato de não termos nos sentido amados.

De acordo com Castellá (2007), amor é atividade, e não passividade. A essência do amor é oferecer, e não receber.

A criança não nasce sabendo e sentindo que é amada e importante. Isso precisa ser dado a ela por meio de seus cuidadores (CUKIER, 2017). Não se sentir amado é como não existir para o outro. As marcas de uma "não existência" jamais são esquecidas. A recusa do afeto, a falta de conexão, a ausência do olhar, de uma escuta ativa, não se sentir aceito e ter seus sentimentos desqualificados são alguns dos sinais do desamor. A criança não sofre pelo que vê, mas pelo que entende e constrói a partir de tudo o que lhe acontece.

No entanto, quando crescemos, nossa vida não se define pelo que sentimos ou recebemos, mas primordialmente pelas decisões que tomamos, muito além do que herdamos geneticamente ou recebemos do ambiente. Em um dado momento, poderemos, então, decidir oferecer a nós e aos outros até mesmo aquilo que não nos foi dado. No exercício pleno da liberdade humana, a decisão sempre estará acima das influências sofridas, da dor ou da rejeição experimentadas. Segundo Frankl (2008), o homem é o ser que sempre decide o que é.

Falhamos como pais, com ou sem intencionalidade, por ação ou por omissão, porque somos humanos. Aceitar isso é imprescindível. Há pais que postergam o pedido de ajuda para si e para seus filhos, porque veem nisso um sinal de fracasso pessoal. Não fracassamos quando pedimos ajuda, mas quando sabendo que é necessário, nós não o fazemos. Precisamos ser pais dispostos a demonstrar amor, ainda que errando, porém reconhecendo, aprendendo, melhorando e prosseguindo.

Vejo todos os dias árduos processos humanos de uma intensa luta interior de quem ainda não assumiu a própria dor vivida. Ou porque é inadmissível reconhecer que aquele que os feriu deveria amá-los, ou porque não encontram forças para suportar a verdade que os sentimentos lhes traduzem, ou ainda por não reconhecerem a própria vulnerabilidade diante da vida.

Seja por qual razão for, permitir-nos sentir é o primeiro passo para essa mesma dor deixar de existir. Dor reprimida não é dor resolvida (VISCOTT, 1982).

Dor reprimida é dor redirecionada: para si mesmo, para o cônjuge, para nossos filhos ou para a vida de um modo geral. Essa mágoa não suficientemente expressada no passado pode, na vida adulta, ser de algum modo acessada pelos acontecimentos que nela hoje esbarram, principalmente decorrentes do encontro dos nossos filhos com as crianças que fomos.

Não é o excesso de trabalho que nos torna indisponíveis, mas provavelmente outros fatores: um sentimento de vazio; um esfriamento afetivo; uma dor encoberta, mas não esquecida; uma desregulação em nosso senso de urgência, invertendo nossas prioridades... De qualquer maneira, fatigados e desesperados, castigamos nossas crianças. Em nossa defesa, emerge o argumento de que fomos igualmente punidos quando éramos crianças e que isso nos ajudou a ser quem somos. Afinal, não defender isso comprometeria nossa sobrevivência psíquica e o aparente equilíbrio interior que precisamos sustentar diante de um ciclo que se repete na ausência de um olhar atento e honesto para si mesmo. Parece que assim, justificando e ocultando nossas feridas, nos eximimos de confrontar seus efeitos mais profundos e verdadeiros em nossa vida.

Nossos filhos não vieram para corresponder nossas expectativas, preencher nossas lacunas, realizar o que nós não fomos capazes ou não tivemos a oportunidade de fazer. Um dos maiores atos de amor por nossas crianças é aceitar a singularidade que lhes é conferida, para que elas possam realizar-se pelo que são, concretizar os próprios sonhos e serem capazes de presentear o mundo com sua existência única e responsável.

Para os que me dizem que amam exageradamente seus filhos, eu não penso que haja "amor excessivo". Amor é equilíbrio entre os extremos. O que há são concepções equivocadas de amor. Confundimos amor com mimos, protecionismo, permissividade, satisfação dos desejos, incapacidade de frustrar, anulação de si mesmo, falta de limites, dificuldades em permitir que os filhos se responsabilizem por seus erros e tantas outras coisas que não traduzem o ato de amar. Assim como também não há expressão autêntica de amor no autoritarismo, na cobrança excessiva, na exigência da perfeição, na crítica constante, na correção punitiva. O amor se dá na harmonia e na coexistência de afeto e limite.

Há muitas coisas que os pais desejam para seus filhos. A meu ver, a principal delas é que esse ser humano já crescido, apesar de tudo, diga sim à vida. Isso significa carregar em si potencial para amar: a si próprio, ao outro e a Deus (se você assim crê). Um filho que ama porque foi suficientemente amado e amparado em suas necessidades básicas (físicas e afetivas) poderá contribuir e compartilhar.

Em uma ocasião em que perdi uma amiga e me empenhava para não sucumbir às lágrimas na presença do meu filho de apenas 5 anos, tive a oportunidade de ser por ele acolhida, quando expliquei o que havia acontecido. Ele então me disse: "Mamãe, você pode chorar o quanto quiser quando ficar triste". Percebi nesse momento que foi preciso que a criança real diante de mim desse à criança que eu fui a permissão que eu precisava para sofrer a minha dor, enquanto minha voz interior ecoava em um tom autoritário: "seja forte porque você já é bem grandinha".

Como pais, não somos os únicos mártires. As crianças são ainda mais disponíveis à compreensão, ao amor e à renúncia do que nós mesmos.

Precisamos olhar para dentro, sim, aceitar e acolher quem fomos e a história que vivemos. No entanto, o presente está aqui fora, diante de nós e tem olhos ávidos, abraços calorosos, beijos doces, sorriso leve e baixa estatura. Sobretudo, ele cresce rápido demais e não podemos desperdiçar o tempo que ainda temos de desfrutá-lo.

O passado da criança que fomos é reparável? Possivelmente. Se não é para a infância que já se foi, será por meio da infância que ora ajudamos a construir.

Referências

CASTELLÁ, G.J. *La concepción y el sentido de la existência*: teoria del programa de vida I. Buenos Aires: San Pablo, 2007.

CUKIER, R. *Sobrevivência emocional*: as dores da infância revividas no drama adulto. 7. ed. São Paulo: Ágora, 2017.

DREIKURS, R.; SOLTZ, V. *Como educar nossos filhos nos dias de hoje: liberalismo x repressão, uma orientação segura para os dilemas de pais e filhos.* Rio de Janeiro: Distribuidora Record de Serviços de Imprensa, 1964.

FRANKL, V. E. *Em busca de sentido: um psicólogo no campo de concentração.* 25. ed. São Leopoldo: Sinodal; Petrópolis: Vozes, 2008.

VISCOTT, D. S. *A linguagem dos sentimentos.* São Paulo: Summus, 1982.

PRIMEIRA INFÂNCIA NO SÉCULO XXI: COMO VOCÊ ESTÁ EDUCANDO SEU FILHO?

É importante o conhecimento das características do sono na primeira infância e dos eventos relacionados a ele, já que pode afetar a qualidade de vida dos pais e de toda uma família, além de interferir de forma negativa para o desenvolvimento físico e psicossocial da criança.

VILMA XAVIER ALVES

Vilma Xavier Alves

Nascida em São Paulo, em 1970, possui graduação em Pedagogia/Psicopedagogia pela Universidade Paulista (UNIP), atualmente cursando Pós-Graduação, MBA em A Moderna Educação: Metodologia, tendências e Foco no Aluno pela Pontifícia Universidade Católica (PUC). Casada com o José Roberto Alves e mãe de duas filhas, Gabrielli e Grazielli. Atua na área da Educação há mais de 25 anos. É diretora e mantenedora do Colégio Jean Jacques Rousseau e da Escola de Educação Infantil O Pequeno Galileu, no estado de São Paulo.

Contatos
fund2gire@gmail.com
Instagram: @vilmaxavi
11 99612 5017

Ainda não faz parte do senso comum a informação de que cerca de 90% das conexões cerebrais são formadas até os 6 anos de idade, como afirmam estudos apresentados no 6º Simpósio Internacional de Desenvolvimento da Primeira Infância (MAGIONI, [s.d.]). Nessa fase, chamada de primeira infância, a criança deve receber estímulos para atingir seu potencial máximo no futuro. Portanto, os primeiros anos da vida de uma criança são fundamentais para seu desenvolvimento.

Diversos estudos mostram que a evolução do cérebro durante a primeira infância acontece a uma velocidade incrível, principalmente por meio das interações com pais, família, cuidadores e outras crianças. Isso é resultado de milhares de anos de evolução humana, considerando que somos seres essencialmente sociais. O psicólogo canadense Donald Hebb descobriu as bases da plasticidade neuronal, como afirma o neurologista Guilherme Cunha Santos (MONTEIRO, 2020), e, de acordo com tais descobertas, as "conexões sinápticas são fortalecidas quando dois ou mais neurônios são ativados contiguamente no tempo e no espaço" (LEI DE HEBB, [s.d.]) e, "ao associar o disparo da célula pré-sináptica com a atividade do pós-sináptico" (LEI DE HEBB, [s.d.]), acontecem transformações estruturais "que favorecem o surgimento de montagens ou redes neurais" (LEI DE HEBB, [s.d.]). O modo de tais redes neurais se estabelecerem dependem muito de como se dá a vida social do indivíduo. Um estudo de Hebb mostra que as crianças não precisam observar comportamentos agressivos para terem acessos de raiva, mas que precisam viver em sociedade e com estímulos adequados para entenderem que não é adequado socialmente se comportar de forma agressiva (LEI DE HEBB, [s.d.]).

As interações sociais contribuem para impulsionar a atividade cerebral e ocasionam a produção de substâncias químicas relacionadas à sensação de recompensa e satisfação. Muitos estudos, como os do *Center for Internet and Technology Addiction* (CITA, 2017), têm sido divulgados em meio à pandemia relacionados a distorções que a interação em redes sociais, sobretudo excessiva, causam nos processos químicos relacionados a essas sensações de recompensa. Se a criança não receber os estímulos e os cuidados necessários, muitas ligações entre os neurônios deixam de acontecer, o que pode afetar seu potencial de aprender e se desenvolver.

Já está comprovado que amar, brincar, aprender e cuidar são os principais fundamentos para o desenvolvimento das crianças. Mas como garantir que as crianças recebam todos esses estímulos, afeto, atenção e ainda aprendam em meio a um mundo cada vez mais digital e complexo? O que é preciso para acompanharmos o desenvolvimento dessas crianças? Como exemplo, podemos pensar nas redes sociais. Elas são capazes de proporcionar aos seres humanos a produção das mesmas substâncias químicas da interação social presencial, ocasionalmente, até de maneira mais intensa, o que pode gerar dependência, ainda mais no período pandêmico que estamos vivenciando.

Envolvimento da família é essencial para a educação na primeira infância

Para um desenvolvimento emocional positivo e seguro dos filhos, que os auxilie a lidar bem com as diversas situações da vida, é importante crescer em um lar no qual pai e mãe estejam presentes e ofereçam apoio incondicional, conforto e proteção. Cabe aos homens assumirem seu lugar na educação dos filhos, assim como nos afazeres do lar como um todo. Uma pesquisa do IBGE, divulgada em 2019, mostra que as mulheres dedicam quase o dobro do tempo com afazeres domésticos em relação aos homens (IBGE, 2019).

Percebemos nesse período extremamente afetado pela pandemia de Covid-19 que uma enorme proporção de pais que têm seus filhos na educação infantil optou por tirá-los da escola, uma vez que até 3 anos de idade a educação escolar não é obrigatória. E muitos têm justificativas plausíveis para isso, como terem de passar a custear um cuidador ou cuidadora. Por não ser obrigatória, muitos tiraram seus filhos da educação infantil, mas não cortaram gastos até mesmo supérfluos. Perdemos muitas escolas que trabalhavam há anos o início da inserção dos indivíduos na sociedade. Infelizmente, muitas famílias não estão preparadas para tal discussão.

As crianças têm de ter o contato com outras crianças. É na primeira infância que elas se descobrem como seres seguros e autônomos.

O contato com o mundo da descoberta

Hoje a chamada Geração Z pede conhecimento desde cedo. Quando montamos estações ou circuitos de brincadeiras para uma criança entre 0 e 1 ano, ela já escolhe o que quer. Basta o olhar do educador para começar a estimular a curiosidade daquela criança. Nos tornamos mediadores ao desafiar e estimular a criança; pelas observações, começamos a enxergar se aquela criança é capaz de responder. Assim, temos a possibilidade de identificar precocemente se essa criança apresenta alguma dificuldade, desenvolvendo um olhar e uma sequência investigativa, inclusive para síndromes como autismo, surdez, cegueira, entre outras. Muitas vezes essa criança está em casa e a família não consegue ter esse olhar, assim, ela passa a sua primeira infância sem a observação que deveria ter acontecido lá atrás.

Criança precisa ser cuidada e, como bem sabemos, cuidar dá trabalho. Hoje muitas famílias têm terceirizado suas responsabilidades, entregando justamente aquilo que têm de mais precioso, já que estamos falando de vidas humanas. Estamos vivendo novos tempos, a nova geração dá preferência a criar um *pet* do que querer ter filhos.

As famílias que têm poder aquisitivo significativo acabam optando por ter 1 ou 2 filhos, no máximo, por entenderem que uma educação escolar de qualidade é cara demais. Já as famílias sem poder aquisitivo, muitas vezes, acabam levando seus filhos a creches lotadas, com alimentação precária e outros problemas. O que fazer com tantas desigualdades sociais? As crianças que nascem "em um berço esplêndido", muitas vezes, têm uma formação pedagógica com atividades em excesso, com judô, balé, natação, inglês, francês, ginástica etc. Quando essa criança chega à escola, pode acabar precisando ser acompanhada por psicólogos, psiquiatras e, até mesmo, sendo medicada. Essa criança se torna potencialmente hiperativa, porque não tem a atenção devida em sua primeira infância. A criança que nasce em um lar mais simples tende a ter atenção desde cedo. Hoje um bebê de 4 ou 5 meses já tem acesso à tecnologia, já que é mais fácil disponibilizar um *smartphone* a ele para que se cale.

Como afirma Marcelo Cunha Bueno (2018), "é preciso devolver às famílias o direito de terem tempo para escolher as escolas de seus filhos e filhas", uma vez que tal escolha "tem de ser de responsabilidade" dos pais. Para o autor, as famílias perderam o direito dessa escolha "na medida em que cederam aos discursos totalizantes predominantes numa sociedade que não tem mais tempo para olhar a educação como se deve".

Assim, o paradigma neoliberal acaba fortalecendo o discurso e a prática de famílias, e mesmo de muitas escolas, que encaram a educação não como um direito inalienável na construção da cidadania, mas como um bem tal qual outro qualquer. Dessa forma, compra-se o produto e espera-se o resultado no fim do mês com boas notas. Se elas não vêm e, se a família tem condições, suplementa-se o "produto educação" com a contratação de professores particulares. Segundo Paulo Freire (2019), "nesse contexto em que o ideário neoliberal incorpora, entre outras, a categoria da autonomia, é preciso também atentar para a força de seu discurso ideológico e para as inversões que pode operar no pensamento e na prática pedagógica ao estimular o individualismo e a competitividade".

A pandemia que encaramos em 2020 escancarou mais do que nunca a forma antiquada que a Educação Infantil é encarada pelo senso comum. Não é moderno relacionar à Educação Infantil apenas ao "cuidar", que é vital e intrínseco a essa etapa da educação escolar, mas longe de ser suficiente. É preciso o "cuidar" e o "educar" (SCHERER, 2011). Muitos pais só matriculam seus filhos nessa etapa por não terem tempo de estarem com eles e, na pandemia, preferem contratar um cuidador do que mantê-los na escola. Atualmente nós, educadores, já sabemos, depois de séculos de desenvolvimento da ciência pedagógica, que já na primeira infância devemos atuar pedagogicamente. A criança que entra com 2 anos no universo escolar já não tem a mesma facilidade de aprendizado do que as que entram no berçário, que dirá as que entram com 4, 5, 6 anos ou mais. Até mesmo momentos como o banho e as trocas de roupas podem e devem ser permeados por práticas pedagógicas, que fazem enorme diferença no desenvolvimento de uma criança.

Infelizmente a sociedade ainda não está aberta para discutir a Educação Infantil. Muitas famílias enxergam essa etapa da educação escolar como menos importante que as outras, inclusive nos deparamos com pais que, em meio à pandemia, preferem acompanhar de um modo mais próximo os filhos que já são um pouco mais velhos, deixando até mesmo aqueles que estão no 1º ou 2º ano do Ensino Fundamental "de lado", sendo que esses, com as crianças da Educação Infantil, são os que ainda dispõem de menos autonomia. Esses pais enxergam os primeiros anos da infância como mais fáceis de serem recuperados pedagogicamente, sendo que a situação real é justamente oposta, como demonstram os estudos já mencionados no início do presente artigo.

Para Rousseau – talvez o primeiro pensador ocidental consagrado a dar a devida atenção à educação das crianças –, o princípio fundamental da educação na primeira infância é "o respeito do adulto ao mundo da criança" e, assim, "a humanidade tem seu lugar na ordem das coisas e a infância tem o seu na ordem da vida humana: é preciso considerar o homem no homem e o homem na criança" (ROUSSEAU, 2004). Contudo, como sempre temos de avançar cientificamente e criteriosamente em qualquer área, e, como afirma Paulo Freire, "de nada adianta o discurso competente se a ação pedagógica é impermeável a mudanças" (FREIRE, 2019). Hoje precisamos enxergar de maneira crítica o que Rousseau afirmava, "a educação na primeira infância cabia incontestavelmente à mãe e ao pai" (ROUSSEAU, 2004), e preferencialmente às mulheres. Por outro lado, como já afirmamos, os pais não podem delegar integralmente a educação de seus filhos a terceiros, nem enxergar os profissionais como meros cuidadores.

Assim como existem as múltiplas inteligências, como proposto por Howard Gardner, existem múltiplas formas de ensinar. Na Educação Infantil, podemos enumerar algumas, desde os momentos de higiene pessoal, que são de maior relaxamento, podem ser permeados de aprendizagem, até o manuseio de objetos simples, que se tornam ferramentas de criação de histórias complexas, já que a criança tem uma enorme capacidade de análise, descrição e desenvolvimento de um enredo. Há também a contação de histórias para as crianças, com uma gradual introdução ao universo letrado, e o apreciar de diversas modalidades artísticas, adequadas ao contexto da Educação Infantil, como na musicalização. Essas são também pontes para a percepção de que, desde o berçário, é importantíssima a participação de profissionais no desenvolvimento dos seres humanos, desde que o intermédio da educação escolar seja visto como um processo no qual todos que deles participam têm direitos e deveres – construindo na prática a ideia de cidadania –, e não como um mero produto.

Referências

BUENO, M. C. *No chão da escola: por uma infância que voa.* Cachoeira Paulista: Passarinho, 2018, pp. 22-23.

CITA – Center for Internet and Techology Addiction, 2017. Disponível em: <http://www.virtual-addiction.com/>. Acesso em: 8 out. de 2020.

FREIRE, P. *Pedagogia da autonomia: saberes necessários à prática pedagógica.* Rio de Janeiro/São Paulo: Martins Fontes, 2019, p. 12.

GARDNER, H. *Inteligências múltiplas: a teoria na prática.* Porto Alegre: Artes Médicas, 1995.

HEBB, D. *A textbook of psychology.* 3. ed. Philadelphia: Saunders, 1972.

IBGE – Instituto Brasileiro de Geografia e Estatística. Mulheres dedicam quase o dobro dos homens em afazeres domésticos. *Agência IBGE notícias*, 2019. Disponível em: <http://www.agenciadenoticias.ibge.gov.br/agencia-noticias/2012-agencia-de-noticias/noticias/24267-mulheres-dedicam-quase-o-dobro-do-tempo-dos-homens-em-tarefas-domesticas>. Acesso em: 12 abr. de 2021.

LEI DE HEBB a base neuropsicológica da aprendizagem. Saint Anastasie, 2021. Disponível em: <http://www. pt.sainte-anastasie.org/articles/neurociencias/ley-de-hebb-la-base-neuropsicolgica-del-aprendizaje.html>. Acesso em: 4 out. de 2020.

MAGIONI, D. Os seis primeiros anos na vida da criança. *Mundoemcores.com*. Disponível em: <http://www.mundoemcores.com/os=-seis-primeiros-anos-na-vida-da-crianca/#:~:text-O%20desenvolvimento%20cerebral%20da%20crian%C3%A7a,no%20decorrer%20do%20segundo%20ano>. Acesso em: 12 abr. de 2021.

MARTINS, M.; DALBOSCO, C. Rousseau e a primeira infância. In: *Filosofia e Educação* – ISSN 1984-9605 – v. 4, n. 2, out. 2012-mar.2013.

MONTEIRO, L. Como o cérebro funciona no isolamento? *Jornal Estado de Minas*, 31 mar. 2020. Disponível em: <http://www.em.com.br/app/noticia/bem-viver/2020/03/31/interna_bem_viver,1134055/como-o-cerebro-funciona-no-isolamento.shtml>. Acesso em: 6 out. de 2020.

ROUSSEAU, J. J. *Emílio ou da educação*. São Paulo: Martins Fontes, 2004.

SCHERER, A. P. O. *Paulo Freire e a educação infantil: a experiência de Chapecó*. Dissertação de Mestrado. Universidade Nove de Julho, Programa de Pós-graduação em Educação, 2011.

49

A IMPORTÂNCIA DA COMUNICAÇÃO ASSERTIVA NAS RELAÇÕES PARENTAIS

Este capítulo levará você ao encontro de estratégias de comunicação possíveis de serem realizadas. Estabelecer uma comunicação assertiva nas relações permite um estreitamento nos laços afetivos, propiciando uma conexão segura com você e com as outras pessoas. A prática habitual de uma boa comunicação resulta em relacionamentos familiares e sociais mais saudáveis e fortalecidos.

ZENIR PELIZZARO

Zenir Pelizzaro

Psicóloga graduada pelo Centro Universitário da Serra Gaúcha – FSG, com especialização em Psicopedagogia pela Universidade de Caxias do Sul – UCS, Psicologia Social pela FAVENI e em Psicologia Positiva pela PUCRS. Graduada em administração pelo CNEC. Durante a formação acadêmica, trabalhou com grupo de jovens autistas, em escolas com grupos de adolescentes, no CRAS com grupos adultos, além de ter realizado atendimento de modo individual. Atualmente trabalha com psicologia clínica. É mãe de pré-adolescente, o que a torna ainda mais apaixonada pelo desenvolvimento infantil e adolescente.

Contatos
zenirpelizzaro.com.br
zenir.psy@gmail.com
Instagram: @zenirpelizzaropsicologa
Facebook: zenirpelizzaro

> *Quando as crianças têm permissão para ajudar a tomar decisões familiares, elas tendem a ser muito mais solidárias e felizes com a vida familiar. Além disso, quando têm permissão para ajudar a fazer regras, elas as seguem muito mais de perto do que se as regras lhes fossem impostas. Tudo isso contribui para um lar mais feliz para todos.*
> RUDOLF DREIKURS

O ser humano é o único ser vivo que se constitui pela linguagem. Posto que a linguagem é uma característica fundante típica do humano, a qual os demais seres não possuem acesso, isso porque a linguagem é composta por um conjunto de signos. Essa, por sua vez, é adquirida por meio de um processo de aprendizagem desde o nascimento, se estendendo ao longo da vida.

Nascemos desprovidos de qualquer tipo de linguagem, porém, ao chegarmos ao mundo, apresentamos a nossa primeira, e única, forma de nos comunicar: o "choro". A partir desse momento, passamos a depender exclusivamente das pessoas que nos acolhem, principalmente dos familiares, para nos constituirmos como seres humanos. E são essas pessoas que imprimirão em nós todas as formas de nos comunicarmos com o mundo.

Partindo da premissa de que aprendemos a nos comunicar com os familiares, seja pela linguagem verbal ou não verbal, entendemos que são essas pessoas as responsáveis por transmitir o modo como nos comunicaremos socialmente. Por isso, discorreremos neste capítulo acerca da importância de comunicar de forma assertiva. A comunicação, quando empregada de modo assertivo, proporciona conexão nas relações, favorecendo um ambiente harmonioso. Saber se comunicar é essencial em toda e qualquer circunstância, uma vez que a comunicação é a expressão do que pensamos, sentimos e/ou transmitimos. Talvez você esteja se perguntando: "Mas o que é comunicação assertiva?" Sobre isso, falaremos a seguir, propondo estratégias que possibilitam um estreitamento nos laços relacionais familiares.

A semiótica da comunicação

Se quisermos melhorar a relação no seio familiar, precisamos iniciar por entendermos a semiótica da nossa comunicação. E isso perpassa pelo conhecimento dos tipos de comunicação relacionais que adquirimos, aos quais reproduzimos habitualmente. Vimos anteriormente que temos dois tipos distintos de comunicação: a verbal e a não verbal. A comunicação verbal refere-se à forma escrita e oral, enquanto a não verbal abarca a comunicação por meio de gestos, expressões corporais e faciais, códigos, sinais, sons, entre outros.

Ainda sobre os tipos de comunicação, além das apresentadas, falaremos sobre a comunicação assertiva. Comunicar-se de forma assertiva é saber ser coerente na interlocução, isto é, ter habilidade de troca enquanto emissor e receptor de uma mensagem. Ser assertivo é utilizar-se dos artifícios fonêmicos adquiridos e ser capaz de aplicá-los de forma direta, honesta, complacente, mas afetiva. Comunicar sem desrespeitar, criar receios, constrangimentos e medos. A assertividade traduz o que você pensa e sente, levando-o a apresentar uma postura assertiva ou agressiva.

Nesse contexto, discorro sobre uma citação do psicólogo e escritor Marshall Bertram Rosenberg (2006), o qual diz que "a comunicação deve transitar pelo – falar e ouvir – de tal forma que haja uma entrega compassiva e natural". Nesse momento, convido-o para fazer uma reflexão sobre como você tem se comunicado nos espaços de convívio diário. Como tem se dirigido aos seus filhos, sobrinhos ou outras crianças com quem convive?

Pensando na expressão de Rosenberg, "entrega compassiva e natural", quero aprofundar um pouco mais esse tema sobre o panorama relacional intrafamiliar. Historicamente, as relações entre pais e filhos têm se baseado em um modelo primitivo patriarcal, ou seja, prevalece a ideia de domínio representada na figura paterna sobre os demais membros da família. Mesmo diante de inúmeras mudanças nas configurações familiares, nota-se que há uma manutenção no modelo opressor dos mais frágeis.

Eu me refiro aqui a como a criança ainda é vista e tratada pelos seus pais e, consequentemente, por outros adultos com os quais convive. Ocorrem situações de desrespeito com a opinião e impedimento da participação da criança em contextos dos quais ela deve fazer parte. Os pais carregam na bagagem existencial a falsa ideia de que criança não sabe de nada, não tem conhecimento e, portanto, não deve opinar, e sim obedecer às ordens. Que mensagem você tem transmitido aos seus filhos? Como tem se posicionado diante de um pedido de escuta?

Comunicando pelo exemplo

Considerando que as primeiras aprendizagens humanas acontecem a partir de uma troca entre bebê/criança e seus progenitores e espaço em que convivemos desde que nascemos, trataremos aqui como essa aprendizagem deve ocorrer para ser assertiva. Imagine que você é um bebê que acabou de chegar ao mundo, foi acolhido de forma carinhosa, afetuosa e respeitosa. Passou a receber todos os cuidados básicos e necessários para sua sobrevivência. A atenção despendida a você deve transpor a fronteira do cuidado físico, estendendo-se para o psicológico, mental e emocional.

E, por falar em emocional, preciso apontar aqui uma citação de Paul Ekman (2011) que sugere que "as expressões são universais e as emoções são culturais". O que quero dizer com isso é que o modo como nos expressamos pode ser igual ou muito parecido em qualquer lugar do mundo. Contudo, as nossas emoções são culturalmente construídas a partir de modelos preexistentes ou preestabelecidos.

Prosseguindo com essa ideia, proponho a você uma autorreflexão ou autoanálise em torno de como tem se posicionado com seus filhos ou outras crianças do seu convívio na construção do emocional deles. Que modelo emocional tem representado para essas crianças? E quando sugiro essa autoanálise é intencionalmente para refletir em como tem sido o seu modelo de comunicação com as crianças. Exemplificando o que foi dito, a criança aprende e absorve mais o que vê do que aquilo que ouve. Isso implica na maneira como é transmitida a mensagem, ou seja, o modo como você, adulto, se porta perante aquilo que quer transmitir.

Como exposto anteriormente, embora o modelo opressor ainda se faça presente, precisamos remodelar esse comportamento. E, para isso, é necessário desnaturalizar atitudes de opressão e repressão que deseducam, que rompem com as possibilidades de experimentação e conquista do sujeito. Atitudes que levam o sujeito a criar mecanismos de defesa ante à exposição de suas ideias e opiniões, desenvolvendo em si uma sensação de incapacidade, dependência e desvalor alienando-o à aprovação do outro. Pensando nisso, falaremos a seguir de estratégias possíveis de serem aplicadas, promovendo práticas de boa convivência intrafamiliar.

Comunicação alienante

Inicio esse tema utilizando a expressão metafórica "discussão é guerra", isso porque o modo como nos direcionamos a outra pessoa, seja pela expressão verbal ou não, exprime o que estamos sentindo e/ou pensando. Quando nos dirigimos a uma criança, por exemplo, impondo a ela determinada regra e não deixando claro o porquê, estamos apenas emitindo um juízo de valor. E esse comportamento geralmente ocorre com o intuito de educá-la, ensiná-la e orientá-la. O que esquecemos é que, na maioria das vezes, somos apenas transmissores ou reprodutores de moralismos infundados.

Além disso, o tom de voz usado para transmitir a mensagem que queremos passar ou mesmo a postura corporal, o olhar que direcionamos a ela, está intrinsicamente relacionado à compreensão que factualmente terá. Seguindo com essa concepção, transito aqui pela nossa responsabilidade na construção das emoções na criança. Isso porque na maioria das vezes advertimos a criança de que não se deve fazer certa coisa ou agir de determinada forma. E fazemos isso quase que com uma certeza de que ela compreendeu os reais motivos.

Contudo, em outro momento, demonstramos a mesma postura advertida à criança como "inadequada" e, nesse instante, estamos concebendo nela uma conduta alienante. Me refiro aqui ao uso do falso moralismo ou do dito popular "faça o que digo, mas não faça o que eu faço". E essa é uma postura comunicativa alienante, desenvolvendo um indivíduo passível do assujeitamento do desejo do outro ou com postura hostilizante. De modo a contribuir com você no contexto da comunicação assertiva, seguem algumas sugestões para que possa avaliar a qualidade da sua comunicação intrafamiliar.

Estratégias de comunicação assertiva

Postura negativa e punitiva	Postura positiva e assertiva
apenas ouve	escuta
egoísta	altruísta
julga	tolera

grita	silencia e dialoga
faz comparações	acolhe
não olha no olho	direciona o olhar "olho no olho"
agride física ou verbalmente	abraça e conversa
ironiza	pacifica
desqualifica	qualifica
oprime	liberta
impõe	sugere
recrimina	argumenta
age com indiferença	age com empatia
intimida	encoraja

Comunicação empática

Em tempos de informações fáceis e acessíveis, por vezes, nos causa estranheza percebermos o quanto a comunicação está escassa. Me refiro ao modo como nos comunicamos integralmente, principalmente, no âmbito intrafamiliar. O que deveria ser para nós um princípio de ensino-aprendizagem, no sentido educar e/ou formar um sujeito livre, pensante, autônomo etc., tem se tornado um espaço confinado de estímulo ao ódio, à agressividade, ao julgamento e às desmoralizações.

Você pode estar se questionando, isso sempre houve na história da humanidade. Pois bem, atitudes negativas de fato sempre existiram, mas o que quero dizer é que atualmente estamos cada vez mais munidos de informações, porém desprovidos de conhecimento. E uma comunicação assertiva transpõe a barreira de qualquer mal-estar que possa surgir nas relações imponentes pais-filhos. A comunicação, para ser coerente e assertiva, deve iniciar pelo respeito mútuo, isto é, precisa ser um bom ouvinte para evitar comentários ou apontamentos desnecessários.

Sabemos que não é tão fácil e simples quanto parece, pois, conforme já dito, carregamos uma bagagem existencial cheia de informações, conhecimentos e aprendizados. Nessa bagagem levamos tudo o que um dia nossos pais, avós, tios e demais pessoas com quem convivemos nos entregaram como "verdade" a ser seguida. E, certamente, ela foi e continua sendo de grande valor nas nossas vidas, mas hoje serve apenas como nosso guia referencial. Nesse momento, preciso dizer que muitas coisas que você ainda carrega na bagagem estão obsoletas.

Talvez nesse instante você esteja fazendo algumas reflexões em torno do exposto. Pode estar pensando que aquilo que você aprendeu e tenta transmitir ao seu filho esteja incorreto ou até mesmo sentindo um desconforto por não concordar com o que leu. Preciso esclarecer que me refiro aqui não ao que você diz às crianças, mas o modo como isso é expresso. É importante saber ouvi-la de forma respeitosa, entendendo suas necessidades e anseios, sem apontamentos ou julgamentos. Muitas vezes passamos mensagens desconexas e esperamos compreensão e resultados positivos, mas não observamos que as nossas palavras e expressão estão em desacordo com o que exigimos.

Quando digo que devemos saber ouvir, me refiro ao ato de compreender e absorver o que foi dito, ou seja, "ouvir" é diferente de "escutar". O ato de ouvir é natural, automático, é o processo de captarmos um determinado som. Escutar é mais complexo, refere-se à compreensão, ao entendimento, ao sentir, receber por completo o que a outra pessoa está nos transmitindo. Ao entendermos a diferença entre ouvir e escutar, fica mais fácil observarmos como é a nossa comunicação, permitindo-nos uma aproximação nas relações intrapessoal e interpessoal.

Muitas vezes parece que fomos e somos treinados apenas para ouvir. Estaria o ser humano perdendo a capacidade de escuta? Talvez o ser humano está mais interessado em falar do que escutar? Será que preferimos ouvir sem interpretar? Importante ressaltar que ouvir e respeitar os anseios, principalmente das crianças, não quer dizer ser permissivo, liberal, mas acolher aquilo que está deixando-a desconfortável. Nesse contexto, convido-o para uma reflexão sobre como tem sido sua comunicação nas relações familiares e sociais. Vale salientar que, quando melhoramos nossa habilidade de comunicação, há uma reciprocidade, conexão e interação de modo muito natural nas relações em todos os aspectos.

Referências

EKMAN, P. *A linguagem das emoções*. Lisboa: Lua de Papel, 2011.

ROSENBERG, M. B. *Comunicação não violenta: técnicas para aprimorar relacionamentos pessoais e profissionais*. 4. ed. São Paulo: Ágora, 2006.